新潮文庫

ナイフ

重松　清著

新潮社版

6493

目次

ワニとハブとひょうたん池で……7
ナイフ……65
キャッチボール日和……125
エビスくん……199
ビタースィート・ホーム……293
文庫版のためのあとがき……391
解説　如月小春

ナイフ

ワニとハブとひょうたん池で

1

町にワニが棲《す》みついた。

あたしが新聞記事でそれを知ったのは、夏休みが始まってしばらくたった頃だった。記事によると、「大泉公園のひょうたん池にワニがいる」という噂《うわさ》は、夏休み前からひそかに流れていたらしい。中年のアマチュアカメラマンが草むらを歩く体長九十センチほどのワニを目撃したのが五月、もっとさかのぼって、四月と前の年の九月にも、造園関係の人がワニらしき生きものを見かけていたそうだ。

あたしの家は、公園と二車線道路を隔てて建つ四階建てマンションの最上階、ベランダに出ればひょうたん池をほとんど一望できる位置だ。町が寝静まった深夜には、サカリのついた捨て猫が公園のあちこちで鳴き交わす喉《のど》を絞めつけるような声が、びっくりするほどくっきりと聞こえてくることもある。

だから、ワニを見かけた人が悲鳴をあげればきっと気づいたはずなのに、妙なところで皆さん慎み深く、そのくせ新聞が報道するやいなや「僕も見ました」「私も見たんです」なんて次々に名乗り出るものだから、寝坊したあたしが朝刊を手にあわててベランダに出たときには、すでに池の周囲は報道陣や野次馬であふれ返り、こっそりエサを差し入れしてあげられるような状況じゃなくなっていた。

あたしは、ワニが好き。絵本やアニメに出てくる擬人化されたワニじゃなくて、もっとリアルな、水草のぬめりや泥のにおいをまとわりつかせた、ワニ。口がばっくりと裂けて、いつもおなかを地面にすりつけて、一日二十四時間をあたしたちの五分の一ぐらいのテンポで生きているような、ワニ。カメの甲羅にはなんの興味もなかったけど、ワニの背中には一度乗ってみたいな、と子供の頃からずっと夢見ていた。

ときどき、不機嫌で憂鬱《ゆううつ》で、「もう、どうだっていいやあ……」とつぶやいてしまうようなときには、ワニに食われて死んじゃうのも悪くない、と思う。ワニの歯はくさびみたいに尖《とが》っているけど、口のサイズが大きいぶん一気にことは運ぶはずだから、トラに食べられてしまうより痛くなさそうな気もする。少なくとも、何百尾ものピラニアに嚙《か》みつかれるよりは、ずっといい。

ひょうたん池にワニが棲みついているのを知ったとき、あたしは「もう、どうだっていいやあ……」のまっただなかにいた。ワニに食われて死んじゃおう、かなり真剣に思っていた。

だから。

あたしがワニに差し入れしてあげるつもりだったエサは、十四歳のあたし自身の体だったのだ。


ある朝目覚めたら毒虫に変身していた……という外国の有名な小説があるらしい。あたしはまだ読んだことがないけど、自分が毒虫になっていることに気づいたときの主人公の気持ちは、なんとなくわかるつもりだ。

一学期の期末試験を数日後に控えた七月初め、あたしは一夜にしてハブになった。

もちろん、ヘビになったわけじゃない。村八分のハチブを略して、ハブ。基本的には名詞だけど、動詞みたいにも使える。ハブらない、ハブります、ハブる、ハブるとき、ハブれば、ハブれ、ハブろう。あたしは、クラスの仲間からハブられた。要するに、つまはじきにされてしまったというわけだ。なんの前触れも、理由もなく。

「おはよっ！」

あの朝、あたしはいつものように元気いっぱいに教室に入っていった。でも、あちこちから返ってくるはずの朝の挨拶《あいさつ》がない。

あれ？　と一日の出端《でばな》をくじかれた感じだったけど、まだその時点ではさして気に留めずに自分の席についた。

「ゆうべさあ、まいっちゃったよ、留守録失敗しちゃって」

近くにいたナナコちゃんに声をかけたら、ナナコ、逃げた。逃げて、他のコたちのおしゃべりに合流した。このあたりで、胸がざらっと毛羽立ってきた。あたしはとっさに口実を見つくろって、隣の席のミドリちゃんに言った。

「あのさ、ちょっと数学の宿題、見せてくれない？　一問できなかったのがあるんだけど」

ミドリちゃんも、無言で席を立つ。

「……えーっ、なに？　それ」

とぼけたリアクションをしたつもりでも、声が微妙に震えるのが自分でもわかった。嘘《うそ》だよね、これ。すがる思いで後ろを振り向くと、アイちゃんは素知らぬ顔で、そっぽを向いた。ニキビが悩みのアイちゃんの頬に触れたあたしのまなざしは、まるでゴミ箱に放られる紙くずみたいに、ぽとりと床に落ちてしまった。

まさか……と嫌な予感は認めたくない確信に変わり、それを頭の中で巡らせる間もなく、床に落ちたまなざしが数人ぶんの上履きで踏みつけられた。

顔を上げると、四月に同じクラスになって以来なにかと折り合いの悪かったサエコが、腰巾着《こしぎんちゃく》のコを引き連れて立っていた。

「あのね」サエコは薄笑いを浮かべて言った。「あんた、今日からハブだから」

「ミキちゃん、かわいそーっ」とジュリの声があたしの肩を小突き、カオリが「がんばってねえ」と歯ぐきを剝《む》き出しにして笑う。

ちょっと待ってよ、なんであたしがハブられなきゃいけないのよ。理由を教えてよ。あたしに悪いところがあったら直すから。

なんて、訊《き》けるわけない。あたしにだってプライドがある。机の上に置いた自分の手の甲を無表情に見つめる。それがせいいっぱいだった。

サエコたちが立ち去ったあと、あたしはゆっくりと、慎重に教室を見回した。ウチの学校は私立の女子校なので、クラスは女の子ばかり三十七人。あたしを除いて三十六人。サエコは予想以上にクラスをまとめあげていた。周到に準備して、満を持してのハブ開始だったのかもしれない。目が合ったコは弾が命中すると標的が倒れるシューティングゲームみたいに次々にうつむき、その中には、親友だと信じていた同じ小学校出身のホナミも含まれていた。

クラス全員。どこにも逃げ込めない。あたしの視線を受け止めてくれるのは、黒板の隅に記された『今日の日直』の丸っこい文字だけだった。

その日以来、あたしは二年B組のハブになった。

誰も口をきいてくれない。目が合うと薄笑いを浮かべて顔をそむけ、廊下ですれ違うときには大袈裟《おおげさ》な仕草で身をかわす。

ハブの噂は他のクラスにも広がっていった。最初のうちは「だいじょうぶ?」と心配そうに声をかけてくるコや、「すぐ元どおりになるって」と言ってくれるコも何人かいたけど、やがてどのクラスのどのコも、あたしをハブるようになった。

理由なんて、ない。みんな退屈している。そして、やたらと厳しい校則や二年生になって急に難しくなった勉強のせいで、たぶん鬱屈《うっくつ》もしている。暇つぶしと欲求不満の解消のために、誰かをハブっちゃおう。それだけのことだ。

あたしはなにも悪いことなんてしてない。誰かを裏切ったり、誰かに意地悪したり、誰かにつらい思いをさせたことなんて、まったくない。

そこが悔しい。悲しいんじゃなくて悔しいんだ、と思いたい。

憎まれているのなら、まだましだ。「あんたなんか大嫌い!」とハブってくるのなら、あたしだって「負けるもんか!」と、みんなの背中をにらみつけてやれる。でも、実際は違う。みんな笑っている。ひとりぼっちになったあたしを見て、楽しんでいる。これはゲーム。ただの悪ふざけ。怒ったり泣いたりしたら、みんなの思うツボだ。それがわかっているから胃が痛くなるほど悔しくて、眠れなくなるほど、やっぱり悲しい。

一学期が終わるまでハブの状態はつづいた。

終業式の日、ちょっとだけ期待した。きりがいいから、このへんでやめようか。誰かが言いそうな気がした。サエコは飽きっぽいコだし、ジュリは期末試験が予想以上の好成績だったとかで機嫌がよかったたし、ホナミ、あんたが「そろそろやめない？」と言ってくれれば一番いいのに。

でも、なにも変わらなかった。ホームルームが終わって先生が教室から出て行くと、サエコがクラス全員に聞こえるように言った。

「裏切るなよお、裏切ったらハブっちゃうよお！」

みんな、無言でうなずいた。あたしはそっぽを向いていたけど、それくらいわかる。わかるから悔しい。つまらない期待をしてしまった自分が情けなくなり、自分にまで情けなく思われてしまう自分が大嫌いになった。だけど、あたしはあたしをハブれない。あたしにハブられたら、あたしが終わる。それができれば楽なのにな、という気がしないわけじゃないけど。

夏休みに入ってからも、遊びに行こうという電話なんてかかってくるわけがない。ずっと家に閉じこもりきりの毎日だった。親には「七月のうちに宿題やっちゃいたいから」とごまかしているけど、いつまでも通用はしないだろう。なにしろ、ハブの始まったあの朝までは、「少しは家で勉強しなさい！」というのがお母さんの口癖だったぐらい外で遊びまわっていたのだから。

しかも、ゲームは夏休みの間にも着々と進行していた。

毎日のように差出人名のない手紙が届けられる。封筒の中には、新聞記事のコピーが一枚入っている。イジメで自殺した中学生や高校生の記事だ。

お金と手間暇かけてよくやるよ、なんて苦笑いを浮かべる余裕はない。いまは封筒の手紙だから「友達と文通ごっこしてるんだよ」とお母さんの目をごまかすことはできる。でも、もしもハガキになったり、いたずら電話がかかってくるようになったら……。

ワニがひょうたん池に棲んでいることがわかったのは、夜なかなか寝付かれなくなり、ごはんが美味《おい》しくなくなった、そんな頃だったのだ。

あたしの町は、都心のターミナル駅から私鉄の準急電車で約二十分、『超』が付くほどじゃないけど、まあ高級の部類に属する住宅街。バブル景気の頃には、「えーっ、うそォ」と言いたくなるような古い家でさえ一億円未満では手が届かなかったらしい。

人気の秘密は、なんといっても緑の多さだ。朝は小鳥のさえずりで目覚めることができるし、ジョギングや散歩のコースに不自由することがない。都心から近くて、自然が豊か。駅前の開かずの踏切を除けば申しぶんない、その環境を支えてくれているのが、町の中心にある入園無料・二十四時間立ち入りOKの大泉公園だ。

ずーっと昔に豪族のお城があったというこの公園には、湧《わ》き水がつくったひょうたん池をはじめ、日帰りで楽しめる程度の自然が、まるで幕の内弁当みたいに揃《そろ》っている。ひょうたん池の中には天然記念物に指定された浮島があり、島の隣には自然観察園があって、岸辺には野鳥の森と、ソメイヨシノが三百本近く植えられた広場。ひょうたん池の隣にはボート池もあって、そこは子供専用の釣りゾーンにもなっている。

この町に生まれ育った人の休日の思い出は大泉公園とともにあると言ってもいい。子供時代はなじみの遊び場で、やがて勝手知ったるデートコースになり、結婚してからは安上がりに家族サービスのできる切り札ということになる。

そんな大泉公園に、こともあろうに体長九十センチのワニが棲みついてしまったのだ。ひょうたん池の岸辺は連日、報道陣や野次馬であふれ返った。公園の周囲の道路は違法駐車の車で一車線が完全にふさがり、売店のおばさんはテレビのインタビューに答えて「ええ、ええ、おかげさまで売り上げも伸びてましてねえ」と金歯を覗《のぞ》かせて笑っていた。この調子なら『大泉公園名物・ワニまんじゅう』や『元祖ワニもなか』まで売り出しかねないにぎわいだった。

もちろん、近所の住民は、のんびり騒動を楽しんではいられない。我が家みたいにマンションの上階ならともかく、一戸建に住む人は気が気じゃない。お母さんがスーパーマーケットや美容院やテニス教室で仕入れてくるご近所の様子も、どこの家も生ゴミを夜のうちに出さなくなったとか、ダンナの帰りが早くなったとか、雨戸を閉めて寝るようになったとか、飼犬を夜には玄関の中に入れておくとか……そんな感じだった。

ふだんはただそこにあるだけという公園の管理事務所も、世間の注目を浴びて張り切ったのか、八月早々からワニ捕獲作戦を始めていた。といっても、ひょうたん池やボート池にイカダを浮かべるだけの、捕獲と言うより確認作戦だ。

それでも、ワニが池から現れる瞬間を見届けようと、野次馬たちは双眼鏡をかまえ、カメラの三脚をセットする。無意味に声をひそめて「ワニは、まだ姿を見せません」と報告するワイドショーのレポーターの隣では、小学生の男の子がアイスキャンディーを嘗《な》めながらピースサインをテレビカメラに向ける。

あたしは、そんな池の様子を、ベランダの手すりに頬づえをついて、ぼんやりと眺める。

もしもワニが見つかったら、どうなるんだろう。まさか射殺や毒殺なんてことにはならないだろうけど、たぶん動物園から飼育係がとんできて、麻酔銃でも撃つのか網をかぶせるのか、どっちにしても捕まえてしまうはずだ。

「いいじゃん、ワニぐらいいたって……」

わざと声に出してつぶやくと、一学期より少し削《そ》げてしまった頬を苦笑いが滑り落ちていく。

ひょうたん池のにぎわいは、窓を閉めていても部屋まで聞こえてくる。ときどき、野次馬の笑い声が、こっちに向けられているような気がしてしまう。

八月に入ると、差出人不明の手紙は届かなくなった。でも、それでゲームが終わったわけじゃない。週に三日通っている塾にまで、ハブのゲームは広がってしまった。ホナミだ。あのコが、なんの関係もない別の中学のコまで誘ったんだ。

せめてもの意地で、一度だけ、塾の教室でホナミに言ってやった。

「学校と違うんだよ？　サエコとかジュリとかエツコとか、誰もいないんだよ？」

ホナミはこわばった顔でうつむいて、バッグから出した英語のテキストを机に広げた。ページが違っていたので、「今日、そこじゃないよ」とあたしは言った。ホナミはうつむいたまま席を立ち、別のコのところに小走りに逃げた。追いかけようと思って、でも、やめた。すがりつくのなんてみっともないじゃん。そう自分に言ったとき、急に胸の鼓動が高まった。すがりつく？　あたしが、ホナミに？　なんで？　やだ、そんなの……。

ベッドに入っても、明け方近くまで眠れない。ごはんは冷麦やそうめんしか食べられない。胃が痛い。肩が凝って、奥歯が歯ぐきから浮き上がってしまったみたいだ。ニキビが消えない。関係ないと思うけど、生理だって、八月は一週間も遅れて始まって、しかも生理痛がひどかった。「夏バテしちゃった」という嘘にだまされてくれるお父さんやお母さんの人のよさに感謝している。でも、だからこそ、ハブのことを両親が知ったら……と思うと、急に息苦しくなって、胸がきしむように痛くなる。

八月の半ば頃、夜になって池の周囲が騒然としたことがあった。ベランダに出ると、テレビのライトが水面を照らし出していた。パトカーのサイレンも遠くから聞こえてくる。

「ワニ、捕まったのか？」

お父さんも缶ビール片手にリビングからベランダに出てきた。

「わかんない」とかぶりを振ると、キッチンで洗い物をしていたお母さんまで出てきて「ミキ、ちょっと行って見てくれば？」と笑いながら言った。

お父さんは「ここからじゃ、無理だな」と言ってあたしを振り向き、「そっちからだと見えないか？」と訊く。

「……わかんない」

「散歩がてら三人で見に行くか？」

「ううん、あたしは、いい」

「あれ？」お父さんの隣で、お母さんが甲高い声をあげた。「ねえ、門のところにいるの、ホナミちゃんじゃないの？」

手すりから身を乗り出して公園の入り口を見てみると、ほんとだ、ホナミがいる。数人のグループで、バス停のベンチに座ってソフトクリームを食べている。いっしょにいるのも全員同級生だ。この町に住んでいるのはクラスでホナミとあたししかいないから、みんなワニ見物に来たんだろうか。それとも、ハブの家の場所を確かめて、二学期からのゲームの作戦を練っているんだろうか……。

「おっきな声出したらわかるんじゃない？　ホナミちゃんに、なにがあったか訊いてみれば？」

「そうだよ、うん、そうしろよ、ミキ」

お父さんとお母さんがあたしを見る。笑わなくちゃ。「いいよお、そんなの、みっともない」って、明るい声で言わなくちゃ。必死に自分に命じたけど、頰も唇も、こわばったまま動いてくれなかった。

あたしは黙って部屋に戻った。怪訝《けげん》そうな顔で首をかしげあい、まあ難しい年頃だからね、と苦笑いで納得しあう両親の姿が、はっきりと想像できた。

その夜、あたしは布団《ふとん》を頭からかぶって、ハブになって以来初めて泣いた。家にだけはこないで、家だけはやめて……枕《まくら》に顔を押しつけて、声にならないうめきを漏らした。お父さんやお母さんの前では、いつもの元気で明るいあたしでいたい。両親への気遣いとか、そんなのじゃない。うまく言えない。でも、あたしがこんなに苦しんで落ち込んでいるのを、お父さんとお母さんにだけは知られたくない。好きな男のコの名前を内緒にしたり、たとえお母さんとでもいっしょにはお風呂《ふろ》に入りたくないのと、たぶん同じ理由で。

池の騒動の原因は、翌朝、わかった。

ワニが見つかったわけじゃなかった。野次馬の酔っ払ったオヤジが、調子に乗って池に飛び込み、パトカーで連行されただけだった。ばか。

2

九月に入ると、ワニの確認および捕獲作戦はいっそう強化されることになった。池に浮かべるイカダの数を増やし、鉄製のカゴを用意して、エサでおびき出す。エサは馬肉。わざわざ動物園からライオン用のものを分けてもらったらしい。

学校が始まったこともあって、ひょうたん池の野次馬の数は一時ほどではなくなったけど、そのぶん、ワニが姿を現した瞬間をぜったいに見届けてやるんだという執念みたいなものが岸辺に漂っている。野次馬の精鋭が居残ったという感じだ。

でも、あたしはまだ一度も池に出かけたことはない。ワニが大好きだから、興味本位で集まってくる野次馬たちといっしょになんかなりたくない。

それに、正直に言って、外に出る気力も失《う》せていた。二学期になっても、あいかわらずハブのまま誰からも口をきいてもらえず、目も合わせてもらえない。「もらえない」

なんて言うのは悔しくてたまらないけど、もう意地を張って強がることにも疲れてしまった。

始業式の日、夏休みの間も学校に置きっぱなしだった折り畳み傘が壊されていることに気づいた。夏休みの美術の宿題だった風景画を丸めて机の中に入れておいたら、いつのまにかぺしゃんこにつぶされていた。画用紙には上履きの跡がくっきり残っていたけど、犯人探しなんて無意味なことだ。

ホームルームや授業で配られるプリントも、あたしを抜かして後ろに回されるようになった。「全員に回りましたか？」と先生に訊《き》かれ、「すみません、取るの忘れてました」と教壇まで貰《もら》いに行く背中に、三十六人の忍び笑いが貼《は》りつく。恥ずかしさと悔しさに目を伏せて席に戻ると、椅子《いす》に画鋲《がびょう》が置いてある。丸めた紙屑《かみくず》のときもある。紙を開くと、『まだ死なないんですか？』と書いてある。

ほんとうに死んであげようか？　遺書にクラス全員の名前書いて、新聞社とかテレビ局とかに送り付けてから、みんなが見てる前で校舎の屋上から飛び降りてあげようか？

冗談。でも、ちょっとは本気。

夜中に、ぜんぜん眠れなくてベッドから起き出して、英語のノートに同級生の名前を書いてみた。出席番号一番の『アダチカズエ』から、十四番の『ソノダミキ』、つまりあたしを除いて、三十七番の『ワタナベユウカ』まで、全員。一人残らずフルネームで覚えてるところがすごく悔しくて、なんだか自分が哀れになってきて、消しゴムで一人ずつ名前を消していった。

ワニは見つからない。エサの馬肉が食いちぎられていることは何度かあったけど、どれもカメの仕業だという鑑定だった。

カメなんかに負けるなよなあ、ワニ。

あたしは、家ではやたら陽気に、おしゃべりになった。つまらないコメディアンのギャグに脇腹《わきばら》が痛くなるぐらい笑い転げ、夕食のあともずっとリビングに残って、お父さんとお母さんの恋人時代の話をせがんだり、両親には知らんぷりしていた子供時代のイタズラの数々を「あたしね、ほんとはね、昔ね」とザンゲしたりした。一度しゃべりだすと、口は勝手にえんえん動きつづけ、喉《のど》がひりついて声がしわがれても止まらなかった。

「お父さん、ギター教えてよ」と言うと、学生時代にビートルズが大好きだったお父さんは、さっそく翌日新しい弦を買って帰って、納戸《なんど》の奥にしまいこんでいたアコースティックギターをひっぱりだした。コードを押さえられるようになったら新しいギターを買ってくれるという約束も取り付けた。

お母さんにも、おねだりした。

「今度、ケーキ焼こうよ。いろんなの、教えて」

でも、お母さんの反応はお父さんとは違った。なにも答えず、じっとあたしを見つめた。「どうしたの？」と訊くと、黙って目をそらした。たぶん、先に目をそらしてくれたんだと、思う。


『大泉公園のワニ　捕獲作戦を再強化』という記事が朝刊に載ったのは、秋分の日の前日だった。もともと熱帯や亜熱帯に棲《す》むワニは気温が下がると動きが極端に鈍くなるので、一日も早く発見し、捕まえなければならない。そこで、ついにワナを仕掛けることを決めたのだという。

鉄製のケージの中に馬肉を置き、ワニがそこに入ると扉が閉まる仕掛けだ。池のイカダに置いたエサにも、カジキマグロ漁で使う大きな釣り針が仕込まれた。

翌日のひょうたん池は、ひさしぶりに朝から報道陣や野次馬でにぎわった。誰もが期待している。ワニが姿を現すことと、捕まることを。

ベランダからそれをぼんやり眺めているうちに、ワニがだんだんかわいそうになってきた。

ワニがなにをしたっていうわけ？　誰かに嚙《か》みついたり、前肢《まえあし》の爪《つめ》で公園のどこかを壊したりした？　なにもしてないじゃない。ワニはただ、黙ってそこに棲んでるだけじゃない。

自然保護とか動物愛護とか、そんなカッコいいことを言ってるんじゃない。同情とも、ちょっと違う。悔しいんだ、すごく。ベランダから岸辺の人ごみに石をぶつけたいぐらい悔しい。

みんな、にやにや笑いながら池を見ている。中学生か高校生の男のコたちが、仲間同士で池に落っことす真似《まね》をしている。

捕まえるだけじゃ物足りないんだ。ワニが暴れて、ここにいる誰かに噛みついて、悲鳴があがって、血が飛んで、最後はワニも殺されちゃわないと、「今日はつまんなかったな」なんて言いながら引き揚げるんだ。

ゲームだもん。こんなの、全部。恨みや憎しみがなくたって、こんなふうに追い詰めていって、笑いながら殺すことができるんだ。

相手がワニだから。そして、ハブでも、きっと同じ。

うんざりした気分で部屋に戻ると、お母さんが戸口に立っていた。なにか言いたそうな顔をしている。違う、言いたいんじゃなくて、訊きたいんだ。

あたしは、「今日捕まっちゃうかもね」と笑いながら言った。

お母さんは笑い返さない。

「ミキちゃん」声が震えていた。「最近、遊びに行かなくなったんだね」

「まあね」と、あたしの声はふだんどおりだったはずだ。ずっと練習してきたんだから。

「学校、おもしろい？」

「うん」

「塾は？」

「おんなじ。休んだりしてないでしょ？　ちゃんと行ってるでしょ？　塾なんて遊びに行くんじゃないんだから、おもしろいもつまんないも関係ないじゃん」

あたしはあくび交じりに伸びをして、首をぐるぐる回した。それから……どうするんだったっけ……。何度も練習しておいたのに、お母さんの視線に射すくめられて、その次の仕草を忘れてしまった。

お母さんの後ろに、お父さんもいた。お母さんと同じようなまなざしを、あたしにぶつけている。怖い顔。でも、怒っているんじゃない。どうしていいのかわからなくて、少しいらいらしながら、あたしをにらんでいる。

「あなたは、いいから、あっちで……」

お母さんが振り向いて早口に言いかけたら、それが逆にふんぎりをつけさせたのか、お父さんはお母さんを脇に押しやって部屋に入ってきた。手に白い封筒を持っていた。

「今朝、郵便受けに入ってた」と感情を必死にこらえているのがわかる、上ずっていながら平べったい声で言うのと同時に、封筒が小刻みに震えはじめた。

「なに？　それ」

あたしは、きょとんとした顔で訊いた。「きょとん」と、心の中でつぶやいた。「なに？」の「に」を息を詰めて、がんばれ、と持ち上げた。

お父さんは黙って、封筒をあたしに差し出した。封筒じゃなかった。それは、白と黒の水引のついた、おくやみ用のノシ袋だった。

『御霊前　二年B組一同』

中にはなにも入っていない。それを確かめる仕草にも無邪気な好奇心をにじませたつもりだけど、両親には伝わらなかっただろう。

「ミキちゃん、明日いっしょに先生に相談しよう？　ね？　お母さん、ちゃんと先生にお願いしてあげるから。ね？　先生に言わないと、こういうね、ひどいイタズラなんて……ね？　明日……いまから電話しようか？　先生、今日、家にいるわよね？」

お母さんはドア枠に抱きつくような格好で、泣きながら言った。

あたしは袋を机に置き、ベッドの縁に腰掛けて、「違うの」と言った。「これ、遊びだから、ゲームなんだから」

「だって、ミキちゃん……」

「流行《はや》ってんのよ、わけのわかんない遊び。ホナミよ、きっと。あのコが、ゆうべ、これ入れてったのよ。まいっちゃうなあ。ま、あたしも別のコのカバンの中におんなじの入れといたんだけどね。聞いたことない？　香典ごっこって。けっこう流行ってんのよ。しょうがないなあ、遊びでびっくりしちゃって」

あたしはベッドに仰向けに寝転がって、キャハハハッと、「キャ」「ハ」「ハ」の文字を思い浮かべながら笑った。台本のト書きには、きっとこう書いてある。明るく、元気に、屈託なく。

お母さんは洟《はな》をすすりあげながら、あたしの顔を上から覗《のぞ》き込もうとした。それを、今度はお父さんが押しとどめる。

「ミキ」

お父さんは、お母さんの肩を抱いて言った。

「なに？」

「なにかあったら、いつでもいいからお父さんかお母さんに……」

つづく言葉を呑《の》み込んだ。まるで、ここから先は言わせないでくれ、と訴えるように。

あたしは、息を大きく吸い込んで、天井を見つめたまま言った。

「はーい」

ベッドのスプリングがたわんで、ネズミが鳴くような音をたててきしんだ。

動揺しちゃだめだ、と自分に言い聞かせた。うろたえたり、悲しんだり、怒ったりしたら、奴《やつ》らの思うツボだ。知らん顔。落ち着いて、無視。駅の雑踏を歩くときのように、なんの感情もない顔つきで過ごすんだ。

仲良くしようなんて思うから、つらくなる。同級生とは仲良くするのがあたりまえ？ そんなの嘘《うそ》だ。たまたま同じクラスになったっていうだけの、奴らは赤の他人なんだから。赤の他人が話しかけてこないのはあたりまえ。すれ違うときに目をそらすのは当然。意地悪だってしてくるよ、赤の他人なんだから。かばってくれるわけないじゃん、赤の他人を。

授業中も、休憩時間も、放課後も、あたしはずっと左胸に掌《てのひら》をあてて過ごした。だいじょうぶ、心臓はちゃんと動いてる。あたしは死んだりしない。自殺なんか、ぜったいにするもんか。生きていくっていうのは、つらいんだから。そうだよ、楽しいわけないいんだ。いままでの生活のほうがおかしかったんだ。赤の他人に囲まれてるんだもん、つらくないわけがないんだから。

こんなかんたんな理屈に、どうしてみんな気づかないんだろう。

十月一日。

昼休みに担任の先生が教室に入ってきて、サエコと取り巻き数人に、すぐに職員室に来るよう命じた。

サエコたちは、「えーっ、なんなのお？」なんてぶつくさ言いながら、連れ立って教室を出て行った。突然の呼び出しだったけど、サエコたちにはそれほど驚いた様子はなかった。歩きながら耳元でささやきあったり肘《ひじ》でつつきあったりして、廊下に出る間際《まぎわ》にあたしをちらりと振り向いて、やっぱりねえ、と嘲《あざけ》るように笑う。

「あーあ、チクリ入っちゃったってかあ？」

呼び出しのご指名がかからなかったナナコが、教室中に響く声で言った。

「最っ低、このハブ！」

マリエが、自分の机の脚を蹴飛《けと》ばした。

「せんせーっ、あたしィ、みんなからァ、意地悪されちゃってるんですゥ」

お調子者のアツミが腰をくねらせると、みんな笑った。もう忍び笑いなんかじゃなかった。はっきりとあたしを見て、声をあげて笑った。

「違う！　あたし、誰にも言ってない！」

思わず叫んでいた。席についたまま、机を両手の掌で思いきり叩《たた》いていた。

教室が静まりかえる。でも、それはほんの一瞬のことだった。

アツミが「はあ？」ととぼけた声で言った。「なんのこと？」

「よくわかんないね、なに言ってんのか」とミユキがあきれたように首をかしげ、「被害妄想なんじゃなーい？」とトモコが語尾を吊《つ》り上げて、頭の横で人差し指をぐるぐる回した。

　そうして、教室中を笑い声が這《は》っていく。

　教室に戻ってきたサエコたちは、まるで英雄のように迎えられた。

「ねえねえ、どうだった？」「まいっちゃったよお、ねちねちしつっこいんだもん」「やっぱり、ハブのこと？」「とーぜん」「本人？　親？」「そこまで言うわけないじゃん、せんせーが。察してあげなきゃ、そこんところは。なんかさあ、手紙が来たらしいよ、せんせーんちに。二年B組でイジメやってますよお、って」「うっそお！」「セコいんだ、それが。ハブられてる奴の名前は書いてなくてさ、うちらの名前はちゃーんと書いてあるんだから」「えーっ、なんなの？　それって」「見栄《みえ》張りたいんじゃない？　ハブも。そーゆー根性だからハブになっちゃうってこと、どーしてわかんないんだろーねえ、ハブちゃんは」……。

　違う、あたし、ぜったいにしてない、そんなこと。

　サエコたちは、制服のポケットに手を突っ込んで、こっちに歩いてきた。サエコがあたしの右、左はエツコ、後ろからユミとジュリ。四人で、あたしを取り囲む。あたしは動かない。動けない。机の上に置いた握り拳《こぶし》を、じっと見つめる。耳たぶの後ろが熱くなっているのがわかる。背中が痛い。みぞおちが縮こまる。

「ハブちゃん」サエコが言った。「あんた、すごく臭いんだけど」

「ゲロ吐きそうなぐらい臭いよ」とエツコがつづけた。

「キュウリ、入れっぱなしなんじゃないの？　あんたのあそこ」

ユミの言葉に「やだあ」と笑ったジュリは、軽くかがんで、あたしの耳元にしわがれた声をなすりつけた。「くっせえーっ！」

授業の始まるチャイムが鳴り、サエコがとどめを刺した。

「ねえ、ハブちゃん。悪いんだけど、あんた、今夜死んでくれない？」

その夜、塾の帰りに、あたしは初めて大泉公園に入っていった。

まっすぐ家に帰りたくなかった。お父さんやお母さんの顔を見て、声を聞いたら、もうぐしゃぐしゃにつぶれてしまいそうな気がした。

手紙は両親が書いたものじゃない。だって、サエコのことなんか、お父さんもお母さんも知らない。それとも、大人にはわかっちゃうんだろうか。どんなにごまかしても、ちゃーんとお見通しなんだろうか。だとすれば、もっとつらい。あたしはいま、ものすごくかわいそうな娘になっているんだろうか。嫌だ。ぜったいに嫌だ。あたしは明るくて元気で、お父さんにすぐに甘えてお母さんにいつもお小言をくらう、そんな娘でいなくちゃいけないんだ。

時刻は、午後八時半を少し回ったところだった。九月の終わり頃から朝晩が急に冷え込んできて、こうして正門からひょうたん池へつづく遊歩道を歩いていても、吐く息が白い。

公園は閑散としていた。つい一週間前のにぎわいが嘘みたいだ。

ワニは、まだ捕まっていない。期待が高かったぶん拍子抜けも大きかったのか、三日つづいたおびき出し作戦が失敗に終わったあとは、急に野次馬たちの姿が減った。新聞やテレビのニュースも、ひょっとしたらワニなんて最初からいなかったんじゃないか、と言いはじめている。

『岸辺には近づかないでください　管理事務所』『この池にはワニがいる恐れがあります。注意してください　大泉公園』なんていう看板が、たぶん夏のうちに立てられたのだろう、埃《ほこり》にまみれて暗がりにぼうっと浮かび上がっている。

犬を連れてジョギングをするおじさんに追い抜かれ、橋のたもとのベンチでおしゃべりをしているカップルさんを横目に、ひょうたん池の、ワニが最初に目撃されたというあたりに向かった。

歩きながら斜め上に目をやると、夏よりもだいぶ隙間《すきま》が増えた木立越しに、マンションが見える。四階建ての、四階。明かりが灯った窓、そこがリビングルーム。お父さんはまだ帰っていないだろうから、きっとお母さんが一人でテレビを観ているはずだ。明かりの消えた窓が、あたしの部屋。いつも、あそこからここを見ていたんだ。マンションから公園までは手を伸ばせば届きそうな近さだと思っていたのに、逆の側から見てみると、ずいぶん遠い。

あたしはマンションがちょうど木立に隠れるところで立ち止まり、池を見つめた。常夜灯の明かりがいくつも水面に白く浮かんでいる。でも、それがよけいに、池ぜんたいの暗さと深さをきわだたせる。

この池のどこかに、ワニはいる。きっと……ぜったいに、いる。じっと息をひそめて、あたりの様子を窺《うかが》っている。水の中に入って、鼻の穴と目だけを出して、獲物を探している。岸辺の泥に半分体を埋めて、腐った肉のにおいをさぐっている。生い茂る葦《あし》の茎を尻尾《しっぽ》でなぎ倒し、のそのそと夜の闇《やみ》をおなかでこすりながら這っている。

人間なんかに捕まるものか、ワニが。なめるな。

足元から寒気が伝わってきて、そろそろ家に帰らなくちゃお母さんが心配しちゃうな、と気づいて踵《きびす》を返した。

その直後、あたしは短い悲鳴をあげてしまった。

少し離れた岸辺に、女の人が立っていたのだ。

近所に買い物に出たついでのようないでたちの、おばさんだった。服はシャツにセーターを重ね着しただけだし、手にはスーパーのポリ袋も提げている。

おばさんはあたしの悲鳴にも驚くことなく、池を見つめたまま、つぶやくように言った。

「ワニ、いるのよ」

「え？」

「ワニは、ほんとにこの池に棲んでるの」

「……はあ」

「あなたも会いに来たんでしょ？　ワニに」

おばさんはそう言って、初めてあたしに目をやった。三十代半ばの年格好だった。顔立ちは整っているけど、切れ長の一重瞼《ひとえまぶた》のせいもあるのか、どことなく寂しそうに見える。

黙ってあいまいにうなずくと、おばさんは頰をゆるめた。光の具合なのかもともとそういう笑い方なのか、微笑《ほほえ》むと逆に寂しい印象が強まった。

おばさんはまた池のほうに向き直って、足元の小石を意味なく蹴るような口調で、

「ワニって、あたし大好きなの」と言った。

　そうですか、とあたしは小声で答える。ひょっとしたらこのおばさん、ココロを病んでいる人なのかもしれない。もしもそうだったら下手に話を合わせるとあとが面倒になりそうだし、なにより、もう三カ月近く両親と先生以外の人と話をしたことがない。おしゃべりを楽しむにはブランクがありすぎる。

「こないだのワナで捕まっちゃうって思ってた？　あなた」

「……まあ、ひょっとしたら、って」

「だいじょうぶよ、捕まらないから」

「そうなんですか？」

「そうよ。馬肉なんて食べるわけないもの、あのワニが」

　確信に満ちた言い方。それも、実際にワニを見たことがあって、どんなものを食べているのかを知っているかのような。

　横顔をじっと見つめるあたしの胸の内を見抜いたように、おばさんはつづけた。

「ときどき来るのよ、ワニ」足元の水辺を指差した。「あのあたりで、あたしがあげるエサを食べるの」

「エサ？」

「そう、こうやってね」

　おばさんは手に提げたポリ袋からお団子のようなものを取り出して、アンダースローで池に放った。二、三メートル先の暗い水面が、ボチャン、という音とともに白く裏返り、また元に戻る。

「いまの……なんですか？」

「なんだと思う？」

あたしは小首をかしげて、水面に目を凝らした。なにも浮かんでいない。おばさんは空になったポリ袋をくしゃくしゃにつぶして、掌に握り込んだ。

「人喰いトラの話って、知ってる？」

「トラって、あのトラですか？」

「そう。一度人間の肉を食べちゃったトラは、その味が忘れられなくて、他の獲物の肉じゃ物足りなくなって、次から次へと人を襲うようになるって話。ワニもおんなじよ。だから、もう、あたしのあげるエサ以外は食べないの」

訝《いぶか》る気持ちは、次の瞬間、ぞっとする予感に変わった。あわてて視線を池からおばさんに移す。嘘でしょ、と声には出なかったけど唇が動いた。

おばさんは、ゆっくりと、頰に薄笑いを浮かべて言った。

「餌付《えづ》けをしてるのよ、ずっと。ワニが人間の肉を大好きになりますように、ちゃんときれいに食べてくれますように、って」

やっぱり、この人、ココロが病気なんだ……。

あたしは腕時計を見て、「あ、もう、こんな時間だ」とわざと驚いた声をあげて、ダッシュで立ち去ろうとした。

ところが、背後を駆け抜ける寸前、おばさんは「あ、いた」と池を指差した。

あたしは足を止めて、池を振り返る。

「ねえ、あなた、見えた？　いたでしょ、ワニ」

「……どこですか？」

「そこの、先のほう」人差し指の先は、あたしたちのいるところから少し離れた葦の草むらに向けられていた。「もう隠れちゃったけど、いま、いたのよ」

「あの、あたし、帰んなくちゃいけないんで」

あたしはぺこりと頭を下げて、そのまま駆け出していった。だまされるもんか、からかわれてるだけなんだから、と自分に言い聞かせた。あのおばさん、ココロが病気の人なんだから。だって、そんなの、信じろっていうほうが無茶だ。

正門の手前で立ち止まり、池のほうを一度だけ振り向いた。おばさんの姿は暗がりに溶けてしまって見分けられない。

ワニ、ほんとうにいたんだろうか。

茂みに、赤い小さな光が二つあったような気もする。ほんとに。うん、なんとなく、見えた。そうだ、さっきは逃げ出すことしか考えてなかったからそのまま見過ごしてしまったけど、確かに、赤く光るものは、あったんだ。ひょっとしたら、あれ、ワニの目じゃなかったんだろうか……。

ひとつ大きく息を継いで、あたしは歩き出す。そうかそうか、うんうん、と笑顔でうなずく。

ワニはいる。ひょうたん池に、棲《す》んでいる。元気だ。元気に、みんなから嫌われながら生きている。うん。

ほんのちょっとだけ、元気になれた。

3

十月の下旬になって、ワニの捕獲作戦は大幅に縮小された。どの新聞やテレビも、ワニはいないのではないかという結論に達していたし、仮に棲んでいたとしても寒さでほとんど動けないはずだ、と専門家は言う。要するに、このまま放っておいても、もはや人に危害を加える恐れはなくなり、冬の寒さで勝手に死んでくれる、というわけだ。

あたしはずっとハブのままだった。それも、存在を無視されるハブじゃない。ゲームは新しい局面に進んだのだ。

休憩時間になると、サエコたちがあたしを取り囲む。誰かが「せーの」と音頭《おんど》をとって、「死ね死ねコール」が始まる。

「死ーね、死ーね、死ーね、死ーね……」

朝、登校すると、牛乳瓶に一輪挿しした花が机の上に飾られていることもあるし、机そのものがベランダに出されていることもある。

昼休みにみんなで寄せ書きをした色紙を、渡された。『安らかにお眠りください』と真ん中に書かれた大きな字を囲んで、三十六行の、署名のない言葉。『地獄に落ちろ』『地縛霊にならないでください』『形見分けでCDちょーだい。いらねーよ、おめーのなんか』『ワイドショーに出てね』……。

笑っちゃうよ。手間暇かけてお金遣って、ガキみたいなこと、よくやるよ。色紙を黙って受け取って、黙って席を立ち、黙ってゴミ箱に捨てた。破いたりなんかしない。そこまでサービスしてあげるほどあたしはお人よしじゃないし、弱くもない。だいじょうぶ。ぜんぜん、元気。赤の他人なんだもん、みんな。優しいわけないじゃない。知らん顔してやりすごせる。

学校は楽しくない場所、それでいい。放課後になって、塾に行って、帰りに大泉公園のひょうたん池に寄ればいい。池にはワニがいる。まだ一度も姿を見たことはないけど、でも、ぜったいに、いる。

ときどき、あのおばさんと出くわすこともある。おばさんはいつもエサをスーパーのポリ袋に入れて持ってくる。フリーザーで、たくさん、たくさん、冷凍しているのだそうだ。

いいじゃない、ココロなんて、ちょっとぐらい病気のほうが。

何度目かに池の岸辺で会ったとき、おばさんに名前を訊《き》かれて、「ハブです」と答えた。おばさんは怒りもあきれもせずに、「ふうん」とうなずくだけだった。

イジメの話をしたのは、十一月に入って最初に会った夜。その日の昼間、担任の先生と進路指導室で話をした。先生の自宅に、また差出人不明の手紙が来たらしい。今度は、イジメの被害者があたしだということも書いてあったという。

先生は、あたしがハブられていることが信じられないようだった。

「イタズラの手紙だとは思うけど、もし、それがほんとうで、なにか被害に遭ってるんだったら、なんでもいいから教えてくれ」

あたしは、「そんなのあるわけないじゃないですか」と笑って答えた。先生にチクったりなんかしない。そんな恥ずかしいこと、できるわけない。プライド。それを先生たちは、親もそうだけど、みんな忘れてる。だから、「イジメに遭ったらすぐに相談しなさい」なんてことを平気で言うんだ。

じゃあ、なんでおばさんには話せるんだろう。自分でもよくわからない。でも、おばさんはどうせ無関係な人だし、「あたし、学校でイジメに遭ってるんですよね。もう、まいっちゃって」なんて軽い口調で言うと、いまの自分ってそんなに不幸じゃないのかもしれないな、ともなんとなく思えてくるから不思議だ。

「友達とケンカでもしたの？」とおばさんが訊いた。

「そういうんじゃないんですよ、最近のイジメって」評論家みたいに言える。「ゲームなんです。誰かが困ったり落ち込んだりするのを見て、笑って、もっと困らせたり落ち込ませたりする、そういう遊びなんですよ。で、あたしってね、ほんとはすごい人気者だったんですよ、クラスの。学級委員とかもやったり、ホームルームでも、あたしが一番多かったんじゃないかなあ、いろんな提案したり意見言ったりするのって。だからよけい、ゲームがおもしろくなるんですよ。最初から友達がいないようなコや目立たないコだったら、そんなにおもしろくないじゃないですか。あたりまえって感じで。でも、あたしなんかがやられちゃうと、すごい落差があるでしょ、そこがいいんですよね。転落の人生？　てな感じで」

　話しながら、自分でも思った。あたしが「誰をハブったらおもしろいと思う？」と相談を受けても、きっとあたしみたいなコを選ぶだろう。どうせだったら、クラスの人気者で明るくて元気なコをハブっちゃえば？　そういうのって向こうのショックも大きいしさ、ハブるほうも、えーっ、こんなことしちゃっていいのかなあ、ってドキドキするじゃん。そのほうがおもしろいよ。理由とかがあるとさあ、なんていうのかな、仕返しっていうか懲《こ》らしめるっていうか、仕事みたいになっちゃうじゃん。こういうのって、理由とかはないほうがいいんだよ、なんでそのコをハブってるのか自分でもわかんなくなるぐらいのほうが、ぜーったいにおもしろいんだから……。

「あんまり怒ってないのね、あなた」とおばさんは言った。

「怒ってもしょうがないし、そんなことしたらみんなはもっと喜ぶんだもん」

「すごいね、最近の中学生って。いじめるほうも陰険だし、いじめられるほうも醒《さ》めてるんだ」

「でも、たぶん、あたしだけだと思いますよ、こんなふうに余裕で言えるのって。ふつうのコはマジに落ち込んで、だからほら、自殺とか登校拒否とかするじゃないですか。あたし、そういうの嫌いだし、親とかにも心配かけたくないし、どうせ一生付き合う相手でもないんだし……。勉強できないコって、授業が苦痛じゃないですか。それとおんなじで、まあ、我慢するしかないのかな、って」

あたしは暗い池を見つめて、笑った。けっこう論理的じゃん、われながら。イジメのカウンセラーとか、なれるかもしれない。

おばさんはそれをいいとも悪いとも言わずに、黙ってエサを池に放った。

その次におばさんと会ったのは、十一月半ば。寒い夜だった。陽が暮れてから気温がどんどん下がり、山沿いでは雪になりそうだと夕方のニュースが伝えていた、そんな夜。いつものとおりおばさんは池にエサを放り、「今夜は冷えるねえ」とひとりごちるように言って、その場にしゃがみ込んだ。掌《てのひら》に吹きかける息が、ぼうっと白く見える。ワニが姿を現す気配はない。新聞やニュースでも、ワニのことはまったく報じられなくなっていた。

「おばさん。ワニ、冬になると死んじゃうのかなあ」

「死んじゃうだろうね、もともと熱帯の動物なんだから。しょうがないよね、それは」おばさんは、また掌に息を吹きかけた。しゃがみ込んで両手を顔の前に出した姿は、お墓に線香を手向けているようにも見えた。

あたしは、おばさんの丸まった背中をぼんやり見つめた。制服の上にコートを着込んでいてもかじかむ寒さなのに、おばさんはいつものようにブラウスにセーターを重ねただけで、スカートの裾《すそ》から伸びる脚もストッキングを穿《は》いていなかった。

「爪《つめ》や髪の毛をね」おばさんは、ぽつりと言った。「ずっとお肉に混ぜてるの。ワニはにおいに敏感だから、それで覚えてくれないかな、って。そうすれば、池に落ちたらすぐに食べに来てくれるでしょ。きれいに、全部食べちゃってくれればいいな、って思ってるの」

「おばさん……自殺しちゃうんですか？」

おばさんは少し困ったように微笑《ほほえ》んだ。あいかわらず、頬をゆるめればゆるめるほど表情は寂しそうになる。

「あたしのじゃないわ、髪の毛も爪も」

「え？」

「ダンナのなの。お風呂場《ふろば》の排水口にネット張ったり、ダンナが爪を切ったあとのゴミ箱を漁《あさ》ったりして、毎日ちょっとずつ溜《た》めて、挽《ひ》き肉と一緒にお団子にして冷凍してるの。夏のうちにワニに味を覚えさせて、寒くなる前に食べさせたかったんだけど、もう間に合わないかもね」

淡々とした、まるで他人事《ひとごと》のような声が、耳にまとわりつく。それは感情を込めるよりもずっと強く、おばさんのココロの病み具合を教えてくれる。風が木立を揺らし、おばさんとあたしの髪の毛を躍らせた。

「あなたは殺したくならない？」

「……誰を、ですか？」

「いじめてるコたち。クラスのみんながいじめてるのかもしれないけど、リーダーみたいなコはいるんでしょ。そのコを殺したいなんて思ったりしないの？」

あたしは黙ってかぶりを振った。苦笑いを浮かべたつもりだったけど、おばさんの声がまだ耳にまとわりついていて、頬はうまく動かなかった。

もしも誰か一人だけ殺さなければならないのなら、サエコは選ばない。恨みはある、憎しみもある、それはもちろん。でも、あのコは一番じゃない。殺したいほど憎んでいる相手がいるとしたら、それはきっと、匿名《とくめい》の手紙を担任の先生に送ったコになるだろう。許さない。あたしは、そのコをぜったいに許さない。

先生とお母さんは、今日、学校で長い時間話し合った。三日前にまた匿名の手紙が届き、そこにはあたしがどんなふうにハブられているかが事細かに書いてあったのだという。ゆうべ先生からの電話を受けたあと、お母さんはお父さんと二人であたしの部屋にやってきて、公立に転校してもいいんだから、と泣きながら言った。お父さんは、サエコの両親が詫《わ》びにこないと弁護士をつけて訴えてやる、とうめくように言った。そんなお父さんとお母さんに、あたしは言ったんだ。しょうがないよ、運が悪かっただけだから、って。

そういう言い方はやめろ。お父さんは尖《とが》った声で言った。ミキをいじめる奴ら、お父さんは許さないぞ、だからおまえもそんなふうに言うな、いいな。あたしは笑った。自然とそんな表情になって、しょうがないじゃん、つぶやきも勝手に唇からこぼれた。お父さんはもうなにも言わなかった。お母さんは、お父さんに八つ当たりみたいに怒鳴られるまで、泣きつづけていた。

どうしてわかってくれないんだろう。お父さんもお母さんも、先生も。あたし、そういうのが一番嫌なのに。そうされるのが、死ぬほど恥ずかしいのに。かわいそうなんて言わないで。助けてやるなんて言わないで。あたしは被害者なんかじゃない。イジメに遭ってるかわいそうな中学生なんかじゃない。あたしはいつだってしっかりしてて、明るくて、元気な、ハブなんだから。

しばらく黙りこくったあと、おばさんは立ち上がって言った。

「ダンナね、不倫してるのよ。あたし、それ知ってたの、ずっと前から。ダンナはうまく隠しとおしてるつもりなんだけど、あたしはちゃーんと知ってるの」

「どうしてわかるんですか？」

「気の強い女で、電話かけてくるのよ、いま御主人、帰りましたから、って。笑ってるの、いつも。あなたの同級生と同じよ、ゲームで遊んでるのよ」

「……ひどい」

「ダンナもバカよね、なんにも知らないんだもん。自分では、女房に隠れて若い女とのスリルいっぱいの付き合いを楽しんでるつもりでいるんだから、笑っちゃうわよね」

そして、おばさんは、話を「だから」でつなげた。

「あたし、ダンナを殺すの。間抜けなお芝居してるの見てられないし、なんかねえ、バカにされてるような気がしちゃうのよ。こっちが勝手にそう思ってるだけなんだけど、すごくね、不倫してることより、バレてるのにごまかしつづけてることが……すごく腹が立つのよね。あなたはまだ中学生だから、わかんないかもしれないけど」

そんなことない、あたしにも、わかる。あたしも同じだ、おばさんと。

あたしのココロも、病気なのだろうか。

翌朝、教室に入ると、ホナミの席のまわりに人垣ができていた。

「ミキ、ちょっと、こっち来てよ」

ナナコがあたしに気づいて、手招きした。

なんで？ なんで、あたしに声をかけてくるわけ？ ゲームはもう終わったの？

あたしは狐《きつね》につままれたような気分で、人垣に加わった。

ホナミがいた。席について、うなだれて、泣いていた。

「泣いて逃げんなよな、ハブ！」とヨシエが机を掌で叩《たた》いた。

「汚いんだよねえ、あんたのやり方」とジュリが、机の横のフックに引っ掛けていた通学カバンを蹴《け》った。

ナナコの目配せを受けたサエコがあたしを振り向いて、笑った。

「あのさ、あんた、もうハブ終わり。よかったね」

「そろそろ飽きてきたしさ、あと、すっごい強力な新しいハブが見つかったから」

サエコはそう言ってホナミの顔を覗《のぞ》き込み、「ねーっ？　ハブちゃん」と笑った。

アイちゃんが教えてくれた。匿名の手紙の主は、ホナミだった。バカだ、このコ。手紙に、あたしが塾でハブられている様子も書いた。先生もバカ。昨日、サエコを職員室に呼び出して塾のことも問い詰めた。サエコ、あんたって読みが鋭いんだね。バカで、ガキだけど。

「信じられないよ、ここまでセコいことするか？　ふつう」「だったら最初からミキをハブったりすんなよなあ」「調子のいいときにはみんなのケツに乗っかっててさあ、裏であんなことやってんだもん、まいっちゃうよねえ」「知ってる？　ミキ。九月に香典、郵便受けに入れたじゃん、あれホナミがやったんだよ。考えたのもホナミなんだよ。最低の奴《やつ》だと思わない？　こいつ」「あとさ、ミキ、ひとこと言っとくけど塾のハブはホナミの単独犯だからね。うちら、なーんにも知らなかったもん」……。

ホナミが、涙と鼻水でぐちゃぐちゃになった顔を上げた。あたしを見つめる。すがるように、なにかを訴えるように。

「……だって、もう、ミキがかわいそうじゃない……こんなのって、やっぱりひどいよ……」

「……どういうこと？」

しゃくりあげながら、切れ切れに言った。かわいそう、と言った。あたしに同情した。そして、一人だけ、いいコになろうとした。

「だったら、あんた一人でハブるのやめたらいいじゃん」とサエコが言って、「せんせーとか関係ないじゃんよ。一人で抜ける度胸もないくせに、えらそーなこと言うなよな」とエツコがつづけた。

ホナミは、まだあたしを見つめている。

「ミキ、なんか言ってやんなよ。マジにさあ、ミキをハブってからは、こいつがすっごいリキ入れて、こんなことしよう、あんなこともやっちゃおうって言ってたんだから。同じ小学校から来てさあ、よくそこまでできるよねって、うちらもあきれてたんだよね」

アイちゃんが、あたしの肩を軽く叩いてうながした。サエコたちは、にやにや笑いながらあたしとホナミを見比べる。

あたしは黙って踵《きびす》を返し、自分の席に戻っていった。拍子抜けした声が背中に聞こえたけれど、やがてそれは、ホナミへの「死ね死ねコール」に変わっていった。

ゲームに終わりはない。ハブを取り替え、使い捨てながら、ゲームははてしなくつづいていく。

あたしのハブ期間は、夏休みを含めて約四カ月。ホナミがいつまでハブられるのかは、誰も知らない。ホナミ自身はもちろん、きっとサエコやエツコたちも。

昼休みに図書室へ行き、ワニについて調べた。

ワニが人間を襲う例は、獰猛《どうもう》なイリエワニ、ナイルワニを中心に、数え切れないぐらいあるのだという。

ワニの目は、暗闇《くらやみ》で赤く光る。目の中にロドプシン色素が含まれていて、それが網膜に反射して赤く光るのだ。やっぱり、あれはワニの目だったんだ。

もうひとつ、意外なことを知った。ワニはただ獲物を食い殺すんじゃない。鋭い歯と頑丈な顎《あご》で獲物を捕まえて水の中に引きずり込み、まず窒息させる。それからゆっくりと食べていくのだ。

伝説によると、ワニは嘘泣《うそな》きをして獲物を誘い、涙を流しながら獲物の肉を食いちぎるのだという。クロコダイル・ティアーズ、ワニの涙は、そら涙、言ってみれば偽善という意味なのだそうだ。

教室に戻ると、ホナミはぽつんと自分の席に座っていた。誰もホナミに話しかけないし、目も向けない。サエコたちはベランダでひなたぼっこしながら、アイドルのグラビアがついている雑誌を回し読みしていた。

あたしはベランダに出て、サエコに声をかけた。

「あのさ、今夜、時間ある？」

「まあ、暇だけど……」サエコは怪訝《けげん》そうに言った。「なに？」

「大泉公園に来ない？　みんなで。八時半ぐらいに」

「なんで？」

「あたし、ホナミのこと許せないのよ、やっぱり。今日、塾だから、帰りにちょっとシメちゃおうと思って。どうせだったらみんないっしょのほうがおもしろいじゃん」

きょとんとしていたサエコの顔に、ゆっくりと薄笑いが浮かび上がった。


「いっしょに帰ろうか」と誘うと、ホナミは頬を真っ赤にして「いいの？」と言った。

「いいもなにも、あたし、ホナミのおかげで助かったんだもん。すごく感謝してる。ありがと」

ホナミの目が、見る見るうちに潤《うる》んできた。あたしはさりげなく目をそらしてつづける。

「ずっと友達だったんだもん、あたしたち」

「そう、そうだよね、友達だよね……」

ホナミはあたしの手を握りしめて、自分の胸に押しつけた。小学五年生のときからブラジャーをつけている胸のふくらみの少し下、ブラジャーのワイヤーの堅さが制服越しに伝わった。

二人で並んで歩きながら、ホナミは昨日までのことをあたしに謝りつづけ、明日からのことを不安に満ちた口調で訴えた。

「どんなことされちゃうんだろう、みんなに」

かんたんだ。あんたがあたしにやったようなことを、やられちゃうんだよ。それだけ。

「でも、せんせーに言うしかないじゃない、そうしないと、ミキ、ずーっとサエコたちにいじめられれどおしだもん。あたし、間違ったことしてないよね？　あたし、悪くないよね？」

悪くなんかない。道徳の教科書を読めば、そう書いてある。でも、あんたは、ゲームのルール違反をやっちゃったんだ。反則なんだ、それは。ルールを破った者はペナルティを受けなきゃいけない。

「なんでイジメとかあるんだろう？　なんで、同じクラスなのに、ハブったりハブられたりしなくちゃいけないんだろう……」

きっと子供だからなんだよ、あたしたち。子供っていうのは、おもしろいことをいつだって探してるんだ。それで、誰かが悲しんだり苦しんだりするのって、ほんとうはすごくおもしろいことなんだ。

ホナミの話に無言の相槌《あいづち》を打っていたあたしは、大泉公園が近づくと、ふと思い出した口調で言った。

「ねえ、ちょっとひょうたん池行ってみない？」

「なんで？　もう、時間遅いよ」

「あ、じゃあ、べつにいいんだけど、一人で行くから」

足を速めて歩き出すと、予想どおりホナミは「ちょっと待って、やっぱり行く、あたしも」とあわてて追いかけてきた。ひとりぼっちではいられないコだ。そんなコがゲームに参加しちゃいけない。自分だけはオニになりたくないなんて言うコは、オニごっこに入れてもらえない。そんなの、あたりまえのことじゃないか。

公園の中に入り、いつもの遊歩道をひょうたん池に向かって進んだ。ゆうべ会ったばかりだから、おばさんは今夜は来ていないだろう。お風呂場《ふろば》でダンナの髪の毛を拾い集めて、肉団子を作っている最中かもしれない。

「ねえ、ミキ、どこまで行くの？」

「もうちょっと先まで」

「そういえば、ワニ、けっきょくいなかったんだってね。そりゃあそうだよね、こんなところにワニなんて……」

「いるんだよ、ワニは」

え？　と聞き返したホナミの声は、足が止まるのと同時に喉《のど》にひっかかった。

岸辺の暗がりに人影が浮かび上がる。

「こんばんは、ハブちゃん」

サエコが笑いながら言った。

「ミキがさあ、たっぷりお礼するってさ」とジュリがつづけ、エツコが逃げ道をふさぐようにホナミの後ろに回り込んだ。

あたしは恐怖に顔をひきつらせるホナミに、ゆっくりと言った。

「生きてる価値ないよ、あんた」

サエコたちが甲高い声で囃《はや》したてる。

ホナミは池を背にしてあとずさった。あたしは足を一歩前に踏み出して、距離を詰める。

「……ごめんなさい、すみませんでした、謝ります、ね？　ミキ、ごめん、許して……」

あえぐように言ったホナミは、その場に土下座して、頭を地面にすりつけた。サエコたちがそれを見て、いっせいに笑う。

「頭、踏んじゃいなよ、ミキ」とカオリが言った。「そうだよ、被害者なんだから、なにやったっていいんだよ」とエツコが言った。最後に、サエコが薄笑いを軽く放るように顎をしゃくった。

「言っとくけど、ハブとつるんだりしないでよ、ミキ」

あたしは黙って小さくうなずいた。

そして、隣にいたジュリの頰を、思いっきりひっぱたいた。


あたしは誰ともつるんだりしない。ひとりぼっちのハブでいい。ホナミをかばうつもりはないし、同情されたくもない。だけど、サエコたちといっしょにゲームなんかしたくない。

あたしは岸辺に追い詰められた。ジュリはいまにもつかみかかってきそうな形相でいきりたっていたけど、サエコはそれを制し、呆然《ぼうぜん》とたたずむホナミに向き直って、薄笑いの顔のままで言った。

「池に落としちゃえよ、あんたが。そしたら、ハブるのやめてやるから。どうする？ミキと二人でハブやるか？」

ホナミは顔をゆがめ、唇をわななかせた。

やっちゃうんだろうな、このコ。自分でも不思議なくらい冷静だった。後悔もない。ついさっきまでは本気でホナミに仕返しするつもりだったのに、いまは、こうなってしまうことは最初から決められていたんだろうな、なんて思い、かえってすっきりした気分になっている。

「どーするんだよ、早くしろよ」とエツコのいらだった声に背中を小突かれるようにして、ホナミはためらいながら、あたしに近づいてくる。

やっぱりそうだよね、あんた、そういうコだもん。ため息交じりに覚悟を決めた。

ところが、あとちょっとで手が届きそうなところまで来たホナミは、そこから先へは進んでこなかった。泣き出しそうな顔で、あたしを見る。わななく唇が、やだよやだよ、と動いた。

「いいよ、やっちゃって」

あたしはホナミに言った。でも、ホナミの足は動かない。涙が頰を伝い落ちる。やだよやだよ、と唇は同じ動きを繰り返す。

百科事典に書いてあったことは嘘だ、と思った。ワニは偽善で泣きながら獲物を食べるんじゃない。本気で泣いてるんだ。おなかが空《す》いてしょうがなくて、ワニは生肉を食べなくちゃ生きられない動物だから、ごめんねごめんねって涙をぽろぽろ流しながら、獲物を食べてるんだ。

「なにやってんだよ、てめえ、やっぱりハブだよなあ」

ジュリがホナミに舌打ちして、あたしに腕を伸ばしてきた。

あたしはその手を払いのけて、声を裏返らせて叫んだ。

「ワニに食われて死んじまえ！　おまえらなんか！」

叫び声が夜空に響き渡り、尾を引いて消えた直後。

サエコが、声にならない悲鳴をあげて、はじかれたようにあとずさった。尻餅《しりもち》をついて、ホナミよりもずっと激しく唇をわななかせて、痙攣《けいれん》したみたいに震える手で池のほうを指差す。サエコだけじゃない。エッコも、カオリも、「なんなのよお」と池を覗き込んだジュリも。

四人は、先を争うように逃げ出した。途中でエッコが転んだ。サエコが、幼い子供みたいに「助けてえ！」と叫んだ。

なにがどうなったのか、さっぱりわからない。

岸辺に残されたあたしとホナミは、どちらからともなく池を振り向いた。

暗い水面に、電気製品のパイロットランプみたいな赤い点が二つ、浮かんでいた。

「……うそ……」

つぶやくと、跳ねるような水音が聞こえ、しぶきがほの白く上がって、それが再び闇に戻ったときには赤い二つの点も消えていた。

誰も信じてくれないかもしれないけど、ワニはいたんだ、ほんとうに。

あの夜から、もう二年半が過ぎた。

あたしは高等部へのエスカレーター式の進学を蹴《け》って都立高校に進み、いま二年生。そろそろ大学受験のことも考えなきゃ、と予備校の夏期講習のパンフレットを集めている最中の、六月だ。

けっきょく、中学時代は卒業するまでハブのままだった。「死ね死ねコール」をぶつけられるハブじゃなくて、無視は無視でも目をそらすほうが一瞬怯《おび》えたようになる、カッコよく言っちゃえば、孤高のハブだ。でも、あたし自身の名誉のために付け加えておくけど、べつにハブが嫌で都立に移ったわけじゃない。あんな連中と高等部や下手すれば大学までいっしょにお付き合いするのは、セイシュンのむだづかいだと考えたからだ。

ホナミは中学三年生に進級したのと同時に、ハブから解放された。新しいハブの座を射止めたのは、これ、笑っちゃうんだけど、サエコだった。エッコと彼氏の取り合いだかなんだかになっちゃって、エッコがジュリを味方につけて一気にクーデターを成功させたのだ。サエコって意外と根性のないコで、ハブに耐えきれずに学校を休みつづけ、二学期に入ったときに公立の中学校に転校した。学校を休んでいる間に拒食症になって体重が二十キロ近く減ったという噂《うわさ》も流れたけど、ほんとうかどうかは知らない。

高等部に進んだホナミとは、ときどき駅でばったり会うことがある。でも、ほとんどおしゃべりはしない。「元気?」と短い挨拶《あいさつ》を交わすだけだ。

家でのあたしは、あの夜を境に、また元の元気で明るい一人娘に戻った。先生に「もうだいじょうぶです、みんなと仲直りしましたから」と言っておいたのがよかったのだろう、お父さんは「今度またあんな目に遭ったら、すぐに言うんだぞ。お父さん、ミキをいじめる奴《やつ》はなにがあっても許さないからな」と力み返って言って、お母さんは「とにかく、まあ、よかったわよね」と笑って、めでたく一件落着した。都立高校を受験すると告げたときには多少揉《も》めたけど、そこは一人娘の強みというやつで、初志貫徹。お父さんもお母さんも、詳しい理由を問いただそうとはしなかった。でも、ほんとうは知っているのかもしれない、全部。いまでも二人はあたしの中学時代の思い出をおしゃべりするとき、あの四カ月間のことはぜったいに口にしない。

だけど、まあ、親だもん、子供のことぐらいわかってる。それでいい。最近は、お母さんといっしょにわざと彼氏のことをおしゃべりして、お父さんがむっとするのを見て楽しんでいる。今度、家に連れて来て紹介するつもりだ。たぶん、あたしは、ちょっとずつ大人になっている。

蒸し暑い夜、勉強に疲れると、あたしはベランダに出てひょうたん池をぼんやり見つめ、もう「昔」と呼べる、あの頃のことを脈絡なく思い出す。暗い池のほとりにたたずむひとりぼっちの少女の姿を思い浮かべて、負けるなよハブ、なんて唇を小さく動かしてみたりもする。

ワニは、最後まで捕まらなかった。死体も発見されなかった。冬の寒さで死んでしまって野良猫《のらねこ》やカメに食べられたのだという説と、最初からいなかったんだという説があったけど、いずれにしても、いまではワニのことを口にする人はいない。初対面の友達に家の場所を訊《き》かれて「ワニがいるって話題になった大泉公園のすぐそばなの」と答えると、「ああ、はいはい、あったあった」なんて妙にウケてしまう、それぐらいのものだ。

でも、おとしのちょうどいま頃、エピローグめいた小さな出来事があった。ひょうたん池から二、三キロ離れた川で、ワニの死体が見つかったのだ。体長一・六メートル、体重十三キロの、メガネカイマンという種類のワニだ。ひょうたん池のワニとは無関係の、誰かが捨てたペットだろう、と専門家は結論づけていたけど、こういうエピローグって、好きだ。

あの夜以来塾の帰りにひょうたん池に寄らなくなったので、ココロを病んだおばさんとはそれっきりになってしまった。『不倫夫、妻に殺される』なんていうニュースも見かけたことはない。ほんとうは、からかわれていただけなのかもしれない。それとも、ダンナを殺すのを思いとどまったのか、ダンナが不倫をやめたのか……。でも、ひょっとしたら、みごとに計画どおりダンナをワニのエサにしちゃったのかもしれない。だって、あたしは『サラリーマン、行方不明』というニュースは探さなかったし、ひょうたん池には確かにワニがいたんだから。

あ、そうそう。高校受験の間際《まぎわ》、駅前で、おばさんに似た人を見かけたことがある。日曜日の午後だった。おばさんに似た人は暖かそうなコートを着て、小学生の男の子を真ん中に、ダンナと三人で手をつないで歩いていた。デパートに出かけた帰りなのか、男の子の背負ったデイパックの口から、リボンのかかった包みがちょっと顔を覗《のぞ》かせていた。男の子がなにかしゃべって、おばさんに似た人はおかしそうに笑った。すれ違ってもあたしに気づかなかったから、きっとそれは別人だったのだろう。

ナイフ

1

計算してみたら二十五年ぶりだった。中学校の卒業式の後、校門の前でクラス全員の記念写真を撮って別れて以来のことだ。

かつての同級生は、夕食時のテレビニュースの中にいた。カーキ色を基調にした迷彩服に身を包んでいた。表面がネットで覆《おお》われたヘルメットを目深《まぶか》にかぶり、差し出されたマイクに向かって「自分たちは与えられた任務を円滑に遂行すべく努力するだけです」と低い声で答え、虚空《こくう》を見据えた。浅黒く陽に焼けた顔は、昔に比べ頬や顎《あご》の線がはっきりしていた。瘦《や》せたのではなく、骨格ぜんたいが一回りも二回りも太くなったようだ。

政府の声明や諸外国の反応を伝える女性のナレーションが、映像にかぶさる。カメラは望遠レンズを使っているのだろう、整列した隊員たちをフェンス越しに見つめる報道陣や市民団体の群れは色や輪郭がぼやけ、〈再軍備化反対〉と大書されたプラカードの文字も、意識して目を凝らさないと読み取れない。

「仲良かったの？」

冷蔵庫から晩酌のビールを取り出しながら、妻が訊《き》いた。

私は風呂《ふろ》上がりの火照《ほて》った体から噴き出す汗をタオルで拭《ぬぐ》い、ビールで喉《のど》と唇を湿してから答える。

「いま、顔と名前を見て思い出しただけだよ。みんなは『ヨッちゃん』って呼んでたけど……友達っていうんじゃないな、二人で話したこともなかったから」

「あなたとはタイプが全然違うものね」

私は苦笑いを浮かべた。タイプの違い。なるほど、ものは言いようだ。妻も気を遣ってくれたのだろう。ヨッちゃんは、中学時代は柔道部の主将だった。県の大会で優勝したこともある。高校へも柔道の推薦で入ったはずだ。一方、私は、身長百五十二センチ、体重四十四キロ。若い連中はもとより同世代やその上を眺めてみても、極端に小柄な体だ。運動がからきし苦手なうえに性格もおとなしく、腕力とは縁のない四十年を過ごしてきた。私たちは、タイプではなく、生きている世界が違うのだ。

ヨッちゃんの所属する部隊は、数日後に海外へ派遣される。向かう先は、遠い大陸の隅にある小さな国だ。二年前に勃発《ぼっぱつ》した民族紛争が長期化し、難民問題が国際的に議論されるようになるまで、私は名前すら知らなかった。派遣部隊は難民キャンプの人々を隣国へ移すための護衛をつとめることになっていて、それはきわめて危険な任務なのだとスタジオでニュースキャスターが繰り返していた。

テレビカメラは、基地の周囲の草むらを群れ飛ぶ赤トンボをフレームにとらえてから再び焦点を隊員に戻し、彼らが肩から提げている自動小銃を映し出した。

「ねえ」

低くしわがれた声が横顔にぶつけられた。私は反射的に「はい?」と会社にいるときのような声を出して答えた。もちろん、ここに会社の人間はいない。声の主は一人息子の真司《しんじ》だ。夏のうちに声変わりを終えたのだと頭ではわかっていても、不意に呼びかけられると、一瞬その声がどこから発せられたのか訝《いぶか》ってしまう。息子が自分の声と同じ低さで話すようになるなど、ほんの数年前までは思いもよらなかった。

「あの銃、本物なんだよね」

真司は画面に顎をしゃくって言った。

「そうよ」と妻が答える。

「いいよなあ」

「なにがだ?」と私。

「だって、撃てるじゃん、あっち行ったら。俺ならめちゃくちゃ撃ちまくっちゃうよ。どうせわかんないじゃん、遠いし、戦争してるんだし。二、三人殺したってわかんないよ。お父さんの友達だって、ほんとは楽しみにしてたりしてさ」

鼻を鳴らして笑う。「真ちゃん」と妻がたしなめると、「嘘《うそ》だよ、嘘」とまた鼻で笑い、自分の部屋に引き揚げていく。「ごちそうさま」すら言わない。中学二年生になり、私の背丈を抜き、自分のことを「僕」ではなく「俺」と呼びはじめた半年前から、こんな態度をとることが増えた。

妻は「しょうがないなあ」とつぶやき、真司の食べ残したおかずを一皿に集めてラップをかけた。ニュースは別の話題に移り、私はリモコンでテレビのスイッチを切る。静寂が訪れるのを待っていたかのように、窓の外でバイクの音が聞こえた。

「あなたの前だとそうでもないけど、二人でいるときの言葉遣いなんて、ひどいものよ。ほとんどババア呼ばわりなんだもん」

「母親としゃべるだけでも、かわいいもんさ。晩飯だって親と一緒に食べてるんだし、上出来だよ。駅前の奴《やつ》らなんか見てみろよ。終電になっても遊び惚《ほう》けてるんだぞ」

「高校生でしょ？」

「いや、中学生もいる。真司と同じ制服の奴らを見たことあるから。女の子までいるんだからな、親の顔が見てみたいよ」

妻の相槌《あいづち》は食器を片付ける仕草に紛れてしまったのか、私の苦笑いは受け取ってもらう先を見失って、少しぎごちない間が空いた。

「……そう思わないか？」

妻は、そうね、と気のない返事をして、流し台の蛇口をひねった。皿やグラスが洗い桶《おけ》の中でぶつかりあう音が、ふだんよりも耳障《みみざわ》りだった。水の勢いが強すぎて、皿から跳ね上がったしぶきがテーブルにも飛んでくる。

「よそのことはどうでもいいじゃない。ビシッと締めるときは締めてよね。男の子だし、難しい年頃なんだから」

しぶきが、またテーブルに飛んでくる。手狭なダイニングキッチンが、一家揃《そろ》うとよけいに窮屈に感じられるようになったのは、いつからだっただろうか。たぶんその頃から、私は真司をほとんど叱《しか》らなくなっていた。

その週の終わり、派遣部隊は敬礼と拍手と涙と派遣反対のシュプレヒコールに包まれて、基地を飛び立った。ヨッちゃんは、中学の同級生の中でただ一人、戦場へと赴いたのだ。

私は深夜のダイニングキッチンでウイスキーを啜《すす》りながら、ニュースと夕刊を交互に眺めた。水も氷も入れていないウイスキーを啜ると、舌に熱さが貼《は》りつき、飲み下すときには喉に痛みが走る。難民キャンプは、半月前に反政府軍の襲撃を受けたばかりだった。フランス人のボランティア職員が死んでいる。政府軍にも何人かの死者が出たという。ヨッちゃんも殺されるかもしれないし、逆に誰かを殺すかもしれない。それを思うと、みぞおちの奥深くが軋《きし》む。

テレビを切り、新聞をラックに戻してからも、ウイスキーを飲みつづけた。週末の夜は、たいがい強い酒を飲む。飲まずにはいられない。この一週間は、決算前の忙しさに加えて部下のミスの後始末で、昼休みすら満足にとれなかった。目を閉じても、瞼《まぶた》の裏ではパソコンに表示された数字の連なりが淡い色で明滅しつづける。どこかにミスはないか、このまま社内メールで重役室に送ってだいじょうぶか、もう一度確認したほうがよくないか……。入社以来十八年間を経理一筋に過ごしてきたが、仕事に慣れたという実感はない。むしろ管理職になったぶん、心配や不安の種が次々に増えていく。

一日中オフィスに閉じこもって、電卓を叩《たた》き、伝票を処理し、パソコンのディスプレイに向き合う。静かで単調で、そのくせ忙《せわ》しく神経を使う仕事だ。だからなのか、週末の夜に感じる疲労感は輪郭の定められないかすかな鈍痛にも似て、じつはまったく疲れていないような気もするし、逆に水にひたしたスポンジのように全身が疲れきっているのではないかとも思ってしまう。

廊下に明かりが灯《とも》り、階段を降りる足音が聞こえ、パジャマ姿の妻がダイニングキッチンに入ってきた。

「まだ起きてたの？」

「もうすぐ寝るよ」

「あのね……ちょっと、いい？」

向かいの席に腰をおろした妻は、居心地悪そうにしばらくあたりを見回した。私は椅子《いす》に座り直し、テレビのスイッチを入れる。会話の邪魔にならない程度ににぎやかな番組を選び、音量を微調整する。妻は、そんなことはどうでもいいから、と鼻白んだ顔になり、ようやく踏ん切りがついたのか、身を乗り出して言った。

「真司のことなの」

二学期に入ってから真司の様子が少しおかしいのだという。

「死ね」や「殺せ」が口癖になっている。テレビを観《み》ているときもファミコンに興じているときも、しかも意識せずに口をついて出てくるような様子で、真司はそうひとりごちる。

「嫌いなタレントが出てきただけで『殺すぞ、てめえなんか』なのよ。すさんでるっていうか、残酷になったっていうか……あんなこと言うような子じゃなかったのに」

「たいしたことじゃないさ」

私は深刻な顔の妻をいなすように、軽い口調で言った。正直、拍子抜けした気分だった。

「ワルぶって言ってるだけだよ。そういう年頃なんだ。俺だって、中学生の頃は……」

「あなたが？」

「ああ。誰だってそうだよ。ハシカみたいなものなんだ」

妻が小さくうなずいたとき、遠くで爆竹をたてつづけに鳴らす音が聞こえた。駅の方角だ。私はブラインドを閉じた窓に目をやり、話をそれで切り上げるつもりで大袈裟《おおげさ》に舌打ちした。

「駅前の奴らなんかとは違うんだ、真司は。すぐに元通りになるさ」

だが、妻は「それだけじゃないのよ」とつづけた。

「二学期に入ってすぐに塾で模試があったんだけど、成績が急に落ちちゃったの。嘘みたいにひどい点なのよ」

「調子が悪かったんだよ」

「あと、あなたも晩ごはんのときに見てるでしょ、あの子、毎晩よ、毎晩おかずを残してるの。いままでそんなことなかったじゃない」

「そうだっけ」

「学校で、なにかあったのかしら。いじめとか……」

まさか、と私は笑った。一学期はクラスで総務委員をつとめた真司だ。サッカー部でも、夏休み前に三年生が引退して、新チームの副主将になったと聞いた。父親が言うのもおかしな話だが、なかなかリーダーシップがある。小学校入学から大学卒業まで、委員と名のつくものに一度も選ばれなかった私とは違う。

「いじめグループに入ったんならともかく、その逆はないだろう」

妻は曖昧《あいまい》にうなずき、しかしそれを打ち消すように視線を横に流した。「どうした？」とうながすと、申し訳なさそうな様子で言葉を継ぐ。

「あの子、クラスの男子で一番背が低いでしょ。そういうのって、やっぱりちょっと心配なの」

「一番ってことはないだろう。百五十五、六はあるんだから」

「三よ。百五十三」

「でも、俺を抜いたんだぞ。もうちょっとあるだろう」

「ほとんど変わらないわよ」

「……まあいいや。それで？」

「一学期までは三番目だったんだけど、抜かれちゃったみたいなのよ、夏休み中に。ほら、中学生の男の子って、ひと夏で大きくなっちゃうから」

「関係ないさ」

私はテレビのリモコンを手に取った。コマーシャルの音が大きすぎる。駅からまた音が聞こえた。今度はバイクの空吹かしだった。時刻はすでに午前零時を回っている。真冬や、あるいは雨でも降らないかぎり、週末の夜は明け方近くまでそんな騒がしさがつづく。私は、今度は本音の舌打ちをして、テレビの音量を再び大きくした。

「真司は、背は低くても、そんなヤワな奴じゃないさ。ああいうのは、無抵抗のおとなしい奴が狙《ねら》われるんだ。真司はだいじょうぶ」

私は空になったグラスを持ってキッチンにたった。

真司は、私とは違う。私のような男ではない。スポーツが得意で、リーダーシップがあって、友達がたくさんいる少年だ。私は私が嫌いだ。昔からずっと、いまも変わらない。貧弱な体が性格を臆病《おくびょう》にしてしまい、臆病になればなるほど貧弱な体はいっそう縮こまっていった。だが、真司は違う。体は小さくても、いや小さいからこそ、いつも全身に明るさと元気をみなぎらせている。言葉を荒らげてもいい。両親に無愛想な態度をとってもいい。妻には言わなかったが、私は、真司が乱暴な口をきくことが嬉《うれ》しくさえあったのだ。

浄水器から汲《く》んだ水を流し台の前で飲んでいる間に、妻は寝室に引き揚げた。

駅の方角から、またバイクの音が聞こえてきた。

数日後、私と同期で経理に入った男からの手紙が会社に届いた。彼は一年前に公認会計士の資格をとって会社を辞めていた。手紙は、事務所を開設したという通知で、印刷された文面の脇《わき》に〈借金だらけのスタートです〉という手書きのメッセージが添えられていた。私たちは「この不景気に独立するんじゃ大変だぜ」と冷ややかに笑ったが、一人が「一国一城の主《あるじ》になったんだな」とつぶやくと、冷笑はあっけなく舌打ちに変わり、それきり誰もが黙りこくってしまった。

会社帰りの電車の中で、ヨッちゃんたちが向かった国のフォト・ルポが載った週刊誌を読んだ。ほとんど廃墟《はいきょ》と化した首都の風景が粒子の粗いモノクロ写真で紹介され、その隣の写真は、無数の弾痕《だんこん》が散らばった難民キャンプの看板をアップで撮ったものだった。派遣部隊が来る前の撮影らしく、日本人の姿は写っていない。写真に添えられた短い文章は、〈政府は、この国が〝混乱〟しているのではなく〝戦闘状態〟にあるのだということを、どこまで認識しているのだろうか〉と締めくくられていた。

みぞおちが軋み、背中の肌が毛羽だつ絨毯《じゅうたん》のようにうごめいた。

週刊誌を網棚に残して降りたった駅前には、いつものように若い連中がたむろしていた。私はロータリーの遊歩道の真ん中にしゃがみ込んだ彼らを避けて、自転車がでために放置された歩道の端を歩く。真新しいガムを踏みそうになった。聞こえよがしの大きな音をたてて、毒々しい柄のシャツを着た男が路上に唾《つば》を吐いた。ブレザーの制服姿の女子中学生が無意味なクラクションを、拍子をつけて鳴らした。バイクに乗った男が放り捨てたコンビニエンスストアの袋が、風に舞って、ロータリーの中央の噴水池にまで飛んでいった。

私は立ち止まり、彼らを振り向いた。

もしも、いま自動小銃を持っていたら――。髪を茶色に染めた男と目が合った。私はあわてて顔を伏せ、大股《おおまた》に歩きだす。全員撃ち殺してやるぞ、ガキども。

つぶやきはロータリーを回るバイクの轟音《ごうおん》に砕かれて、私の耳にさえ届かなかった。

2

日曜日の朝、妻はオーブントースターに食パンをセットしながら言った。

「今夜の晩ごはん、ひさしぶりに外に食べに行かない？」

ふと思いついたような口調や表情を装《よそお》っていたが、昨夜のうちに寝室で何度も練習していた言葉だ。妻は感づいていた。塾の行き帰りや買い物のとき、真司は駅前を通るのを避けている。家にいるときも、バイクの音が聞こえると表情がこわばる。「気のせいだ」と昨夜私は何度も言った。だが、妻は「ちゃんと確かめて安心したいのよ」と言って譲らなかった。顔の動きを鏡で確かめ、私に「どう？　不自然じゃない？」と尋ね、眠る前には胃薬を服《の》んでいた。

「どこに？」

朝刊のスポーツ欄から目を離さずに、真司が訊《き》く。うつむいた横顔に、ほんの一瞬、怯《おび》えの色が溶けた。妻もそれに気づいたのだろう、「あのね」とつづける声は微妙にかすれた。

「駅ビルの中華料理のお店で、こないだからバイキング始めたのよ。そこに行ってみない？　真ちゃん、どう？」

「……ああいうのって普通の料理よりも安い材料使ってるんでしょ？　ほかのところにしようよ、もっと遠くてもいいじゃん、美味《おい》しいところ、連れてってよ」

真司はうつむいたまま早口に言った。十四歳の子供だ。なにげない芝居を打つには、声が感情に寄り添い過ぎている。妻は困惑したまなざしで私を見る。当たってほしくない予感が、確かになりつつある。

「じゃあ……」私は言った。「焼肉にするか。こないだ駅の裏に開店しただろ、あそこなんか、なかなかいいんじゃないか？　お父さん、一度行ってみたかったんだ」

真司は黙って新聞をめくった。耳たぶからこめかみにかけて、肌に赤みが差している。ずっと下を向いていたせいだ、わかりもしない経済欄の記事を息を詰めて読んでいるせいだ、きっと。

「どうだ？　付き合ってくれよ」

問いをさらに深く押し込んだとき、妻は不意に甲高い声をあげた。

「あ、ごめんごめん。忘れてた。今夜は炊《た》き込みごはんにしようと思って、昨日買い物したんだった。傷《いた》んじゃうものもあるから、悪いけど、外食は今度ね」

一息に言って、また私を見る。もういいから。妻は小さくうなずきながら無理に笑ってみせた。

朝食の後、妻は「頭痛がする」と寝室に引きこもり、真司も午後からサッカー部の練習に出かけた。

私は、〈お父さん専用〉と妻の字のラベルが貼られたビデオテープを、デッキにセットした。木曜日の夜のニュースで、ヨッちゃんたちの様子が紹介されていた。〈密着速報〉と銘打たれた現地リポートだった。

派遣部隊が現地入りして一週間が過ぎている。その前のコーナーでは、紅葉の見頃が平年より早めになりそうだとキャスターが伝えていたが、ヨッちゃんのいる国に四季はない。雨の日がえんえんとつづくか日照りで地面が干上がるかのどちらかで、いまは乾季のさなかだ。

白く抜けたような画面の中で、隊員たちは照りつける陽射《ひざ》しに汗だくになりながら、居留用のテントやトイレを設営していた。強い風が吹くたびに砂埃《すなぼこり》が舞い上がり、「夜になると南十字星がきれいなんです」と話す特派員の声にノイズがかぶさる。ジャングルを凝視する見張りの隊員は、肩に自動小銃を提げていた。反政府軍はいつキャンプを襲撃してくるかわからない。隊員が作業に気をとられている隙《すき》をつくのか、夜明けを狙うのか、真夜中の暗闇《くらやみ》に乗じるのか……。濃密な緑の陰には、斥候が身を潜めているのかもしれない。すでに居留地のすぐそばに地雷が埋め込まれているのかもしれない。

ヨッちゃんがいた。カーキ色の天幕の下で無線機の前にしゃがみ込み、レシーバーを耳に押し当てている。袖《そで》をまくりあげた腕は筋肉の流れが見分けられるほど鍛えられているが、もちろん鉛の弾の前ではそんなものはひとたまりもないだろう。

みぞおちが軋む。ただの一度も殴り合いの喧嘩《けんか》をしたことのない私の体の奥深くで、恐怖とも嫌悪感《けんおかん》とも似ているようでいて違う、名づけようのない感情がうごめいている。

ビデオテープを停めて、真司の部屋に入った。

いいのか、というためらいを振り払って、机の引き出しを順に開けていった。

一番下の深型の引き出しの隅に、パソコンの分厚いマニュアルで隠すようにして、小さなビニール袋が二つあった。一つには数十個の消しゴム、もう一つにはカッターナイフで細かく切り刻んだ消しゴムのかけらが詰まっていた。

真新しいと思えた消しゴムにはすべて、ボールペンで人の名前が記されている。大半は男の名前だったが、女のものも数人ぶん交じっている。見覚えのある名前は、サッカー部の部員だ。聞いたことのある名前は、真司が同じ塾に誘った仲間だ。かけらのほうも同じだった。文字は読み取れなかったが、インクの青や黒が表面に滲《にじ》んでいた。通学鞄《かばん》の蓋《ふた》を開けて、教科書やノートをベッドの上に出した。迷いはなかった。戸惑いも、そして驚きもない。目に飛び込んできたものを、私は不思議なくらい冷静に受け止めた。

国語の教科書は表紙が引きちぎられ、数学の教科書は水に浸《つ》けられたのか紙がふやけ、英和辞典の表紙には蛍光マーカーで女性器が落書きされ、ノートのすべてのページに〈ドチビ！　死ね！〉と大きく殴り書きしてある。ボールペンやシャープペンシルやマジックペンなど、文字はさまざまだった。筆跡も、ざっと見ただけで十人ぶん以上あり、そのうちのいくつかは女の文字だった。

私はベッドの脇に立ちつくして、教科書やノートをぼんやりと見つめた。傾いた陽射しがブラインドのルーバーをすり抜けて、ベッドに縞《しま》模様を描く。

どこかで見たことがある。違う、実際に見たのではなく、思い描いたことも、たぶんなかっただろう。けれど、級友やクラブの仲間の名前ごと切り刻まれた消しゴムも、陰湿な悪意に傷つけられた教科書も、奇妙に懐《なつ》かしかった。

ずっと遠い昔、もう二十数年も昔、私はいまの真司と同じくらいの年頃で、いまの真司と同じようなまなざしで世界と向き合っていたのだった。

中学生の頃、私は怖いものばかりに取り囲まれて生きていた。受験も、親も、教師も、廊下ですれ違う先輩も、柄の悪い同級生も、体育の授業も、数学の授業も、通学のバスの車内も、女の子の視線も、自分の将来も……あらゆるものが、怖かった。

眠れない夜もあった。目が覚めると同時に激しい嘔吐《おうと》に襲われる朝もあった。夕食のカレーライスを三杯もお代わりした翌日には茶碗《ちゃわん》半分のごはんすら食べられないこともあったし、おそらく心因性のものだったのだろう、唇の端にはいつも吹き出物ができていて、緊張や不安が高まると腋《わき》の下から膿《う》んだような黄ばんだ汗が染《し》み出してシャツを汚した。

誰かが実際に私を怯えさせたわけではない。私の教科書は三学期が終わるまで折り目すらほとんどなく、消しゴムは左右均等にちびていた。

けれど、あの頃の私は、ほんとうに、自分でも情けなくなるくらい怖がりで臆病者だった。

私は、私を取り囲む世界をまっすぐに見ることができなかった。

「チビ」だの「コビト」だのといった囃《はや》し文句は、じつのところ言われた本人はたいして気にならないものだ。悔しさや反発は抱いても、恐怖にまでは至らない。恐怖は、むしろ、たとえば廊下ですれ違ったり、満員電車の中で体が押し付けられたりするような、なんの変哲もない場面にあった。目の前の相手が、もしも襲いかかってきたら……。ばからしい思い込みで、無意味な予感だ。頭ではわかっていても、剃《そ》り残しの髭《ひげ》がちらばる同級生の顎《あご》が、刃を鈍く光らせた斧《おの》のように見えてしまう、そんな日々を、あの頃の私は過ごしていたのだ。

私はヨッちゃんを、いつも遠くから見ていた。黒帯で縛った柔道着を誇らしげに肩にかけて歩いているヨッちゃんは、いつも誰かと笑っていた。ヨッちゃんのまわりには体の大きな連中ばかりいたが、その中でも彼は頭一つ大きかった。ヨッちゃんは、クラスで一番背の低かった男のことを、もう覚えてはいないだろう。私など目に入っていなかったかもしれない。私はヨッちゃんが怖かった。怖くて、憧《あこが》れていて、憎んでいて、好きだった。一発でいいから殴り飛ばしてみたかった。そして泣きながら土下座をして、友達になりたかった。笑うだろうか。頭がおかしいんじゃないかと言うだろうか。だが、同級生の誰に対しても上目使いにならなければ話せなかった私の気持ちは、ヨッちゃんには決してわからない。あの頃も、きっと、いまも。

部屋に入ってきた妻は、ベッドの上に目をやったとたん息を呑《の》み、顔色を失った。

私は教科書やノートを元通りに鞄に戻しながら、言った。

「真司によけいなことは言うなよ。黙って、そっとしといてやるんだ。いいな」

妻はベッドの縁にへたりこんで、力なくかぶりを振った。どうして……。紙をこすり合わせるようなつぶやきが、ほとんど動かない唇の隙間から漏れる。

「なにも気づかないふりをするんだ。いいな、できるよな。真司がなにも言わないうちに、こっちがよけいなことを言ったりするな」

「それでいいの？」

妻の目は潤《うる》み、震える声が私を咎《とが》めるように響いた。

「新聞にも出てただろ、最近のいじめなんてゲームみたいなものなんだ。一時的に誰かをいじめても、またすぐに別の誰かに変わるんだ。いまは、たまたま真司が……運が悪かったっていうか、ちょっと標的にされてるだけだから」

私は鞄を元の場所に置いて、出よう、と戸口に顎をしゃくった。窓から射し込む陽光はずいぶん赤みがかってきた。そろそろ真司が帰宅する時刻だ。

「私、どんな顔してればいいの？　できないわよ、知らん顔なんて。あの子、かわいそうじゃない。平気なふりなんて、できない」

「こっちがいくら騒いでも、どうしようもないんだ。逆に話がこじれるだけだぞ」

「でも……」

「とにかく、黙ってるんだ」

妻の返事を待たず、先に部屋を出た。階段を降りてダイニングキッチンに向かいかけて、踵《きびす》を返し、浴室に入る。背中に貼《は》りついた汗を洗い流したかった。

蛇口を一杯にひねって、熱いシャワーを浴びた。つぶてのような熱く痛いしずくに、肌がたちまち赤くなる。ヨッちゃんなら、どうするだろう。ヨッちゃんは、いま、なにを思って戦場にたたずんでいるのだろう。銃に撃たれ、蜂《はち》の巣になった自分を思い描くと、腋の下に黄ばんだ汗が染み出てきたような気がした。


妻は約束を守れなかった。その報いは、「真ちゃん、どんなふうにいじめられてるのか、お母さんに話して」と声をかけた次の瞬間にやってきた。素知らぬ芝居を一晩だけつづけた翌日、月曜日の夕方のことだ。

会社から帰宅した私を迎えた妻は、左頰に濡《ぬ》れタオルを押しあてて、泣きながら言った。

「……真司を叱《しか》らないで……私が悪いんだから……」

タオルをはずした頰は、赤黒く腫《は》れあがっていた。唇が切れて、そこから盛り上がる血は、まだ固まりきってはいなかった。

不意に殴りかかってきたのだという。真司は顔を真っ赤にして、いてもたってもいられないようにうめき声をあげ、右の拳《こぶし》を振りまわした。反射的につぶった瞼《まぶた》の裏で光がはじける直前、妻は真司の目を見た。おせっかいで無神経な母親への怒りは、そこにはなかった。まなざしに宿っていたのは、追い詰められ、怯えきった感情だった。

「私が倒れると、すぐに謝ったの……タオルもあの子が濡らしてきてくれた……私が避《よ》ければよかったのよ、最初からなにも言わなければよかったのよ。だから、真司を叱らないで」

「部屋にいるのか」

「あなた、お願い」

「部屋にいるんだな」

妻は黙って、顎の支えがはずれたようにうなずいた。タオルは血で汚れている。指先で押せばジュッと滲みそうな、生々しい染みだった。

私はキッチンで水を飲んだ。浄水器の細い水流でグラスを満たすのがもどかしく、蛇口から直接水道の水をグラスに注いで、一息に飲み干した。水はなまぬるく、錆《さび》のにおいを鼻の裏側で感じた。流し台の脇《わき》には割れたグラスが置いてある。尖《とが》った切っ先に、蛍光灯の明かりが涙のしずくのように映り込んでいた。


真司の部屋のドアは閉まっていて、中からも物音は聞こえない。ノックのために拳を軽く握りかけたが、腕は縮こまったまま動かなかった。

安普請《やすぶしん》の薄っぺらなドア一枚で区切られたこの部屋の中で、私の息子はじっと息をひそめている。消しゴムをカッターで切り刻み、布団《ふとん》を頭からかぶり、怯えた上目使いで世界を眺めている。

私はドアのノブを見つめ、曲げた指をゆっくりと伸ばしていった。小さな、厚みのない拳だ。中学生の頃に体育の授業で測った握力は、女子生徒の平均値にも達しなかった。こんな拳でドアをノックし、ノブをひねっても、そこから先のことはなにもできない。なにより私は、もはや真司と向き合うときにも上目使いをしなければならないのだ。

三年前にガンで死んだ私の父親は、その世代にしては大柄な人だった。子供の頃の私は、いつも父親を振り仰いでいた。父親の大きさが嬉《うれ》しかった。息子の目で見る父親は、他の大人の誰よりも大きく、たくましく、怖く、頼もしかった。

私はそんな思い出すら、真司に与えてやれなかった。

3

一週間が過ぎた。

真司は毎日学校に通っている。家で暴力をふるうことはない。食事もふつうにとり、「殺す」や「死ね」を口にしなくなり、話すときにはきちんとこちらを向き、屈託のない冗談を言って笑うことさえある。まるで、あの一夜の出来事が記憶からすっぽり抜け落ちているかのようだ。

だが、私も妻も知っている。真司は一週間、ずっと下痢をしている。食事の後に嘔吐《おうと》する夜もある。明け方近く、叫び声があがり、ベッドの横の壁を蹴《け》る音が響く。朝に妻が起こしに行くと、両膝《りようひざ》をきつく抱き込み、背中を丸めて眠っている。塾やサッカー部の練習から帰宅しても、すぐにはダイニングキッチンに入って来ない。しばらく玄関の上がり框《かまち》に座り込んで、頭を抱えてなにごとかじっと考え、それから笑みを浮かべて「ただいま」と言う。

いじめをなぜ訴えてこないのか、妻にはそれがもどかしくてたまらない。教師に相談することを禁じる私へも、いらだちはぶつけられる。

「手遅れになったらどうするのよ」

真司が風呂《ふろ》に入っている隙に、ダイニングキッチンで早口の会話を交わす。妻は、私の許しさえあれば今夜のうちにでも担任教師の自宅に電話をかけそうだった。

「よけいなことをすると、かえって逆効果なんだ」

「でも……」

「おまえにはわからないんだよ。親が首を突っ込むっていうのは、屈辱なんだ。恥ずかしくてたまらないから、こないだも、おまえを殴ったりしたんだよ。泣き言なんか言いたくないし、自分の負けてるところを家族には見せたくないんだ」

「そんなこと言ったって、現実にひどい目に遭ってるじゃない」

「真司が黙ってるんだから、俺たちも黙ってればいいんだ。真司の気持ちも考えてやれよ」

妻の顔はまだ納得しきってはいなかったが、私は「いいな」と念を押して話を打ち切った。

私にはわかる。真司は、私たちの望む子供でありつづけようとしている。体は小さくとも全身に明るさをみなぎらせていた夏休みまでの自分のままで、私たちに接しようとしている。無意味でやるせない強がりかもしれない。だが、その強がりを失ったとたん、真司は彼を取り囲む世界に対してうなだれてしまい、もう二度と顔を上げることはできないだろう。

「真司の気持ちって、なんなの？」

妻が、ぽつりと訊《き》いた。

「男だぜ、プライドがあるんだよ」

「それだけ？」

「とにかく真司がなにも言わないうちはほっとくんだ」

「じゃあ」妻はため息をついて、まっすぐに私を見た。「もしも真司が助けを求めてきたら、あなた、救ってやれるのね？」

私は黙ってうなずいた。違う、うなずいたふりをして、目をそらしただけだった。

妻はもう一度ため息をついて、椅子《いす》から腰を浮かせた。

「あの子、ほんとうは、あきらめてるんじゃないの？　私やあなたに話してもどうにもならない、って」

ビクン、と心臓が胸を突き上げるように跳ねた。

キッチンにたった妻は、私に背中を向けて、流し台の蛇口に手を伸ばしながら言った。

「私は、早く学校に相談したほうがいいと思う。そうしないと……」

蛇口から流れ落ちる水音が、つづきの言葉を隠した。


遠い国で、ヨッちゃんも苦しい日々を送っていた。

派遣部隊が到着するとすぐに始められるはずだった難民の移送は、受け入れる隣国の準備が整わずに予定より大幅に遅れ、まだ移送者の名簿すらできあがっていない。難民キャンプに蔓延《まんえん》している伝染性の皮膚病は派遣部隊にも広がり、全身に湿疹《しっしん》の出た隊員の何人かは入院を命じられた。部隊が到着して二週間後に、キャンプから百キロしか離れていない村が反政府軍によって焼き払われ、鎮圧にあたろうとした政府軍の部隊は返り討ちにあって全滅した。

最初の頃はしばしばニュースで紹介されていた現地リポートも、その事件以来、激減した。取材陣に避難勧告が出されたのだという噂《うわさ》もあれば、政府の圧力で放映されないのだという憶測も流れたが、ニュースキャスターは、そんな話が街でささやかれていることすら伝えはしなかった。

中学三年生の同級生に一人、使いっ走りの役に甘んじながらもヨッちゃんに始終くっついている男がいた。運動は不得手なくせに背はひょろりと高い男だった。おしゃべりで、調子のいいところがあった。名前はもう忘れてしまったその男のことを、私はクラスで一番嫌っていた。憎んでいたと言ってもいい。

いつだったか、その男がヨッちゃんをひどく怒らせたことがあった。理由は知らない。ヨッちゃんは昼休みに教室の後ろで腰巾着《こしぎんちゃく》を殴りつけながら、何度も「卑怯者《ひきょうもの》！」と怒鳴っていた。そうだ、ヨッちゃんは卑怯なことがなによりも嫌いだったのだ。

ヨッちゃんの取り巻き連中を除いて、クラスの誰もが見て見ぬふりをしていた。私もそうだ。机に広げた英語の教科書の同じ行ばかり繰り返し目でたどっていた。ヨッちゃんの叫ぶ「卑怯者！」を聞くたびに首筋が縮まり、肩がこわばっていった。

やがてチャイムが鳴り、ヨッちゃんの興奮も収まり、さんざん殴られた当の腰巾着が、教室の隅に押しやられたり床に倒れたりした机を一人で片付けた。その後何日かすると、またヨッちゃんの席のまわりで腰巾着の甲高い笑い声が聞こえるようになった。私はあいかわらず教室の最前列の席に座ったまま、耳だけでヨッちゃんと自分が同級生だということを確かめるのだった。

なぜ、いまになってそんなことを思い出したのか、よくわからない。

寝付かれないベッドの中で苦笑いを浮かべた後、不意に胸が熱いもので一杯になった。ヨッちゃんは、遠い国で、顔も知らない誰かに殺されてしまうかもしれない。同じ誰かを逆に殺してしまうのかもしれない。可能性よりももっと強い、ざらりとした現実味がある。恐怖とも悲しさともつかない高ぶりが、胸から喉《のど》へ迫《せ》り上がるのではなく、むしろみぞおちを押さえつけるような感じで、背中を丸めるのが癖の私の寝姿をいつも以上に縮めさせる。

ヨッちゃんは、あの日の出来事をもう忘れてしまっただろうか。腰巾着の男は医師になったと、いつか誰かに聞いた。

教師になってまだ三年目だという真司の担任教師は、「いじめ」という言葉を「いたずら」と言い換えた。

「確かに少々行きすぎのきらいはあるようですが、正直に言いまして、教師が介入したせいでほんとうにいじめになってしまうケースも多いんです。子供たちには子供たちのルールがあるというか、多少の理不尽なことがあったとしても、大人たちの理屈や正論だけでは通じない、そんな壁があるんですよ。でも、まあ、だいじょうぶですよ、彼は根が明るい生徒ですから。自分で試練を乗り越える力を持ってます」

食い下がる気力も失《う》せた妻は、黙ってうなずくだけだった。

担任教師は「それより」と語調を変えて、応接室を出ようとした妻を呼び止めた。

「ほんとうはもう少し様子を見るつもりだったんですが、せっかくの機会ですから、一応申し上げておきます」

表情も、今度はこちらの番だとでも言いたげなものに変わっていた。

「サッカー部の一年生の父母から学校に苦情が来てるんです。先輩にしごかれる、って。練習が厳しいだけじゃなくて、ときどき暴力もふるったりするらしいんです」

真司が……ですか？　尋ねる言葉は声にならなかったが、担任教師はうなずいて、唇の端をねじるような笑みを浮かべた。

「まあ、後輩は先輩に絶対服従ですからね。お母さんのお話をうかがって、なんとなく事情もわかってきましたよ」

どういう意味ですか。言葉はまた、喉を塞《ふさ》ぐだけだった。

「でも、そんなのは現実逃避というか、なんの解決にもならないんです。ご家庭でも、そのあたりのご指導をよろしくお願いします」

会釈《えしやく》なしで部屋を出る、それがせめてもの意地だった、と妻は私に力なく笑いかけた。

妻は、張り詰めていたものが切れたように、大粒の涙を流した。二階の真司に聞かれないよう嗚咽《おえつ》を抑えつけ、喉を絞って、泣く。

「どうすればいいの？」

何度も訊いてきた。

私には、なにも答えられない。ただ黙ってウイスキーを飲みつづける。週末の酒の量が増えた。仕事を忘れようとすれば真司のことが胸に浮かび上がり、それを振り払えば再び瞼の裏で数字の連なりが明滅しはじめる。

「ねえ、どうすればいいの？　どうすれば、真司、昔のようになってくれるの？」

「……だから、待つしかないんだよ」

「待ってればいいの？　ほんとに、待ってればあの子はクラスの子にいじめられなくなるの？　一年生の子をいじめなくなるの？　ぜったいにそうなの？」

「うるさい！」

テーブルに置いてあった夕刊を窓に投げつけた。妻は一瞬目を大きく見開いた。夕刊のぶつかったブラインドが揺らぐ。私を見つめたまま固まった表情は、息をひとつ継いだとたんに崩れ、新たな嗚咽が閉じた唇をこじ開けた。

バイクの音が聞こえる。きっとそれは真司の部屋にも届いているだろう。

テーブルに突っ伏した妻の髪には、白いものが見え隠れしている。

私はグラスにウイスキーを注ぎ足しながら、この家のローンの残債と定期預金の額を頭の中で比べ合わせる。

私は、弱くずるい父親だ。


十月の半ば、結婚退職する部下の女子社員の送別会が開かれた。会費だけ払って欠席するつもりだったが、「課長がいないと格好つきませんよ」と若い連中にひっぱられた。わかっている。奴《やつ》らの目当ては私ではない。私の財布だ。私の裁量で落とせる会合費の枠だ。それとも、私を嘲笑《ちょうしょう》することが目当てなのか。女子社員を含めても課内で最も背の低い私を上座に据え、声をひそめて営業部への異動の可能性を探り合い、「あんなふうにはなりたくないもんな」と顎《あご》をしゃくり肩をすくめる、そのために私を誘うのだろうか。

二次会、三次会と飲み屋をまわった。アルコールの巡りが、深く、速い。話がくどくなり、愚痴と説教が増えた。部下にうっとうしがられているのが、自分でもわかる。昔は酔ってもこんなふうにはならなかった。四十歳だ。もう、人生の半ばを過ぎてしまった。夢はない。野心もない。楽しみは一人息子の成長を見ることだけだった。私の息子が、私とは違う男に育っていくのを、ずっと眺めていたかった。

「もう一軒行こう」

三軒目を出たとき、初めて自分から部下を誘った。最初は二十人ほどいたメンバーも、若手ばかり数人に減っていた。誰もが私より背が高い。私は、私が中学生の頃に生まれた彼らと、上目使いでしか向き合えない。

「珍しいですね、課長がハシゴ酒なんて」

女子社員の一人が言った。

私は「そうか？」と笑いながら、彼女の肩に腕を回した。彼女もおどけた悲鳴をあげて私の腕をふりほどこうとした。

「逃げるなよ、おい」

私の声も、そのあたりまでは笑っていたはずだ。

「セクハラになりますよ、課長」と男性の部下が冗談めかして言う。

私は黙って、もう一度彼女の肩を抱こうとした。彼女は、今度は本気の悲鳴をあげて身をかわした。

「なに逃げてるんだよ」

さらに腕を伸ばすと、彼女は、助けを求めるように男性社員のもとに駆け込んだ。

部下が二人、彼女をかばって私の前に立ちはだかる。

「課長、飲みすぎですよ。そろそろお開きにしましょうよ」

言葉遣いは丁寧でも、声は上から下へ降ってくる。

「どけよ、そこ」

私は足を二、三歩、前に踏み出した。体が揺れる。足に重みが伝わらない。

「なんなんですか、帰りましょうよ」と一人が鼻白んだ顔と声で言った。「タチ悪いっスよ、今夜の課長の酔い方」ともう一人はあからさまに不愉快そうに舌打ちをする。

「どけ！」

右側の部下の胸を突いた。

「危ないっスよ、やめてくださいよ」

部下の胸倉をつかんでねじりあげた。もう一人の部下が割って入る。さらに別の部下が私の肩を後ろからつかむ。体の重みが足に降りてくれない。部下の手に力がこもった。後ろに引き倒されようとする体を、酔った腰は支えきれない。

尻餅《しりもち》をつくような格好で倒れた。一度体勢が崩れると、もう起き上がる気力は湧《わ》いてこなかった。部下が私を見下ろしている。笑っている。うんざりしたまなざしが私を射すくめる。

「すみません、課長、だいじょうぶですか？」

差し伸べられた手に、かぶりを振った。

「……いい、一人で帰るから……ほっといてくれ……」

何人かはためらい、何人かは肘《ひじ》をつつきあって目配せしあった。一人が「じゃあ、すみません、お先に失礼します」と声をかけて、残りも小さく会釈をして、それでおしまいだった。

私は路上に座り込んだまま、彼らの背中をぼんやりと見送った。「最っ低」と女子社員が言い、誰かが「まいっちゃうよなあ」と肩をすくめ、やがて人込みが彼らを飲み込んでいく。

よろけながら立ち上がり、繁華街を彼らとは反対の方向に歩き出した。

シャッターの降りた銀行の前で、金髪に青い目をした男が露店を出していた。黒い紙を何枚もつなげて路上に広げ、その上に針金細工や小さな油絵やインディアンの人形を並べている。男が素肌に羽織った革ジャンは、胸が大きくはだけ、そこから蝶《ちょう》の入れ墨が覗《のぞ》いていた。

「ヤスイヨ、ナンデモ」と男は甲高い声で言った。ポキポキと音を折っていくような発音だった。愛想よく笑ってはいたが、目は、いつ拳《こぶし》をふりかざしても不思議ではない暗い光をたたえていた。

紙の端に、キーホルダーが並んでいた。銀メッキの十字架、砂時計、コイン、ゴム製の骸骨《がいこつ》、コンドームが入ったプラスチックケース……そして、折り畳み式のサバイバルナイフ。

しゃがみ込み、ナイフのキーホルダーを手にとった。サイズは小指ほどの長さしかない。柄にはナイフだけでなく、ノコギリやヤスリ、缶切りからルーペまで収められていたが、おそらく二、三度使ったらだめになってしまうだろう。ただのオモチャだ。そう思うことで気が楽になり、親指と人差し指の爪《つめ》の先で挟むようにしてナイフの刃を引き出した。カッターナイフのような薄っぺらな刃だったが、街灯の光をはじく先端には、確かに刃物の鋭さがある。

「ホンモノヨ」と男が顎をしゃくって言った。

「いくら?」と私は刃を柄に収めながら訊いた。

「八百……五百円デイイヨ」

五百円玉を一枚、ポケットの中の小銭入れから手探りでつかみ出して、男に渡した。

「これで、人、殺せるかな」

男は少し考えてから「タブンネ」と言って、黄ばんだ前歯を剝《む》き出しにして笑った。

4

私はナイフを持っている。

背広の内ポケットに、それはいつも入っている。

私はナイフを胸に貼《は》りつかせて朝の満員電車に揺られ、オフィスでパソコンに向き合い、社員食堂でBランチを食べ、スチロールのカップに注いだコーヒーを啜《すす》る。誰も知らない。経理課をキャッシュコーナーとしか思っていない営業部の連中も、目を離しているとおしゃべりばかりする女子社員も、そんな彼女たちの歓心を買うことしか頭にない若手の部下も、しつこくソフトウェアを売り込みに来るパソコンソフトメーカーの営業マンも、無愛想な部長も、くたびれた同僚も、駅前にたむろする中学生や高校生も、妻も、真司も……誰も知らない。そのことが私を上機嫌にさせる。

会社のトイレの個室や、妻と真司の寝た後の洗面所で、私はナイフの刃を引き出す練習をつづける。柄を握り込み、体ごと預けるようにして突く。一度で相手を仕留めないとだめだ。刃が曲がらないよう、まっすぐに突かなければいけない。狙《ねら》うのは腹だ。あばら骨のすぐ下だ。みぞおちでもいい。薄っぺらな刃がはじき飛ばされないよう、柔らかいところを狙え。

洗面所の鏡に、ナイフを持った私が映る。笑っている。私は人を殺せる。ナイフを持っている私は、その気にさえなれば、いつでも誰かを殺せる。

ちゃちなナイフだ。サバイバルという言葉が、なにかの皮肉のように感じられてしまう。だが、捨てる気はない。もっとちゃんとしたものに買い替えるつもりもない。私には似合いのナイフだ。私はこのナイフで生き延びる。

毎朝、真司に「おはよう」と声をかけることにした。返事はたいがい、つくりものめいたあくび交じりで返ってくる。私の目を見ない。ニキビがいくつもできている。妻は朝食の支度だけすると、また寝室に入ってしまうようになった。頭痛がひどいのだという。

家を出るのは、私のほうが先だ。けだるそうにトーストを口に運ぶ真司に「朝飯しっかり食わないと、元気出ないぞ」と笑いかけて、テーブルから離れる。背広を羽織り、胸にあるかなしかの重みと厚みが宿っているのを確かめ、ときには服の上からそっと掌《てのひら》をあてる。

そんなふうにして、一週間が過ぎた。

帰りの電車の中で、駆け込み乗車をしたＯＬに足を踏まれた。

「あ、どうも」

おざなりに頭を下げる彼女を、私は上目使いでにらみつけた。

「ちゃんと謝ってください」

声は震えてしまったが、目は逃げなかった。

「はあ？　あたし、いま謝ったじゃない」

「ちゃんと謝れ」

「……なんなの？」

「謝れと言ってるんだ！」

　ＯＬの顔に怯《おび》えの色が走った。まわりの乗客が一斉に私を見る。負けない。怖くなどない。私はナイフを持っている。私は、いつでも殺すことができる。目の前のおまえを、その隣のおまえを、私の後ろにいるおまえを……。

　ＯＬは消え入りそうな声で「すみませんでした」と言い、次の駅で電車を降りた。私はまわりの乗客をゆっくりと、一人ずつ、にらみつけていく。目が合うとうつむくのは向こうだ。私にはナイフがある。ひとわたり視線を巡らせて、最後に吊《つ》り革を握り直した。まわりの乗客とは、腕の角度が違う。吊り革の位置が、私には高すぎる。背広の袖《そで》がいっぱいに伸びて、左右の裾《すそ》のバランスが引き攣《つ》れたように崩れているのは、私だけだ。

　けれど、私は、ナイフを持っている。


　駅に降り立つと、バイクの空吹かしの音が響き渡った。

　ロータリーにたむろしている連中の数は、十月の後半に入ってからかなり増えてきた。制服姿の中学生も多い。パン屋のシャッターは赤いスプレーの落書きで汚され、自転車を整理するプラスチックコーンが壊された。スケートボードは駅の構内にまで入ってきて、近くの幼稚園が世話を引き受けていた花台も、いつのまにかジュースの空き缶の捨て場所になっていた。

私は改札を抜けて、奴らがたむろしているあたりに目をやった。ナイフがある。なにも怖がることはない。遊歩道の、端ではなく真ん中を歩いていく。このまま進めば奴らのすぐ脇《わき》をすり抜けることになる。こんなに近づくのは初めてだ。

路上に座り込んだ男が、ガムを嚙《か》みながら携帯電話で話をしていた。髪も眉毛《まゆげ》も銀色に染め、鼻にはピアスが入っている。

「うっそお、マジかよ、それ」

電話機を握り直して、素《す》っ頓狂《とんきょう》な声で笑う。目付きは鋭くても、声には幼さが溶けている。あたりまえだ。仮に高校三年生だとしても、十八歳。私が大学を卒業した頃に生まれた、ガキだ。

私は暗がりに苦笑いを紛らせて通り過ぎようとした。

「落ちたのかよ、マジ？ マジに川、入ったって？ 泣いてる？ 最高じゃんよ、それ。行くよ、すぐ行くから」男は電話機を顔からはずし、まわりの仲間に言った。「よお、二中のチビ、学校の裏の川に入ったってよ。見に行こうぜ」

暇を持て余していた仲間は、はずんだ声をあげた。

「なんでなんで？」「知らねえけどさ、鞄《かばん》、川に放り込んだら、それ拾いに泣きながら入ったってよ」「ひってぇ」「最近の中坊、やることが違うよなあ」「それでよ、なんか、鞄ぶち込んだのって一年坊だってよ。あのチビにやられまくってたから、復讐《ふくしゅう》キメたんじゃねえのか？」「情けねえよな、チビも」「で、いまもいるのか？」「おお、なんかよ、チャリンコ、ボコボコにされて、石ぶつけられて泣いてるって」「ひってぇ」「行ってみようぜ」……。

何台ものバイクの音が絡《から》み合うように響き渡り、ロータリーを半周して通りに出るまでの間に、景気づけにクラクションと爆竹が鳴らされた。

私はその場に立ちつくしたまま、しばらく動けなかった。

バイクが走り去り、駅前に静寂が訪れた頃、ようやく我に返った。

「真司！」

叫びながら、駆け出した。

十四年前、真司が生まれたとき、私は新生児室のガラス窓にへばりついて、まだ目も開かない我が子をじっと見つめた。父親になった戸惑いと喜びが、膝《ひざ》や顎を小刻みに震わせていた。

偉くならなくてもいい。賢くなくてもいい。金持ちでなくてもいいし、特別な才能がなくてもいい。どこにでもいる、平凡な男でかまわない。

幸せに、と考えても、これが幸せなのだと言い切れるものを見つけられない。だから、私は、まだ「真司」という名前すらない我が子を見つめながら、ただひとつのことを祈ったのだった。

生きることに絶望するような悲しみや苦しみには、決して出会わないように。

甘い父親だと笑われても、我が子に望むものはそれ以外に思いつかなかった。

中学校までの道を息を切らせて走りながら、戦場にいる同級生を思った。肩に自動小銃を提げて虚空《こくう》を見つめるヨッちゃんの姿が、すれ違う車のヘッドライトを背景に浮かび上がった。

足がもつれる。汗が目に染《し》みる。苦く酸《す》っぱいものが喉《のど》を逆流する。走りながら、背広の胸を掌で押さえる。ナイフがある。ここに、確かにある。私はナイフを持っている。

グラウンドが見えた。

バイクの音が聞こえる。遠ざかっていく音だ。

真司を呼ぶ私の叫び声は、もう、風のようにかすれてしまった。

校舎の裏を流れる川は切り立った両岸をコンクリートで固められ、底の水は、草が生い茂っているせいで、流れの向きすら見分けられないほど澱《よど》んでいる。

橋の上から川を見渡した。

あたりに人影はない。

「真司！　どこだ！」

橋を渡り、幅の狭い土手を走りながら探す。川の水は、溺《おぼ》れるほどの深さはない。それがせめてもの救いだったが、そんなことを考えてしまう自分が悔しく、情けなかった。

橋から数十メートル走って、やっと見つけた。真司は向こう岸のコンクリートの斜面を這《は》い上がっているところだった。紺色のブレザーの上着は夜の闇《やみ》に溶けていたが、同じ色のズボンを穿《は》いているはずの下半身は、白いパンツしか着けていなかった。

真司が振り向く。驚いているのか、泣いているのか、助けを求めているのか、にらみつけているのか、表情はわからない。だが、私に気づいたのは確かだ。パンツから伸びる両脚は、葉を落とした木の枝のように細く頼りなげだった。怪我《けが》はないか。濡《ぬ》れたのか。鞄はどうなった。自転車はどこにある……。

真司はまた四つん這いの格好で斜面をのぼっていく。

「待て！　真司、そこにいろ！　すぐ行くから！　待ってろ！」

川岸に目を落とした。角度はかなり急だ。コンクリートには菱形《ひしがた》の浅い窪《くぼ》みがついていたが、革靴で下まで降りるのは難しい。

雑草に何度も足をとられながら、来た道を引き返した。さっきの橋を渡り、もう一度、名前を呼んだ。声が裏返り、夜の冷たい風を吸いそこねて、ひどく咳《せ》き込んでしまった。

返事はなかった。

真司は自転車に乗って、土手沿いの道を遠ざかっていく。下半身はパンツのまま、ペダルを漕《こ》ぐたびに軋《きし》んだ音が聞こえる。前輪が不自然にふらついているのが後ろからでもわかる。

私は路上にへたり込んだ。両膝をついて、片手で体を支え、もう一方の掌を胸にあてる。みぞおちが痙攣《けいれん》し、うめき声が漏れる。背広の襟の合わせ目をわしづかみにした。人差し指が、小さな堅さに触れた。背広の布地越しにたぐり寄せる。

私が恐れ、憧《あこが》れ、憎み、友達になることを夢見ていた同級生の顔が、また浮かび上がる。ヨッちゃん。私は彼に、そんな親しげな呼び方で声をかけたことは一度もなかったのだけれど。

寒々しい風の吹き渡る道を、駅に向かって歩く。夜も十時を回ると帰宅する人の流れは途絶えがちになり、商店街のシャッターもほとんど閉ざされている。自動販売機の前で呷《あお》ったカップ酒の酔いは、きっとすべてが終わった後でいちどきに回ってくるのだろう。

四つ角の電話ボックスから、家に電話を入れた。コール音が三度鳴らないうちに、真司が出た。

「もしもし？」

その声を聞いて、私は黙って受話器を置いた。よく帰ってくれた、と感謝したい気分だった。

電話を切った後、頭上のカーブミラーを見上げた。体が映り込むよう、交差点の真ん中まで出た。小さな体がさらにひしゃげてしまい、まるで脚が半分地面に埋まったようだ。鏡の中の私が、いつもまわりの人間がそうしているように、私を見下ろした。私も、顔を上げて鏡の中の私を見つめる。目をそらさない。私には、ナイフがある。

商店街を抜けて、駅前のロータリーに出た。街灯の青白い光にナイフの刃をかざし、ひとつ深呼吸をして、柄を強く握り直しながら背広のポケットに手首から先を隠す。

改札の正面のタクシー乗り場から、この時間なら二十分近く行列に並んだのだろう、最後の客を乗せた車が走り去ったところだった。客待ちのタクシーも、これですべて出払った。次の電車が着くまで、あと十数分。

電線を鳴らす強い風に背中を押されるようにして、ロータリーの半円を進む。奴《やつ》らが、いた。シャッターの降りたパン屋の前にたむろしている。店先に積み上げられたパンケースを崩して、それを椅子《いす》代わりに座り込んでいる女もいるし、ケースをロータリーの車道に蹴《け》り出している男もいる。バイクの空吹かしの音に調子のはずれたホーンが重なり、店の前にはコンビニエンスストアの袋やジュースの空き缶や弁当の容器が放り捨てられている。

私はゆっくりと奴らに近づいていく。しゃがみ込んでいた男の一人が私に気づき、すぐにそっぽを向いて、火の点《つ》いた煙草《たばこ》を指ではじいて捨てた。

数は七人。高校生は関係ない。中学生はいるか。二中の奴はいるか。二年C組だ。サッカー部の一年生はいないのか。二人か。背中に竜が刺繍《ししゅう》されたサテン地のボマージャケットを着たおまえと、ニットの帽子をかぶってジッポーを点けたり消したりしているおまえか。

なんだよ、おっさん。ボマージャケットが路上に唾《つば》を吐いた。なに見てんだよ。ニットの帽子が細く剃《そ》った眉をそびやかした。

私は、ポケットの中で殺意を握り直す。汗で滑る。指の関節がこわばっている。ボマージャケットもニットの帽子も、中学生にしてはかなり大柄だ。真司の目には奴らがどれほど怖く映っていただろう。

くだらないいじめはやめろ。私は二人に言った。やっていいことと悪いことくらい考えろ。

空き缶が背後から宙を飛んできて、私の肩のすぐ横をすり抜けた。軽い音とともに缶は路上に跳ねて転がり、ガードレールの支柱にあたって止まる。

ボマージャケットとニットの帽子は互いに目を見交わして、私の正体がわかったのだろう、息を詰めて笑い合った。

あいつが勝手に転んだんだぜ。そうっスよ、勝手に転んで、ドブにはまったんスよ。ガキの話に親が出てくるって最低だと思わない？　あいつ、生意気なこと言うくせに根性ないから嫌われるんスよ。それにチビだし。おじさんもチビだよね、遺伝ってやつ？　まあ、もうちょっと待っててよ、飽きたらやめるからさ。で、俺らが別の奴をいじめにかかったら、調子くれて一緒にいじめるんだぜ、あいつ。言えてる、セコイもんな、あのドチビ……。

殺すぞ。

おっさん、なんか言った？　口のきき方、気をつけたほうがいいっスよ。クソみてえなサラリーマンが偉そうなこと言ってんじゃねえよ。あのね、俺ら頭がパーだから、マジに殺しちゃいますよ、いいんスかあ？

バイクの空吹かしが長く尾を引いて響き渡る。女が笑う。私の背後に高校生が一人、回り込む。バイクに乗った男がトランクケースからスパナのようなものを取り出して、私の背後の男に放る。

殺すぞ。

おっさん、震えてんじゃん。もうさあ、いいから帰んなよ、これ以上しつこいとさ、俺らもマジになるからさあ。帰れって。それともさあ、駅の裏、付き合ってくれるの？

ナイフを出せ。いまだ。ポケットからナイフを出せ。最初はボマージャケットから。奴は腹だ。腹を狙って、体ごとぶつかっていけ。手ごたえを感じたらすぐに抜いて、今度はニット帽だ。立ち上がりかけたところで、喉を突け。ポケットに入れた手を出すんだ。早く。柄をちゃんと握れ。早く。私はナイフを持っている。私は殺意を握り締めている。私はいつでも殺せる。私は私の一人息子をここまで苦しめてきたおまえたちを、殺せる。

早く——。

5

ダイニングキッチンで私の帰りを待っていたのは、妻ではなく、真司だった。音量をぎりぎりに絞ったテレビには、見覚えのある映像が流れている。遠い戦場でテント設営の作業をつづける派遣部隊の姿だ。

「お父さんのビデオテープ、勝手に観《み》ちゃったけど」

真司は画面から目を離さず、ひとりごちるように言った。

「ああ、かまわない」

私も真司をまっすぐに見つめられない。しわがれた声が真司の耳に届いたのかどうかもわからない。部屋に入るとすぐに湿布薬のにおいが鼻を刺した。泥水のにおいは嗅《か》ぎとれなかったが、獣の体臭に似たなまぐささが部屋中に澱んでいる。私の腋《わき》の下に滲《にじ》んだ黄色い汗のせいかもしれない。それとも、真司も、私と血のつながったたった一人の息子も、あの頃の私と同じ汗でシャツを濡らしているのだろうか。

「お母さんは？」

「……頭が痛いって」

私は椅子に腰をおろした。真司と斜向《はすむ》かいの格好になる。夜風にさらされていた頬が、エアコンの温《ぬく》もりに触れて、痺《しび》れるように火照《ほて》る。鼻の奥でこわばっていたものが、徐々に解きほぐされていく。背広のポケットの中で掌《てのひら》をゆっくりと開いた。指の節のひとつひとつに血が巡りはじめるのがわかる。

「あのね」真司は顔の向きを変えずに言った。「お父さんの友達、死んじゃったかもしれない」

「え？」

「さっき、ニュースでやってた。難民キャンプが爆破されたって。撃ち合いになって、死んだか大怪我かはわからないんだけど、とにかく日本人がヘリコプターで病院に運ばれたんだって」

「名前は出てなかったか」

「うん。外務省で調べてるって。ビデオ、停めようか？　どっかでニュースやってるかも……」

「いや、いいよ」

　かぶりを振って、ポケットから掌を引き抜いた。力仕事とも出世とも率のいい利殖とも無縁の、やわらかく薄っぺらな掌だ。ついさっきまで、ここには殺意が載っていた。違う、私は、私の掌でつかめる程度のものをそう呼んでいただけだった。

　気がつくと、真司はまなざしをテレビから私へ移していた。なにかを伝えようとして、それが言葉にならない、そんな表情を浮かべていた。

「お母さんにはなにも言わなくていいよ。お父さんも黙ってる。ほら、すぐに大袈裟《おおげさ》に心配しちゃうから」

　私は廊下のほうに顎《あご》をしゃくって笑った。あてずっぽうの言葉だったが、真司もほんの少しだけ頬をゆるめ、けれど、目は赤く潤《うる》んできた。

　ビデオテープの録画部分が終わり、テレビの画面は青一色に変わった。ヨッちゃんの家族もこんなふうにニュースを録画しているのだろうか。ヨッちゃんに家族はいるのだろうか。中学卒業後のヨッちゃんのことは、なにも知らない。インターハイや国体の新聞記事に名前を見かけることもなかったから、柔道の方は思いどおりには強くなれなかったのかもしれない。

「真司」

「……なに？」

「お父さん、やっぱり臆病者《おくびょうもの》だったよ。なにもできなかった。怖くて、逃げ出しちゃったよ」

「どうしたの？」

「ごめんな、だめなんだ、なにも変わらなかった」

「わかんないよ、お父さん、なに言ってんのか」

「そうだよな……わかんないよな……」

ポケットからナイフを取り出して、テーブルに置いた。柄を握り締めていたときより、むしろそこから指を離したときに、俺はナイフを持っていたんだな、と実感した。

「これ、おまえにやるよ。学校に持って行ってもいいし、部屋の机にしまっといてもいいから、とにかく持ってろよ」

「使わないよ、ナイフなんて」

「使わなくていいんだ」

リモコンでビデオテープを巻き戻す。適当なところで再生ボタンを押すと、ちょうどヨッちゃんが無線機の前でしゃがんでいるシーンだった。

ヨッちゃんは、ほんとうに殺されたのだろうか。敵のゲリラを殺したのだろうか。震える指で撃ったのか、泣きながら撃ったのか、それとも、撃てなかったのだろうか。

真司はテーブルの上のナイフをじっと見つめていた。ごめんね、と唇が小さく動いた。いらないよ、やっぱり。ささやくような声は、鼻にかかってくぐもったかと思うと、奥歯を食いしばった嗚咽《おえつ》に変わった。

私はキッチンにたち、水を飲んだ。真司にかけてやりたい言葉や、問いただしたいことがらが、錆《さび》のにおいのする水と一緒に喉からみぞおちへ滑り落ちていった。

真司はなにも話さず、涙を流しつづけた。

ビデオテープはさらに三回巻き戻され、再生するたびに無線機の前のヨッちゃんの背中はしぼんでいくようだった。

もうすぐ日付が変わる。戸口に妻がたたずんでいることにさっきから気づいていたが、私は振り向かなかった。

零時。壁の時計の針が、長針も短針も、いっぱいに背伸びをする。

私はゆっくりと息を継いで言った。

「お父さん、一緒に学校に行くよ」

真司は黙って顔を上げた。鼻の頭が真っ赤だ。幼い頃、イタズラを私に叱《しか》られて、押し入れに閉じこめられたときのように。

「おまえとずっと一緒にいる。今日から、ずっと、おまえのそばから離れない」自分の声を自分で聞いて、初めて自分がなにを言おうとしているのかを、知る。「いいな。お父さん、臆病者だから、なにもできないけど、でも、一緒にいてやる」

「……いいよ、そんなの」

「おまえのためじゃない。お父さんのためなんだ。おまえを守りたいんだ。笑われてもいいし、馬鹿《ばか》にされてもいいから」

「嫌だよ、そんなの。やめてよ」

「お父さんのこと、嫌いか？　情けないと思うか？　でも、お父さん、それしかできないんだ」

声は喉《のど》を絞らなければ出てこないのに、頬からは力が勝手に抜けた。

私はナイフを手に取った。

「だいじょうぶさ。なにも怖くない。ほら、お父さん、これ持って、学校に行くから」

話しながら、刃を引き出そうとした。何度も練習してきたことだ。刃の背を右手の親指と人差し指の爪《つめ》で挟み込んで、柄を握る左手の力を少しゆるめて、一気に……。

おかしい。引き出せない。窮屈な柄の中に収められた薄い刃が、微妙に歪《ゆが》んでしまったのだろうか。

ズボンで左右の掌の汗を拭《ぬぐ》い、もう一度刃の背を挟んだ。右手に力を込めると、不意に刃の重みが消えた。左手で握った柄がバウンドするように跳ね上がり、次の瞬間、右手の指先に熱さが走った。

ナイフの切っ先が、人差し指の第二関節の少し上の皮膚に触れた。あわてて指を見ると、濃い赤のひび割れが一筋走り、それはすぐに丸く盛り上がった。皮膚の下から噴き出すのではなく、しずくが一滴落ちてきたような、そんな血の滲み方だった。

「あなた！　だいじょうぶ？」

妻が駆け寄ってきた。

「切れちゃったの？」と真司もテーブルに身を乗り出して覗《のぞ》き込んでくる。

指をくわえて、だいじょうぶだ、と身振りで二人に告げた。痛みというよりも、熱さがある。傷口を吸うと、さっき飲んだ水と同じ錆のにおいが鼻に抜けた。

たいした傷ではないことを知ると、真司は肩を揺すって笑った。

「なんだよ、それ、お父さん……すっげえカッコ悪いじゃん、なにやってんだよ、最低だよ、こんなの……」

だが、笑い声は長くはつづかなかった。

真司はまた泣き出した。今度は声もあげた。顔をくしゃくしゃにして、何度もかぶりを振った。妻も泣いていた。私も、泣いた。情けなく、せつない。けれど、ほんのわずかだけ、背負ったものの重さが消えていく心地よさを感じながら、私は人差し指をいつまでも吸っていた。

妻と真司が寝入ってからも私はダイニングに残って、テレビの深夜番組をぼんやりと眺めた。水着姿の若い女性タレントが、室内プールでゲームをしていた。出演者も、プールサイドの観客も、へらへらと笑っていた。はしゃいでいることだけはよくわかったが、それほど楽しそうには見えなかった。

ウイスキーのボトルとグラスをテーブルに出しておいた。だが、手は伸びない。今夜はもう飲まずにおきたい。体も、たぶん心も疲れきっている。その重さを、酔いで紛らせずにきちんと背負いたかった。

画面の上のほうに、ニュース速報のテロップが出た。

派遣部隊の負傷者は、三人。名前と階級、年齢が、三人まとめて画面に並んだ。

ヨッちゃんは、いない。

負傷者は三人とも軽傷だった。ゲリラ側の死傷者は不明だが、威嚇《いかく》が目的の攻撃だったらしく、最初に報じられたような銃撃戦はなかったという。

二度繰り返された速報を最後まで観て、テレビを切った。目をつぶり、耳をすました。バイクや爆竹の音は聞こえてこなかった。

目を開けて、テーブルの上のナイフを手に取った。絆創膏《ばんそうこう》を巻いたせいで右手の人差し指をうまく曲げ伸ばしできない。けれど、刃は、拍子抜けするぐらい簡単に引き出せた。

ヨッちゃんは無事だ。だから、今日も、明日からも、自動小銃を提げて虚空《こくう》を見つめる。

私も、きっと。

ナイフを、マドラーのようにグラスの中に立てかけた。ウイスキーを注ぐ。刃が触れないよう気をつけて唇を湿して、それでいい。ウイスキーの中で折れ曲がったナイフを見つめ、また目をつぶる。この酔い心地がヨッちゃんにも伝わればいい。この苦みと悔しさをいつか、一人息子にも伝えられればいい。そして、ひとより強くなくてもかまわない、父親を、おまえは超えろ。

私はナイフを持っている。

ナイフはテーブルの上で、朝の陽射《ひざ》しを浴びている。ブラインドのルーバーが淡い横縞《よこじま》の影をテーブルに落とし、ナイフは、その影と影のはざまの光の部分に収まっている。焼き上がったベーコンの香ばしいにおいがキッチンから漂い、夜明け前の冷気にさらされた窓ガラスは露をびっしりと貼《は》りつかせている。洗面所から真司が顔を洗う水音が聞こえ、妻が食パンをオーブントースターに入れ、私は朝刊をざっと読み終えたところだ。

示し合わせたわけではないのに、妻も真司も私も、ふだんよりずっと早く起きた。

「おはよう」を交わす以外はなにも話さない、静かな朝だ。

洗面所の水音が止《や》み、代わりに電気髭剃《ひげそ》りの音が聞こえてくる。

髭剃り――？

妻は食器をテーブルに並べながら「ときどき使ってるみたいよ」と泣き腫《は》らした目で微笑《ほほえ》んだ。

「……まいったな」

「なにが？」

「いや、なんでもない」

ブラインドを全開にする。さえぎるもののなくなった陽射しが窓からあふれ、私は目を瞬《しばた》いた。なにも見えない。まぶしい暗闇《くらやみ》に、私は、敵の気配を探る。一人息子を狙《ねら》う悪意と策略と暴力と罵《ののし》りと虚勢といらだちと退屈を、歩哨《ほしょう》のように凝視する。どこにいる。どこまで近づいてきた。そして、いつ、襲ってくる……。

私は、ヨッちゃんが見ているのと同じ虚空を見つめる。

入学したときに買った制服は、丈も幅もずいぶん小さくなっていた。防虫剤のにおいが気になるのか、真司は歩きながらしきりに袖《そで》を鼻先にあてる。

「クリーニングに何日かかるって？」

私が訊《き》くと、真司は「三日くらいだって」と答え、短かすぎる裾《すそ》をつまんで伸ばした。不満そうな真司の横顔とは逆に、私は家を出たときからずっと頬をゆるめていた。子供の服が小さくなって着られなくなる、それが親にとってどんなに嬉《うれ》しいことなのか、きっと真司も親になったときにわかるだろう。

交差点に出た。ここから私は右に曲がって駅へ向かい、真司はまっすぐに進んで、学校までは一本道だ。二人とも同じぐらいふだんの道順より遠回りをしたことになる。同じぐらい、というところがなんとなくくすぐったい。

私たちはどちらからともなく足を止め、まなざしを交わした。

「ほんとうにいいのか？　お父さん、会社なんて休んだってかまわないんだぞ」

念を押して尋ねる私に向き合う真司は、ほんの少し、私を見下ろしている。

「なあ、真司。もしあいつらがゆうべのことでなにか言ってきたら……」

「だいじょうぶ」

真司はきっぱりと言った。

私は言葉のつづきを呑《の》み込んで小刻みにうなずいた。私の息子は、私とは違う。いや、同じなんだと、妻なら言ってくれるだろうか。

真司は、行ってきます、と唇を小さく動かした。そのまま、青信号が点滅しはじめた横断歩道を小走りに渡る。

私は交差点に残って、真司の背中を見送った。信号は赤になり、青に戻り、また赤に変わった。私は身じろぎもせずに、十四歳の兵士を見つめた。

異状なし。前進せよ。

私はナイフを持っている。心配はいらない。左胸には、私の守らなければならないものを守るためのナイフは、いつもある。

交差点を右へ、少し急ぎ足で駅へ向かう。途中で、右手の人差し指に巻きつけた絆創膏をはずした。傷は塞《ふさ》がっていたが、指先を吸うと錆のにおいはまだかすかに残っていた。

指をくわえたままの深呼吸で錆のにおいを胸に行き渡らせて、四十歳の負傷兵は唇を結び、少しだけ背伸びをして歩いていった。

キャッチボール日和《びより》

1

昔むかし……なんて言葉をつかうと、なんだかおばあちゃんになってしまったような気がするけど、でもやっぱり、昔の話なんだ。

一九八〇年。十六年前、わたしが生まれる一年前の、ちょっと冗談みたいな話から始めようと思う。

昔むかし、あるところに二人の若いサラリーマンがいました。かつて同じ高校の野球部で甲子園を目指した仲間です。一人はショートで、一人はサード。自称・黄金の三遊間の二人でした。ショートの名前は小川くん。サードの名前は内藤くん。地域で一番の進学校でありながら三年生の夏の地方予選ではベスト4に進んだのだから、その年は奇跡的に強いチームだったのか奇跡的にくじ運がよかったのか、いずれにせよ二人は、手を伸ばすだけでは無理でもジャンプすれば甲子園に届きそうなところまで勝ち進んだのでした。

その思い出を胸に、二人はそれぞれ別の大学に進み、就職先も文具の卸売商社と電気機器メーカーに分かれ、しばらくは年賀状と年に一度の野球部OB会だけの交流がつづきました。

しかし、一九八〇年春、二人はコンビを再結成しました。三遊間ならぬ、同じニュータウンの公団住宅のA棟とB棟の住人として。

「ひょっとしておまえ、小川か？」「そういうおまえは内藤じゃないか！」なんてやり取りがあったのかどうかは知りませんが、とにかく二人は、また高校時代のように親しく付き合うようになったのでした。奇《く》しくも二人とも結婚二年目。そろそろ子供でもつくろうか、とお互いに考えていたせいもあって、やがて奥さん同士も行き来するようになり、いわゆる家族ぐるみの交際が始まったのです。

その年の夏、かつて二人が恋い焦《こ》がれた甲子園に一人の少年が颯爽《さつそう》と現れました。早稲田実業の荒木大輔《だいすけ》サマ。

荒木サマは一年生でした。背番号も補欠の11番。つい四、五カ月前までは中学生だったわけだから、先輩たちに比べるといかにも幼い体つきで、首から肩にかけての線の細さは、はかなささえ感じさせていました。それでいて甲子園ではエースとしてマウンドに立ち、歴代何位かにあたる四十四イニングス三分の一の連続無失点を記録し、チームを準優勝にまで導いたのです。

三十歳を目前にした元高校球児の二人にとっては、まさに胸躍るヒーロー登場でした。内藤くんは電気機器メーカー勤務の特権を生かして、当時は庶民には高嶺《たかね》の花だったビデオデッキを社員割引で買っていたものですから、荒木サマの試合はすべて録画していました。小川くんは毎晩のように内藤くんの家を訪ねては荒木サマの快刀乱麻のピッチングを堪能《たんのう》し、となれば内藤くんとしてもお酒ぐらいは出さないわけにはいかず、飲めば話もはずみ、話がはずめばお酒も旨《うま》くなり……二人はひと夏、ひたすら飲んだくれていたそうです。バカです。

そして、きっと酔った勢いで。

「息子が生まれたら大輔と名付けよう！」

そんな約束をしたのでした。まったくバカです。

一九八一年六月。小川大輔くん、誕生。

同じ年の十一月、内藤くんの奥さんが産んだ赤ちゃんは、残念ながら女の子。でも、とってもかわいらしい、天使のような赤ちゃんでした。

命名・好美《よしみ》。内藤くんいわく、「荒木大輔はダイスケだ、ダイスキだ、好きだ、どうだ小川、好美で文句あるか！」。

わたしのおとーさんは、死ぬほどバカなのです。死ぬほどバカだったから、交通事故であっさり死にました。わたしが満二歳の誕生日を迎える少し前、荒木大輔サマがプロ野球にデビューした年のことです。団地の集会所で営まれたおとーさんのお葬式の最中、なにも知らないわたしは、大輔くんといっしょにキャッキャッとはしゃいで遊んでいたそうです。

記憶には残っていないそのときのはしゃぎかたを再現しようとして、こんな感じかな、ちょっと違うかなとがんばってみたけど、陽気なおしゃべりは、もう、ここで息切れしてしまう。

難しい話や悲しい話がわからないままでいられた頃の自分がうらやましくなる、いまは中学三年生の秋、一九九六年九月——。

荒木大輔サマは、十三年間在籍したヤクルトスワローズから、今年、横浜ベイスターズに移籍した。去年の秋、スワローズから戦力外通告を受けてピッチングコーチ就任を打診されたものの、それを拒否してベイスターズに移ったのだ。

オトコの意地、とスポーツニュースのキャスターは言った。もう一花咲かせたいというオトコの意地が、三十一歳の荒木サマをマウンドにしがみつかせているのだ、と。

実際、荒木サマのプロ野球生活は故障の連続だった。右肘《みぎひじ》を三度も手術し、椎間板《ついかんばん》ヘルニアで寝たきりになった時期もある。デビュー当時は「アイドル」だの「人気先行」

だのとさんざん悪口を言いつのっていたマスコミが、皮肉なことに、故障のたびに荒木サマを応援するようになった。父から母経由でわたしに引き継がれた荒木サマのスクラップブックには、「非運」「再起不能」「復活」「涙」……そんな言葉がいくつも散らばっている。かつての甲子園のヒーローは、いつのまにか逆境を耐え忍ぶ感動ドキュメンタリーの主人公になっていたわけだ。

春先、キャンプの紅白戦やオープン戦序盤までは、たしかにそのオトコの意地は通用した。でも、相手チームもレギュラーメンバーを揃《そろ》えてくるオープン戦終盤になると、やっぱりだめだった。登板するたびにめった打ちを食らい、けっきょくシーズン開幕は二軍で迎えることになった。そのあたりから記事は途絶えがちになり、六月十二日に一軍に上がったけど三試合連続で先発に失敗して、七月四日に再び二軍落ち。いまのところそれがスクラップブックの最後の記事だ。おそらく、次に貼《は》る切り抜きは、引退発表の記事になるだろう。

かつての甲子園のヒーローが引退の危機に直面した一九九六年秋、もう一人のダイスケも中学生活の崖《がけ》っぷちに立っていた。

ヒーローにあやかって名付けられたわたしの幼なじみは、現在、登校拒否の連続欠席記録を更新中なのだ。

2

二学期が始まってから、大輔くんは一日も学校に来ていない。毎朝七時になると、おなかが痛くなるのだという。吐いてしまうこともある。でも、おばさんが学校に電話をかけて欠席を伝えると、腹痛も吐き気も嘘《うそ》のように消えてしまう。薬を何種類も服《の》んだ。病院にも行った。原因ははっきりしていた。薬や注射では治せない。学校を休むことが唯一《ゆいいつ》の治療法だった。

欠席が連続十四日になった九月十九日の夜、夕食のときに母が「おばさん、大ちゃんを転校させるかもしれないって」と言った。

だろうね、とわたしはごはんを頰張ってうなずく。

「でも、おじさんが反対してるのよ。逃げちゃだめだって」

「しょーがないなあ、おじさんも。そんなこと言ってる場合じゃないのにさ」

「なにひとごとみたいに笑ってんのよ」

「だって、ひとごとだもん」

冗談のつもりで言ったのに、母はにこりともせず、わたしの表情を探るように訊《き》いてきた。

「ねえ、あんたはいじめてないんでしょ？　だいじょうぶよね？」

大輔くんが登校拒否になってから、同じ言葉をいったい何度ぶつけられてきただろう。「お願いよ、あんたまでいじめてたなんてことになったら、おばさんに会わせる顔がないんだから」と付け加えるのも、いつものこと。父が亡《な》くなったあとも再婚せず、女手ひとつでわたしを育ててきた母は、四十歳を過ぎてから急に話がくどくなり、口やかましくなり、心配性になった。

「あったりまえじゃない、そんなガキっぽいことしないよ」

わたしもいつもどおりの答えを返した。さらりとした口調で、いいかげんに娘を信じてよ、とあきれて笑いながら。

嘘をついたつもりはない。まがりなりにも幼なじみだ、まわりの友だちといっしょに大輔くんをいじめる気にはなれない。わたしはギャラリー、見物客だ。いじめ実行部隊が次々と新しい手口で大輔くんをいじめるのを、「やだあ」とか「うそっ、かわいそーっ」なんて言いながら、遠巻きに見てるだけ。

いじめてる……とは言わないはずだ、そういうのは。

大輔くんは、幼い頃からキョジャクジだった。漢字の虚弱児じゃない。いわゆる、ってことでキョジャクジ。重い病気にかかったわけでも体や知能のどこかに障害があったわけでもなく、いまだって運動神経は人並みにはあるし、勉強も中の上をキープしているのに、とにかく、弱い、としか言えない。

首が据わるのも、這《は》い這いも、つかまり立ちも、あんよも、歯が生えてくるのも、すべてわたしより遅かった。夜泣きも激しかった。大輔くんちのおじさんとおばさんは毎晩交替で大輔くんをおぶって、寝付いてくれるまで公園を散歩していたのだという。おかげで下の子供をつくる暇もなかった、といまでもおじさんは真顔で言う。

夜泣きの時期がすんだら、今度はおねしょ癖。しょっちゅう風邪もひいた。遠足の行き帰りは毎年のようにバスに酔ってしまい、水泳の授業のあとは必ずおなかが痛くなる。インフルエンザが流行《はや》るとクラスで最初に感染するのは、決まって大輔くんだった。

性格だって暗い。極端な無口で、すぐにうつむいてしまい、いつも叱《しか》られたあとのような顔をしている。幼なじみのわたしはともかく、中学からいっしょになった友だちの中には、大輔くんが笑うところを一度も見たことがないというコも多いはずだ。

覇気というか生気というか、そういうものが大輔くんにはない。約十五年の付き合いで断言する、まったくない。植物のような奴《やつ》だ。それも、花も咲かずきれいな葉っぱも繁《しげ》らず、ついでに明るいところも嫌いな、シダや苔《こけ》のような奴。

「なんでみんな大ちゃんをいじめるの？　おとなしくて、喧嘩《けんか》するようなコじゃないでしょ？」

怪訝《けげん》そうに訊く母に、わたしは一度だけ言ったことがある。

「大ちゃんがいると、つまんないのが伝染しちゃいそうな気がするからだと思うよ。学校ってさ、勉強とかいろいろ大変だけど、ほんとうはみんな楽しい場所だと思ってるんだよ。でも、大ちゃんはぜんぜん楽しそうじゃないでしょ。そういうコがいると、なんか、むかつくらしいよ」

らしい、という言葉をつかった。主語を自分以外の誰かにした。

母はそのとき「厭《いや》な世の中になっちゃったねえ」とため息交じりにつぶやいた。世の中という言葉は便利でずるいな、とわたしは思った。

わたしは、大輔くんがこのまま学校を休みつづけてもかまわない、と思う。そのほうが大輔くんのためだよ、とも。

大輔くんが逃げ出したくなる気持ち、すごくよくわかる。学校でのいじめられ方は、たしかにひどすぎたから。

無視したり、暴力をふるったり、カツアゲしたり、体育館シューズを隠したり、教科書に落書きしたりといういじめは、二年生までだった。三年生になると、やり口が一気にねちっこく、いやらしいものになった。

いじめ実行部隊は、クラスの枠を超えて約二十人。男のコがほとんどだけど、女のコもいる。ただし、たとえば母が想像するような不良じゃない。ごくふつうの、夜遊びぐらいはするしポケベルも持ってるし煙草《たばこ》やガスパンもやっているらしいんだけど、試験前にはそれなりにリキ入れて勉強しちゃうようなコたちだ。

そんな実行部隊が、大輔くんの顔じゅうにマジックペンでおちんちんやおまんこを落書きしたり、パンツを脱がせたりする。手首と机の脚を手錠でつないだまま午前中の授業を受けさせたことや、犬の首輪をつけて四つん這いで廊下を歩かせたことや、おちんちんの毛をライターで焼いたことや、トイレの便器をなめさせたこともあった。

護身用グッズの唐辛子スプレーを吹きつけて大輔くんを追い回すのは、コックローチ・ゲーム。両耳にウォークマンのイアフォンを差し込んでガムテープで止め、わけのわからない宗教の説法テープをフルボリュームでえんえん流すのがマインドコントロールごっこ。あと、煙草ダーツもあった。壁に立たせた大輔くんを的代わりにして、火の点《つ》いた煙草をダーツのように投げるのだ。目に当たれば最高点で、唇に命中させた山崎くんがニアピン賞に輝いて大輔くんの財布から三千円取った。

ギャラリーも、クラスの枠を超えて集まっていた。同じ学年のコは全員、一度は見物したことがあるはずだ。ギャラリーには二年生もいた。一年生の間では、「ダイスケにするぞ」がトロい奴への脅し文句になっているらしい。塾や遊び仲間の情報網で、大輔くんの名前は他の学校のコにも知られていた。みんな「いいなあ、そういうのがいて」

とうらやましがり、「一度うちの学校に拉致《らち》っちゃおうかなあ」とマジな顔で言うコもいた。

最後のいじめ、つまり大輔くんが最後に登校した一学期の終業式の日のいじめは、公開オナニーだった。会場は、放課後の体育館裏。いじめ実行部隊が数人がかりで大輔くんを地面に抑えつけて、無理やりエロ本を見せておちんちんを揉《も》むように靴で踏んで勃《ぼっ》起《き》させて、そのまま靴でしごきつづけた。大輔くんは泣いていた。でも、おちんちんはびっくりするぐらい大きくなって、真っ赤になった皮がすりむけて血がにじんできた頃、うめき声とともに射精した。

いいじゃん、逃げたって。そうしないと、大輔くん、自殺しちゃうかもしれない。頭がどうにかなっちゃうかもしれない。そんなことになったら困る。みんなが。

九月二十三日。夕方になって突然、大輔くんがおじさんとおばさんに連れられてわが家を訪ねてきた。

「お、休みの日でも勉強してるんだな」

おじさんはわたしが家にいるのを知ると、からかうように言った。ふだんなら、母が横から「違うわよ、たまたまなのよ、昨日なんて台風でがら空きだからチャンスだって、友だちとずーっとゲームセンター行ってたんだから」と告げ口して、わたしが「超すごい風でさあ、大変だったのよ自転車で行くの」と応じて、それを口火に「昨日の台風すごかったねえ」とか「この子は遊びほうけてばかりなんだから」とか、みんなでおしゃべりが始まるところだ。

でも、母はなにも言わない。わたしも黙ったまま。楽しい会話をしちゃいけないような気がしていた。ましてや、友だちと遊んだ話なんて。笑っているのはおじさんだけで、おばさんも大輔くんも、ぐったりと疲れた顔でリビングのソファーに座っているのだから。

ひさしぶりに見る大輔くんは、かなり瘦《や》せた。顔色も青白い。全科目の教科書が入ったトートバッグを肩に提げていた。明日から学校に行くので授業がどこまで進んだか訊きに来たのだと、本人に代わっておじさんが説明した。

「もういいの?」

母はおじさんではなく、おばさんと大輔くんに目を向けて訊いた。

「ええ……まあ、もうねえ、受験もあるし、卒業も危なくなると困るから」

おばさんは困惑した口調で答え、大輔くんは耳たぶを赤くしてうつむいた。話がそこで途切れかけると、落ちてくるボールを地面すれすれでキャッチするようにおじさんが早口に言った。

「たかが夏バテで、九月の終わりまで休んでちゃしょうがないもんなあ。レバー食べないからバテるんだよ、大輔は。なあ」

母もわたしも愛想笑いを返すだけだった。

つらいよ、おじさん。夏バテなんて、そんなの、会社やご近所ならともかく、ウチに来てまで言わなくてもいいじゃん。

でも、それがおじさんだ。見栄《みえ》っぱりで、意地っぱりで、負けず嫌い。一人息子がみんなにいじめられて、オナニーまで見られて、学校に行けなくなったなんて、ぜったいに認めない人だ。

おじさんが父の仏壇にお線香を手向けている隙《すき》に母と目配せを交わし、大輔くんに「部屋行こうか」と声をかけた。「ごめんねえ、好美ちゃん」とおばさんがほんとうに申し訳なさそうに言った。おばさんも、ずいぶんやつれた。白髪も増えた。もともと高血圧の気味があったけど、最近は特に調子が悪くなっているそうだ。

わたしと大輔くんがリビングを出る頃にも、おじさんはまだ仏壇に合掌していた。なにを伝え、なにを祈っていたのかは、知らない。

部屋に入るとすぐにCDラジカセのスイッチを入れた。同い年の女のコと二人きりで部屋にいても彼女にヘンなプレッシャーを感じさせないというのは、大輔くんの唯一の長所なのかもしれない。言い方を変えれば、男としてはぜんぜん眼中にないってことなんだけど。

でも、さすがにこの状況で気楽にはいられない。別の意味の息苦しさがわたしの胸をふさぐ。大輔くんもベッドの縁に腰かけて、うつむいて、黙りこくっている。

「大ちゃん、明日、ほんとに学校来れるの？」

返事がない。それが答えだった。わたしも、だよね、とうなずく。

「おじさん怒るでしょ」

「……いいよ、もう」声変わりしていないような、か細く高い声で言う。「俺、もう、いいんだ」

わたし、このコのおちんちん見ちゃったんだ。ボッキして、シャセイするところ、見ちゃったんだ。背筋を粘っこく生温かいものが這い上がってくる。どうして止めてあげなかったんだろう、「やめなよ、バカなこと」っていじめ実行部隊のコたちに言わなかったんだろう、職員室に走って行かなかったんだろう……どうして、せめて、目をそらしてあげなかったんだろう……。

「あのさ、こんなこと言うのってあれだけど、わたしね、やっぱり大ちゃん転校したほうがいいと思うんだ。だって、変わらないよ、みんな。大ちゃんが学校休んでても、ぜんぜん変わってないもん」

大輔くんは、喉《のど》を小さく鳴らして先をうながした。

「おばさんは転校させるって言ってるんでしょ？　おじさんが反対しても、大ちゃんがどうしても転校したいって言えばいいんだよ。あんたが黙ってるから、おじさん、なんでも自分で決めちゃうんだと思わない？」

「言ったよ。ずっと言ってるよ、そんなの」

「それでもだめなの？」

「オトコだったら卒業までがんばれって」

大輔くんは初めて顔を上げ、わかるだろ、と寂しそうに笑った。まいっちゃうね、とわたしも笑い返す。

「俺、オンナだったらよかったな」

「なに言ってんのよ、オンナだって大変なんだよ。いじめとか、オンナのほうが怖いんだから。わたしだって、マジにけっこうビビッて生きてるんだよ」

「いや、学校じゃなくてさ……」

言いかけた言葉は、途中でため息に変わった。いつものことだ。語尾をゴニョゴニョとごまかして、それでわかってもらおうとする。わかるよ、そりゃあ、あんたの言いたいことぐらい。だから、よけいに腹立たしくなる。

「あんたさあ、やっぱり転校しちゃいなよ」わざと凄《すご》んだ言い方をした。「はっきり言って、いなくなったほうがみんな喜ぶんだから」

大輔くんは、また最初のようにうつむいてしまった。スゴロクの『ふりだしに戻る』

みたいなものだ。

リビングから、おじさんの笑い声が聞こえてくる。母がビールでも出したのだろう。大輔くんの話をしている。もちろん、いまの大輔くんじゃない。小学二年生の運動会でかけっこで三等賞をとったときのこと、小学三年生の父の日に野球のユニフォーム姿のおじさんの絵を描いて、それをおじさんがデパート主催の児童画展に出したら佳作入選したこと……。まわりは聞き飽きている話を、何度も繰り返す。大輔くんの十五年間の人生には、おじさん好みのエピソードなんてほとんどないのだから、同じ話ばかりになるのもしかたないのかもしれない。

わたしはCDラジカセのボリュームを上げて、「おじさん、大ちゃんのこと、ほんとに期待してたもんね」と言った。

意識したわけじゃないのに、過去形になってしまった。大輔くんは黙って、耳に入るすべての音からマライア・キャリーの歌だけを選り分けようとするみたいに、じっと目をつぶっていた。

3

九月二十五日。ホームルームの時間に、『わたしたちといじめ』という題名で作文を書かされた。うちのクラスだけじゃなく、三年生全員。

発案者は学年主任の佐々木先生で、クラス担任の石橋先生は原稿用紙を配りながら、「友情や優しさとはなにか、それを考えながら書きなさい」と言った。

でも、石橋先生は、大輔くんちのおばさんに「いじめがあったとは知りませんでした」と説明したらしい。違うよ、ぜったい。みんな言ってる。知ってたけど、面倒だから放っておいたんだ。佐々木先生だって、体育の時間に大輔くんのことをあからさまにいじめてたじゃないか。大輔くんの苦手な鉄棒や走り高跳びをわざと悪い見本でやらせて笑いものにしてたこと、誰でも知ってるんだから。石橋先生や佐々木先生が何度家を訪ねても、大輔くんが自分の部屋に閉じこもったきりだというのが、その証拠だ。

作文を書く時間は五十分与えられていたけど、ほとんどのコは三十分以内で書き終えた。わたしの作文は「友情という言葉はいつからお笑いのネタになってしまったのだろう」で始まり、締めくくりは「人間はお互いに助け合い、励まし合っていかなければならない。私たちはもう一度、友情の重さと尊さについて考え直すべきではないだろうか」。書いている間じゅう、背中がむずがゆかった。

「好美のって新聞の社説みたいじゃん」と笑った律子も、私立の推薦入試の課題作文のリハーサルのつもりで、話を地球の環境問題にまで広げて書いていた。いじめ実行部隊のリーダー格だった竹井くんは「いじめられる側にも問題があると思う」と結論づけたせいで、佐々木先生に書き直しを命じられた。先生は、全員の作文を大輔くんちに持って行く約束をしているらしい。

「こーゆーのを読ませるのって、意外と最強のいじめだったりして」と律子が言った。

わたしも、そう思う。

　その夜、塾から自転車で帰る途中、団地前のバス停のそばで大輔くんちのおじさんと会った。正確には、会ったんじゃなくて、後ろから「こんばんは」と挨拶《あいさつ》してそのまま追い越しかけたところを呼び止められたのだ。

　自転車から降りて並んで歩きだすと、すぐにおじさんが言った。

「おとついは悪かったなあ。せっかく授業のこと教えてもらったのに、大輔のやつ、また具合悪くなっちゃって」

「……いえ」

「好き嫌いが多すぎるんだよ。レバーは食わない、小魚は嫌い、野菜はトマトだけ。しょうがねえよなあ、まったく」

　おじさんは肩を揺すって笑った。ほんとうにおかしくてそうしているんじゃなくて、体ごと動かさないと笑えない、そんな感じだ。

　でも、ぎこちなさは、おじさんよりむしろわたしのほうにあった。もっとはっきり言えば、後ろめたさ。

「学校は、どう?」

胸がドキッとして、思わず「え?」と甲高い声で聞き返した。

「みんな受験勉強がんばってるんだろうなあ」

「……まあ、適当、ですけど」

「大輔の机、まさか片付けたりしてないよな?」

あったりまえじゃないですかあ、なに言ってんですか、やだあ。台本はちゃんと読めているのに、声が出ない。大輔くんの机、もちろんまだ教室に置いてある。誰かが家から持ってきたお線香立てが置いてある。みんな、大輔くんが自殺するんじゃないかって楽しみにしている。葬式っていうものを、一度体験してみたいのだそうだ。

話はそこで途切れ、わたしたちはしばらく黙って歩いた。おじさんの足取りはしだいに重くなり、わたしは歩く速度をおじさんに合わせるために、自転車を押す腕からこめに力を抜かないといけなかった。おとついは気づかなかったけど、おじさんも少し痩せたようだ。白髪も増えている。四十五歳。三十二歳で亡《な》くなった父も、生きていればいまごろ白髪が出ていただろうか。

団地の敷地に入り、A棟とB棟の分かれ道まであと少しというところになって、おじさんはやっと口を開いた。

「好美ちゃん、大輔に転校したほうがいいって言ったんだって？」

わたしは黙ってうなずいた。舌打ちしたくなるのを、こらえた。そういうことを親にぺらぺらしゃべるからいじめに遭うんだよ、あいつ。

おじさんは足を止めて、わたしを見た。にらまれたわけじゃないのに、わたしの視線は勝手に下に逃げてしまう。

「転校したって同じだよ。一度逃げた奴《やつ》は、どこに行っても逃げるようになるんだ」

思いのほか静かな声だった。でも、怒鳴るよりもずっと厳しい響きが耳に伝わる。

「いじめなんかに負けてちゃだめなんだよ、長い人生、もっともっと大変なことはあるんだから。そう思うだろ？　好美ちゃんだって」

「……まあ、そうです……よね」

「甘やかすときりがないんだ、大輔みたいなのは。こういうの好美ちゃんにはわかんないかもしれないけど、オトコなんだからあいつ、厳しいぐらいでちょうどいいんだよ」

大輔くん、オンナになりたいって言ってるんですよ。おじさんに教えたら、どんな顔になるだろう。笑うかな。まさか。

「そりゃあ、俺だって、いじめた奴らを許してるわけじゃないんだぞ。半殺しにしてやりたいぐらい怒ってるんだ。でも、いじめが怖くて学校に行けなくなって、親父《おやじ》に仕返ししてもらうなんて、いくらなんでも情けないだろ。オトコじゃないよ、そんなの。ちゃんと学校に行って、いじめた奴らと胸張って向き合って、喧嘩《けんか》したっていいさ。勝てなんて言わない、あいつは腕っぷしは弱いんだから。でも、立ち向かえばいいんだ。その気持ちだけでも見せてやればいいんだ。そうしたら、俺だって……」

話しているうちに熱を帯びてきた口調は、そこで不意にしぼんだ。おじさんは短い舌打ちを挟んで「まあいいや」とつぶやき、照れ笑いなのか苦笑いなのか、どっちにしてもちっとも楽しそうじゃない笑みを浮かべて、また歩きだした。

おじさんの言いたいことは、わたしにもよくわかる。たしかに筋道はきれいに通っているとも思う。でも、きれいに通っているぶん逆に、まるっきり見当違いの方向に延びているんじゃないか、という気もしてしまう。

道は三叉路《さんさろ》になった。おじさんは右へ進んでA棟へ、わたしは左へ進んでB棟へ。重苦しさからようやく解放される。

「運動不足じゃ勉強もできないぞ。たまにはキャッチボールの相手してくれよ」

おじさんは野球のボールをトスするみたいに軽く右手を振り、わたしも右手一本で自転車のハンドルを支え、左手でボールをキャッチする真似《まね》をした。

「そうだ、好美ちゃん」気を取り直すような明るい声。「荒木大輔、今朝の新聞に出てたぞ」

「ほんとですか？」とわたしも意識的にはずんだ声をあげた。

「二軍の試合で、四イニング二安打だってさ」

「無失点？」

「もちろん。どうせ横浜は最下位争いなんだし、近いうちに一軍に戻ってくるかもしれないな」

「肘《ひじ》の具合、だいじょうぶかなあ」

「そんなの心配いらないって。ほら、去年も今年も、ほとんど投げてないんだから」

「そっか、じゃあオッケーなんだ。うん、だいじょうぶですよね」

笑うのがつらい。おじさんだってわかってるはずなのに。荒木サマ、たぶん今年で引退だよ。もう無理なんだよ。だから、サヨナラ登板をするために一軍に上がるんだ。

「ダイスケは負けないよ」

おじさんは自分自身に言い聞かせるようにつぶやいた。わたしは「そうですね」と答える。どっちのダイスケなのかは、わからないままにしておいた。

おじさんは、また一球、幻のボールを放る。逆シングルでキャッチしたわたしは、ハンドルを持ち替えて、制服のスカートの裾《すそ》をひるがえして投げ返す。おじさんはジャンプしてそれを捕り、着地と同時に言った。

「とにかくあれだ、好美ちゃん、あと二、三日もすれば、ちゃんと学校に行けるようになると思うから、心配しないでいいからな」

違うよ、と思った。

「負けちゃだめなんだよな、ほんと」

違うんだってば。

わたしは「おやすみなさい」と早口に言って自転車にまたがり、ペダルを力いっぱい踏み込んだ。おじさんにはぜんぜんわかってない。自分の一人息子なのに、大輔くんのこと、ちっともわかってないんだ……。

4

大輔くんちのおじさんは、わたしにとって父親代わりだった。小学一、二年生の頃までは、母の残業が長引いた夜にはたいがい大輔くんちで晩ごはんを食べさせてもらった。おじさんといっしょにお風呂《ふろ》に入り、テレビのナイター中継を観《み》ながら野球のルールを教わり、高校時代の父の思い出をたくさん聞かされた。

いかにも元高校球児と言えばいいのか、おじさんは単純で短気なところが欠点だけど、体を動かすことが好きで、少々の風邪ぐらいじゃ会社を休まないたくましさがあって、そのくせ甲子園の閉会式や日本シリーズの胴上げシーンはハンカチなしでは観られないほど涙もろい。

わたしは、そんなおじさんが大好きだった。おじさんも、母からしじゅう「がさつなんだから」「乱暴なんだから」と叱《しか》られるおてんばのわたしをかばうように、「女の子だってこれぐらい元気でなくちゃ。好美ちゃんはすごくいい子だよ」と言ってくれる。母の前ではもちろん、おばさんや大輔くんのいるところでも、こっちが照れてしまうほど褒めちぎるのだ。

「人間、コンジョーとキアイがなくちゃだめなんだ」

それがおじさんの口癖だった。「根性」「気合」という漢字を知らなかった幼い頃から、何度も何度も聞かされてきた。わたしは亡くなった父譲りで、コンジョーとキアイの入った子供なのだそうだ。

わたしを褒めたあと、おじさんは決まって大輔くんを振り向き、なにか言いたそうな顔になり、でも黙ってため息をつく。大輔くんはふだん以上にしょぼくれた顔をして、居心地悪そうにお尻《しり》をもぞもぞさせる。そして、そんな二人を見るおばさんは、いつも寂しそうな顔になっていた。

性格の不一致って夫婦の問題だけじゃないんだと、おじさんと大輔くんを見ていたらよくわかる。タイプが、あまりにも違いすぎる。おじさんが期待する大輔くんと現実の大輔くんが、まるっきりかみ合っていない。

たとえば、こんな話――。

小学校入学のお祝いに、おじさんは大輔くんとわたしにグローブとバットを買ってくれた。「これから、日曜日の朝は公園で野球だぞ」とおじさんは張り切って言った。二人が小学生になっていっしょに野球ができるようになるのを楽しみにしていたのだという。

わたしは知っていた。おじさんは、わたしたちと野球をやりたいんじゃない。大輔くんとキャッチボールをしたいんだ。わたしはオマケ。父とおじさんとの友情のおすそ分けで、好美ちゃんを仲間はずれにしちゃかわいそうだから、と誘ってもらっているだけ。六歳にしてそういう読みをするわたしは、良く言えばおませなコで、悪く言えば、こまっしゃくれたガキだった。ちょっとだけ自分をかばってあげるなら、きっと寂しかったんだと思う。寂しいから、甘えるチャンスを見つけることが得意になってしまったんだと思う。

わたしは毎週日曜日の朝、せっせと団地の公園に通った。おじさんたちが来るのが遅かったら、大輔くんちまで迎えにも行った。ボールは硬くて痛かったし、グローブは革と汗のにおいで臭かったたし、バットは重くて素振りするたびに足がふらついたけど、自分でも感心するぐらい一所懸命がんばった。コンジョーとキアイってやつだ。

でも、主役のはずの大輔くんは違った。センスに欠けるというか野球と相性が悪いというか、いくらやってもぜんぜん上手《うま》くならなかった。ちょっと強くボールを放るとすぐに腰が引けて、顔にぶつけたり、突き指したり、転んで膝《ひざ》をすりむいたり……。

おじさんがなによりももどかしく思い、いらだっていたのは、大輔くんがちっとも楽しそうじゃなかったことだ。これが大ちゃんのふつうだよ、と友だちだったら納得する。あれだけ下手くそなのに毎週休まずに練習するだけでも、大輔くんにしては奇跡的にがんばってる。でも、おじさんはそんなふうには思わなかった。最初のうちは「どうだ、大輔、野球っておもしろいだろ?」とご機嫌をうかがうように声をかけていたけど、しだいにその声が尖《とが》りはじめ、「なんでわかんないかなあ、野球のおもしろさが」としきりに首をひねるようになり、練習の途中で「もういい! そんなにつまらないんなら家に帰ってろ!」と怒鳴ることも増えてきた。

やがて、大輔くんはグローブを持たずに公園に来るようになった。わたしとおじさんがキャッチボールをしているのを横目に、砂場の脇《わき》で腕立て伏せやうさぎ跳びをする。野球の練習の前に、まず大輔くんはコンジョーとキアイをつけなければいけないのだそうだ。

おじさんは、苦しそうにあえぐ大輔くんに「がんばれ!」と声をかけることもない。キャッチボールに夢中になって大輔くんの存在すら忘れてしまうのか、わざと知らん顔しているのか、言われた回数の腕立て伏せを終えても「もういいぞ」とも言ってあげない。途方に暮れた顔でおじさんを見つめる大輔くんも、「終わったよ」と声ぐらいかければいいのに、またしょぼくれた顔で最初から腕立て伏せやうさぎ跳びを始める……。かわいそうだった。いま振り返ってもそう思う。「おじさん、大ちゃん終わったみたいだよ」と声をかけてあげればよかった。

どうしてそれができなかったんだろう。

あの頃のわたしの気持ち、いじめのギャラリーになって大輔くんを見るときと似ていたのかもしれない。

一度だけ、おせっかいをしたことがある。

小学二年生の春だった。大輔くんちとわが家がいっしょにお花見に出かけ、隣で宴会をしていたオヤジたちと喧嘩になった。おばさんと母にしつこくからんできた酔っ払いのオヤジを、おじさんが思いっきり張り倒したのだ。相手は五、六人、ひょっとしたらもっと多かったかもしれない。こっちは、オトナの男はおじさん一人きり。でも、おじさんは負けなかった。アンディ・フグみたいに強かった。途中で警官が駆けつけなかったら、オヤジたちは全員叩《たた》きのめされていただろう。

わたしだってがんばった。「危ないからこっちに来てなさい！」と叫ぶ母にかまわず、ストラップ付きの水筒をクサリガマみたいに振り回して、オヤジたちが母やおばさんや大輔くんを人質にとらないようガードした。帰り道、おじさんと並んで歩いているときにそのことを話すと、おじさんは「偉いぞ、好美ちゃん」と褒めてくれて、「好美ちゃんのおとうさんも、女の子をいじめたりする奴は大っ嫌いだったんだ。やっぱり親子なんだな」と頭を撫《な》でてくれた。

もっと幼い頃だったら無邪気に喜んでいられた。もうちょっと大きくなっていれば、最初から自慢なんてしなかった。でも、その頃のわたしは一番中途半端《はんぱ》だった。おじさんが大輔くんのことをもどかしく思っているのをなんとなく察していて、だけどおじさんや大輔くんの抱くほんとうの哀《かな》しさは、なにもわかっていなかった。

母とおばさんと大輔くんは、わたしたちのだいぶ後ろにいた。虫歯が痛くなったと言って泣きだした大輔くんを、おばさんと母が交互におぶって歩いていたからだ。おじさんは大輔くんをおぶってあげなかった。「虫歯と足は関係ないだろう、自分で歩け」と一度だけ言って、あとは後ろを振り向きもしなかった。

わたしは、おじさんに言った。

「大ちゃんも闘ったんだよ、わたしといっしょに」

おじさんはちょっと驚いた顔になって、その表情のままわたしを見つめた。怖い顔なんてしてなかったのに、わたしは急に涙が出そうになって、あわててつづけた。

「ほんとだよ、ほんと、わたし見てたもん、嘘《うそ》じゃないもん。大ちゃん、がんばって闘ったから虫歯が痛くなっちゃったんだよ」

おじさんはほんの一瞬だけ後ろを見て、わたしに向き直り、もう一度頭を撫でながら言った。

「大輔がそう言ってくれって頼んだのか？」

違う、違う、ぜんぜん違う、そんなの。思いっきり首を横に振った。おじさんの掌《てのひら》と髪の毛がこすれあうザラザラした音を、いまでもくっきりと覚えている。

「いいんだよ、好美ちゃんはそんなこと気を遣わなくても」

そう言って笑ったおじさんの寂しそうな目も、忘れていない。

お花見には、もう何年も出かけていない。大輔くんの一家とわが家がいっしょにどこかへ行くということもなくなった。おじさんは毎年夏になると「今年はみんなで海に行こうか」と言い、冬には「今度みんなでスキーに行きたいなあ」と言う。でも、話はそこから先へは進まないまま、やがて季節が変わってしまう。

日曜日の朝のキャッチボールは、小学三年生の冬に大輔くんがインフルエンザをこじらせて一カ月ほど寝込んでしまったのをしおに、自然消滅のような格好で終わった。いまでは年に一度か二度、おじさんに誘われてお付き合いするぐらいのものだ。いつもの公園で、二人きりで、山なりのボールをやり取りする。大輔くんはいない。きっと、おじさんも声をかけていないのだろう。

あのお花見の日の最初で最後のおせっかいを思い出すたびに、わたしは遠くへ走り去りたくなるような自己嫌悪《けんお》にとらわれる。日曜日の朝のキャッチボールのことを思い出すと、その場にしゃがみ込みたくなるようなせつなさが胸に満ちる。わたしは、おじさんと大輔くんの間のどこに、どんなふうに立っていればいいのだろう。幼い頃からずっと、それがわからないでいる。

5

九月二十七日。始業チャイムが鳴っても、教室に大輔くんの姿はない。今日は金曜日で、明日は学校が休みの第四土曜日。来週の月曜日も休んだら、九月はとうとう一日も学校に来なかったことになる。最初の頃は必ず誰かから「今日はダイスケ、どうなんだろうね」と声をかけられたものだったけど、いまは大輔くんが教室にいないのがあたりまえになってしまったみたいで、おしゃべりの中にも名前はほとんど出てこない。

一学期は、みんなが登校してからホームルームが始まるまでが、朝のいじめタイムになっていた。いじめ実行部隊の連中は教室の隅やベランダや廊下で簡単な打ち合わせを終えると、ことさらにゆっくりした歩調で大輔くんの席に向かう。ギャラリーも、今日はどんないじめを考えついたんだろうと含み笑いの顔を見合わせる。春から夏にかけて、一日はそうやって始まっていた。

だけどいま、いじめ実行部隊は手持ち無沙汰《ぶさた》に朝の時間を過ごす。ぽつんと空いた大輔くんの机には、もう線香は立っていない。飽きたというか、気づいたのだ、本人がいないところでこんなことをやったっておもしろくもなんともないってことに。

石橋先生がなかなか姿を現さず、いったん静かになった教室がまたざわつきだした頃、廊下に出ていた男のコたちが教室に駆け込んで「おい、ダイスケ、来たぞ！」と怒鳴った。

「なに言ってんだよ」と笑いながら窓を開けた廊下側の席の男のコは、すぐにこっちを振り向き、震える声で言った。

「……ヤバいよ……あの野郎……親父《おやじ》連れて来てるぞ……」

教壇に、石橋先生と大輔くんとおじさんが並んだ。石橋先生はおどおどと出席簿を広げ、大輔くんはうなじが見えるぐらい深くうつむき、そんな二人のぶんの視線も合わせたかのように、おじさんは険しい顔で教室を見渡している。

右から左、前から後ろ。おじさんと目が合った順に、みんなうつむいてしまう。途中でわたしと視線がぶつかる。わたしは小さく会釈《えしゃく》をしたけど、おじさんの表情はまったくゆるまなかった。

「もう、我慢も限界だ」

しんと静まり返った教室に、おじさんの低い声が響く。

「おまえら、人をなめるのも、いいかげんにしろ」

誰も、なにも答えない。石橋先生がとりなすように口を開きかけたけど、おじさんはわたしたちをにらむ視線をさらに尖らせた。

「恥ずかしくないのか……おまえら、それでも人間か……」

肩が小刻みに震え、それが声にも伝わっていた。顔は真っ赤に染まり、目も血走っている。こんなに怖いおじさんを見るのは初めてだ。

おじさんは感情を必死にこらえているのか、しばらく黙った。その隙《すき》に、やっと石橋先生が割って入ることができた。

「ゆうべ、小川くんの家にいたずら電話をかけた者、このクラスにいるのか。正直に言いなさい。夜中の二時や三時に、無言電話何十回もかけた者、立ちなさい！」

無言電話をかけるような奴《やつ》がこういう状況で「はい、ぼくです」なんて名乗り出るわけないのに、石橋先生は声をせいいっぱい凄《すご》ませてつづけた。

「小川くんのお母さんは血圧が高くなって、今朝早く入院されたそうだ。あれだけ厳しく叱って、作文も書かせて、おまえらはまだわからんのか！」

うっせーなあ……。男のコが、誰なんだろう、ぽつりと言った。

　ふと見ると、みんな、うつむいたまま頬をもぞもぞ動かしていた。目配せしたり、お芝居めいた咳払《せきばら》いをしたり、前髪に息を吹きかけたりして、時間が過ぎ去るのを待っている。一人でいいコになるつもりはない。わたしだって、教壇に仁王立ちしているのがおじさんじゃなかったら、同じようにしているだろう。

　よくない態度だっていうことぐらい、わかってる。いじめが悪いことだっていうのも、無言電話なんてサイテーだってのも、いろんなこと、ちゃんとわかってる。確信犯っていうんだっけ、こういうのを。

　おじさんは教卓に貼《は》ってある座席表に目を落とし、指で場所を確認して、ゆっくりと教壇を降りた。窓に向かって数歩、前から後ろに数歩、足が止まったのは、いじめ実行部隊の一人、山崎くんの席の前だった。

「ちょっと立て」

「なにもしてねえよ俺、なんなんだよ」

　山崎くんは半身になって腕で顔をかばいながら言った。

「おまえ、笑っただろう、ゆうべの電話で。テープに録音したんだよ。息子が、おまえの声だって言ったよ」

「そんなの証拠になんねえじゃん」と山崎くんがふてくされたように言うと、おじさんは教壇の大輔くんを振り向いて、手招いた。

「大輔、こいつの前で言ってやれ。ゆうべの笑い声は、たしかにこいつだった、この卑《ひ》怯《きよう》な奴だったって、ほら、ちゃんと言うんだ」

その声を聞いたとたん、わたしははじかれたように椅子《いす》をひいていた。腰が浮きそうになるのを必死にこらえる。全身に鳥肌が立った。顔から血の気が引き、胸がでたらめのリズムで高鳴る。

おじさんは間違ってる。正しいことかもしれないけど、そんなこと言っちゃだめなんだ……。

大輔くんはうつむいたまま、震えていた。おじさんの身震いとはぜんぜん違う。逃げ出すことができないのなら、この場で消えてしまいたい、そんなふうに震えている。

「大輔、来い。本人の前で言ってやれ」

でも、大輔くんの足は動かない。震えはさらに激しくなり、痙攣《けいれん》に近くなった。顔が少しだけ持ち上がった。左頬が腫《は》れ上がり、目の下に青黒い痣《あざ》も浮いている。

「早くしろ。もう逃げないって言ったじゃないか、勇気を持つって約束しただろう。怖がらなくていいんだから、ほら、早く！」

身震いに紛れて、他のコは気づかなかったかもしれない。だけど、わたしにはわかる。大輔くんは必死に首を横に振ろうとしている。泣き出しそうな顔で、唇をわななかせながら、厭《いや》だ、と言おうとしている。

「大輔！　来い！　オトコだろ、おまえ！」

大輔くんの体が動く。歩きだそうとしたんじゃない。腰をかがめ、おなかを押さえて、息を詰める。顔は見る間に真っ青になった。

おじさんは舌を打って大輔くんに近づいていく。腕が伸びる。大輔くんは海老《えび》のように背中を丸め、後ずさった。

「やめて、おじさん！」

叫んだ直後、喉《のど》の裏返った甲高いうめき声が聞こえた。大輔くんはおなかにあてた掌を口元に移した。指の間から、黄色ともピンクともつかない水がほとばしった。

最前列の席にいた女のコたちが悲鳴をあげ、椅子を倒して逃げ惑う。

大輔くんは自分の反吐《へど》の水たまりに倒れ込んで、おなかの中のものすべて、ポンプのように吐き出した。泣いていた。顔じゅう、涙と鼻水と反吐とよだれでぐちゃぐちゃにして、泣きながら吐きつづけた。

おじさんはその場に立ちつくしたまま、大輔くんを呆然《ぼうぜん》と見下ろしていた。床に飛び散った反吐がズボンの裾《すそ》を汚していたけど、身じろぎもせず、怒りで張り詰めていた肩をすとんと落として、騒ぎを聞きつけた隣のクラスの先生がやってくるまで、ただ黙って大輔くんの背中を見つめていた。

コンジョーやキアイのないコっているんだよ。

歌の下手なコや、手先の不器用なコや、数学の苦手なコがいるのと同じように。

おじさん、どうしてそれがわからなかったの？

6

十月三日、夜。スポーツニュースが、ひさしぶりに荒木大輔サマのことを伝えた。哀しいニュースだった。すでに来シーズンのチーム構想からはずれていることが明らかになった荒木サマは、この日、横浜ベイスターズのフロントに現役続行を直訴したのだという。

「もういいじゃん、引退しちゃいなよ」

テレビの画面に向かってつぶやいた。現役への執念に感心するのを通り越して、ちょっとうんざりしてしまった。誰が見たって限界なんだ。無理なんだよ、もう。ニュースのナレーションも、現時点で獲得に乗り出す球団はないと言っていた。ついでに、評論家やスポーツキャスターとしてなら引く手あまただ、とも。

リモコンでテレビを切り、ソファーに寝転がって、腕を枕《まくら》に天井をぼんやり見つめた。

大輔くんは、十月に入ってからも連続欠席記録を更新中だ。おじさんにビンタを張られ、引きずられるようにして登校したあの金曜日も、けっきょく保健室経由で早退。しかも、ゲロ騒動に気が動転した石橋先生は出席簿に丸をつけ忘れてしまった。

これから大輔くんがどうなってしまうのか、どうして大輔くんはこうなってしまったのか、考えても考えても頭がこんがらかるだけだから、知ーらないっ、子供みたいにそっぽを向くことにした。

リビングの隣の和室では、コードレスの受話器を持った母の長電話がつづいている。電話の相手は、大輔くんちのおばさん。このところ毎晩だ。おじさんは大輔くんとほとんど口をきかなくなったのだという。帰りも毎晩遅く、しかもゆっくり話もできないぐらい酔っているらしい。

ずるいよ。おじさんに会ったら、そう言ってやりたい。逃げてるの、おじさんのほうじゃん。

おじさんは、荒木サマのニュースを観《み》ただろうか。ダイスケは負けないよ。いまでも、そう言うんだろうか。性格不一致の夫婦は離婚すればいいけど、親子だとどうすればいいんだろう……。

正直なこと言うと、わたしは、大輔くんよりもおばさんよりも、おじさんのことが一番かわいそうなんだ。

十月五日、朝。授業のある土曜日はいつもそうだけど、かったるさを引きずって教室に入ってみると、大輔くんの机が片付けられていた。虫歯を抜いた跡みたいに、行儀よく並んだ机の中でそこだけぽっかりと空いている。

「どっか持ってっちゃったの？」

近くにいたいじめ実行部隊の永田くんに訊《き》いたら、いつもはくだらない冗談ばかり飛ばす陽気な永田くんが、こわばった顔で「知らねえよ、俺ら」と言った。

「昨日のうちに片付けちゃったみたいよ」とギャラリーの常連だった奈美江《なみえ》が教えてくれた。リレーのバトンを受け渡すみたいに、実行部隊の香織がつづけて「ロッカーの中もきれいになってた」と言い、さらにギャラリーの高橋くんが「なんか言ってなかったか、あいつんちのとーちゃんとか、かーちゃんとか」とわたしに訊く。

わたしは首を横に振った。なにも知らない。なにも聞いてない。

始業時間が近づき、クラスの全員が登校してきても、教室は静かなままだった。隣の教室から聞こえてくる男のコの声が耳障《みみざわ》りでしかたない。笑いながら廊下を歩く女のコたちを、ひっぱたいてやりたくなる。

「マジに転校しちゃったのかな……」

山崎くんが言った。つぶやくような声だったけど、わたしたちから一番遠い場所にいた竹井くんが「そんなの、まだわかんねえよ」と怒った顔で答えた。

「でもさ、家が引っ越してないんだったら、転校とかできないんじゃないの？　学区があるんだから」

美知子が誰にともなく声をかけた。どこからも返事はなかった。受け答えには遅すぎるタイミングで、大谷くんが「そんなの知らねーよ、バカ」と吐き捨てただけで。

チャイムが鳴り、スピーカーが音の尻尾《しっぽ》をまだ響かせているうちに、石橋先生が入ってきた。ほんの一瞬だけ期待した。大輔くん、先生に付き添われているのかもしれない。だけど、せかせかとした足取りで教壇に立った石橋先生は、大輔くんの机があった空きスペースに目をやると、たいして大事でもない忘れ物を思い出したみたいに「ああ、そこの後ろ、机を前に詰めといてくれ」と言った。


今日が土曜日でよかった。もし平日だったら、昼休みの五十分間をどう過ごせばいいか、みんな困り果ててしまっただろう。授業と授業の間の十分間の休憩さえ話題を探しあぐねて、二言三言だけの会話のあとは押し黙るしかなかったのだから。

反省と後悔の違いが初めてわかった。なにかを反省するときには、本音でも建前でもいい、人はそのことについてたくさんしゃべることができる。でも、なにかを後悔しているとき、自分のやったことが厭で厭でたまらなくなったときって、言葉が出てこない。

石橋先生は、わたしたちにいじめの反省じゃなくて後悔の作文を書かせるべきだった。わたしたちは、いまなら制限時間五十分間を使い切るだろう。「宿題にして、明日の提出にしてください」と先生に頼み込んで原稿用紙を家に持ち帰り、一晩じゅう机に向かって、翌朝、白紙のままの原稿用紙に名前だけ書き入れて提出するだろう。

放課後、校門までいっしょに帰った美由希が言った。

「なんか、超ヤな気分」

わかる。

いじめ実行部隊は、二時限めと三時限めの間の休み時間に、殴り合い寸前の喧嘩《けんか》をした。竹井くんと山崎くんが突然言い争いを始め、止めに入ったはずの相沢くんも、いつのまにか二人と怒鳴り合っていた。帰り際《ぎわ》に「さっき、なんで揉《も》めてたの？」と訊くと、相沢くんは「知らねえよ、わけわかんねえよ、もういいよ、うるせえなあ」と早口に言って、うざったそうに手で追っ払った。

なにがなんだかよくわからないけど、でも、わかる。

重い足取りのまま団地に帰り、A棟とB棟に分かれる三叉路《さんさろ》で立ち止まった。どうしようかと少し迷ったけど、帰り道に考えていたとおり、A棟につづく道を進んだ。大輔くんちの部屋番号は205。玄関のインターフォンを押しても、反応はなかった。

ドアにも鍵《かぎ》がかかっている。念のために、とドアに耳をつけてみても、なにも聞こえない。腕時計を見て、「五分だけ」とわざと口に出して、外廊下で待つことにした。そこから先は決めていない。ただ、大輔くんに会いたかった。なにを言うのか、どんな顔をするのか、出たとこ勝負でいい。会いに来た、大輔くんに会いたいから、いまここにいる、そのことだけ伝えたかった。

公園で遊ぶ子供たちの声が聞こえてくる。男の子の声が三人……四人かな。女の子が二人、そのうち一人はおてんばさんで、舌足らずな声で男の子に指図している。その声を聞いていると、不意に瞼《まぶた》が熱くなり、あれ？　と思う間もなく目に涙がにじんだ。泣いてるんだと気づくと、よけい涙が出てきて、いつのまにか嗚咽《おえつ》まで交じってしまった。悲しいわけじゃないし、罪悪感がつのったわけでもないのに、ただ涙があふれる。同情？　違う。お詫《わ》びでもない。身勝手な涙だ。わたしは、わたしのために泣いてる。

制服のポケットからハンカチを出して涙を拭《ふ》こうとして、階段の踊り場に誰か立っていることに気づいた。

おじさんが、睫《まつげ》にひっかかった涙といっしょに揺れていた。セーターのグレイがにじんで、でぶっちょに見える。コンビニの袋を手に提げて、驚いているような怒っているような悲しんでいるような喜んでいるような、とにかくわたしをじっと見ていた。

7

大輔くんの転校先は、おばさんの実家がある長野の中学校だった。住民票を向こうに移し、おじいちゃんやおばあちゃんに受験生の世話をさせるわけにもいかないので、おばさんもついていくことになったらしい。つまり、おじさん一人、ここに残るわけだ。いまも二人は、長野に出かけている。来週の水曜日、十月九日の夕方にいったん帰ってきて、その翌日、十月十日の体育の日に引っ越すのだという。

「佐々木先生が言ってたけど、このへんの学校に転校してもけっきょく同じなんだろ？塾とかゲームセンターなんかで知り合いができてるから、どこに逃げても無駄なんだってな」

おじさんはそう言って、リビングのテーブルに置いたウーロン茶を身振りでわたしに勧めた。おじさんの前にはコンビニの袋から出した缶ビール。最初の一口でいっぺんに半分ほど飲んで、缶のおなかを親指でへこませて、あとは啜《すす》るように飲み継いでいる。

「こないだは、みっともないところ見せちゃったな。後始末もしないで帰っちゃったから、みんな怒ってたろ」

「……いえ」

「胃潰瘍《いかいよう》があったんだ。あと、十二指腸もかなり悪くてな。ストレスだから、向こうに行けばすぐに良くなると思うけど」

「あの……今日、大ちゃんの机、もう教室からなくなってて、びっくりしちゃって……わたしも、みんなも、なんかすごく……大ちゃん、一日でも学校に来てくれればいいのに……あ、でも、行きたくないですよね、もう……」

にらまれたわけでも問いただされたわけでもないのに、勝手にしどろもどろになってしまう。ウーロン茶を一口飲んだ。よく冷えたウーロン茶が口から喉、みぞおちへと滑り落ちていく道筋がはっきりとわかるような気がした。

グラスをテーブルに戻すのを待って、おじさんが言った。

「好美ちゃん、こないだ、なんで止めたんだ？」

反射的にうつむいてしまったけど、思い直して、こわごわ顔を上げた。おじさんは微笑《ほほえ》みを浮かべていた。優しい顔だった。でも、すごく寂しそうでもあった。

「あの……うまく言えないんだけど、大ちゃんって、おじさんとは違うタイプだから、ああいうときにああいうふうになっちゃったら、すごく困るだろうなって、キツいだろうなって……」

「大輔、嬉《うれ》しかったってさ、あのとき」

「ほんとですか？」

おじさんはうなずいて、「俺が直接聞いたわけじゃないけどな」とビールを苦そうに啜った。「よくわかんないよ、ほんと、そういうものかなあって、まだよくわからないんだ。どこか間違ってるんじゃないかなあって、大輔も、学校の先生もクラスの同級生も、みんな」

おじさんは何度も首をかしげながら言って、「好美ちゃんは別だけどな」と付け足した。わたしは黙ってかぶりを振る。みんな、なんてもう言わない。わたしたち。わたしたちが、いじめた。わたしたちは間違っている。たぶん、おじさんも含めて。

「おじさん」

「うん？」

「大ちゃんのこと、いまでも情けない奴《やつ》だって思ってますか？」

「思ってないよ、そんなこと最初から」

「一度も？　子供の頃から、嫌ったり、あいつはだめだって見捨てたこと、一度もない？」

おじさんは吸い込んだ息を全部使って、「子供のことを見捨てたり嫌ったりするような親はいないよ」と言った。

二本めの缶ビールがテーブルの上に置かれた。コンビニの袋には、まだあと何本も入っている。

「大ちゃんがオンナのコだったら、育て方が変わってた？」

「わかんないな、そんなの」

「大ちゃん……オンナだったらよかったって、いつか言ってた」

返事はなかった。その代わり、おじさんはビールのプルトップにかけた指をはずし、缶をコンビニの袋に戻して、言った。

「キャッチボールしないか」

「いまから？」

「ああ。大輔のグローブ使えよ。な？　ちょっと待ってろよ、押し入れにしまってるはずなんだ、あいつのグローブ」

おじさんはわたしの返事を待たずに立ち上がり、「もう五、六年使ってないから、カビてるかもしれないけどな」と笑いながら和室に入っていった。

わたしは浮かせかけた腰を戻した。喉元《のどもと》まで出ていた言葉も、ゆっくりと胸に流れ落ちていく。ウーロン茶を一口飲むと、もう自分がなにを言おうとしていたか思い出せなかった。

おじさんを待つ間、わたしは視線の落ち着き先を失ってしまい、ソファーの横のサイドボードに目をやった。お酒のボトルやグラスが並んだ、いつものたたずまいだけど、微妙に印象が違う。ガラス戸の内側に入っているはずの写真立てが天板の上に場所を移していたせいだ。

おじさんご自慢の、高校時代の野球部の卒業記念写真。肩を組んでいる二人が、黄金の三遊間コンビの小川くんと内藤くんだ。写真立てを手にとって、十八歳の父と向き合った。記念撮影をした時点で、父の人生はすでに折り返し点を過ぎていたことになる。まさか本人がそれを知っていたはずはないから、ニキビだらけの笑顔が、よけい哀《かな》しい。

おとうさん。仏壇の写真にはこんなふうに声をかけたことはないけど、でも、いま、おとうさん、と呼んでみたい。おとうさん、わたしが生まれたとき、どんな子供になってほしいと思った？　その期待、いま裏切ってないかな。もし思いどおりに育ってなくても、「期待はずれ」とは言わないで。あなたの娘は、落ち込んだり後悔したり言い訳したり開き直ったりしながら、元気です。そこだけ褒めてください。

おじさんが和室から言った。

「息子の生まれた父親って、キャッチボールするのが夢だってよく言うだろ。俺みたいに昔野球やってた奴じゃなくても、ぜったいにキャッチボールなんだよ。それ、なんでだと思う？」

「さあ……」

「キャッチボールは、向き合えるからだよ。そういうときでもないと、父親が息子の顔を正面から見るのなんてできないじゃないか」

　ちょっとキザな言い方だと思ったけど、半分は納得した。でも残り半分、おじさんの顔が見えないのを強みにして、ためらいを振り切って言った。

「そういうのって、親の自己満足じゃないんですか？」

　おじさんは怒らなかった。押し入れから段ボール箱を出したのだろう、「よいしょっ」という声を挟んで、笑いながら言った。

「そうだな、自己満足だよな」

　素直に認められて拍子抜けしてしまったわたしに、おじさんは次の段ボール箱を取り出しながらつづけた。

「でもなあ、親から自己満足を取っぱらっちまったら、子供を育てるなんてむなしいもんだぞ」

　わたしはおじさんに答える代わりに、写真立ての中の小川くんに、「……って二十七年後のキミは言ってるよ」とウインクしてあげた。

　キャッチボールは、最初はお手玉を赤ちゃんに放るような感じで始めないと肩を痛めてしまう。子供の頃の言いつけどおり、ジャンプひとつで抱きつくこともできそうな距離で、おじさんと向き合った。

夏の頃に比べると日がずいぶん短くなって、まだ午後三時にもなっていないはずなのに、陽射《ひざ》しは夕方の色に変わりかけていた。さっき公園で遊んでいた子供たちは、自転車や一輪車やサッカーボールを砂場のまわりに残して、どこかに遠征しているようだ。

「知ってるか？　荒木大輔、今日一軍登録されたんだぞ。八日だから、来週の火曜日か。神宮でヤクルト戦があるだろ。そこで投げるんだってさ」

「サヨナラ登板でしょ？」

「違うよ、なに言ってんだ。来年のためのテストだよ」

「もう引退決めたって新聞に書いてあったけど」

「新聞記事なんて信用するなって。昔、荒木のことを十年に一人のピッチャーって書いてた奴らだぞ。もうだまされないからな」

手首のスナップだけを利《き》かせたトスから、肘《ひじ》から先を使った山なりのトス、腰を軽くひねって膝《ひざ》を屈伸させて、もう少し大きなフォームでスローボールへ……ボールが一往復するたびに、わたしは一歩後ろに下がって距離を広げていく。

「荒木、じつは二軍で魔球を開発してたんだよ。それをヤクルト戦で一球だけ投げて、復活ののろしを上げるってわけだ。シーズンオフはすごいぞ、全球団が獲得に名乗りを上げて大騒ぎだ」

「はいはい」

「グローブどうだ？　堅くないか？」

「だいじょうぶ」

「オイルも塗ってないんだからなあ。まいっちゃうよ、物を大事にしなくて」

「わたし、貸してもらったお礼に塗ってあげようかな」

「俺が今夜塗っとくよ、どうせ暇なんだし」

「あ、でも、いいです。わたし塗りますから、ちょっと貸してて」

振りかぶってボールを投げるようになると、その距離でしばらく肩を温める。おじさんのボール、昔よりスピードがなくなったみたいだ。わたしもコントロールが悪くなったけど。

「火曜日の試合、観《み》に行くんですか？」

「だめなんだよ、どうしても抜けられない接待が入っちゃって」

「雨で延期になればいいのに」

「無理無理。あれだけ運が悪かったんだ、最後までこの調子だよ、俺と荒木の付き合いは」

「もし延期になったら、大ちゃんといっしょに行けば？」

おじさんは笑うだけで、なにも答えなかった。

わたしは大股《おおまた》に一歩、後ろに下がる。おじさんの投げたボールが、もう夕陽と呼んでもいい陽射しを浴びてオレンジ色に染まる。わたしはスカートの裾《すそ》を気にしながらボールを投げ返して、さらにもう一歩、下がる。キャッチボールって向き合うだけじゃないんだな、と気づいた。向き合ったまま、一歩ずつ離れていく。いつまでもボールが届いてくれたらいいな、とも思う。ワンバウンドしたってかまわないから。

「荒木は……」おじさんは振りかぶった右腕を途中で止めて、言った。「けっきょく三十九勝四十九敗だったんだってな。新聞に書いてあったよ」

「たった三十九勝、かあ」

「でも、あれだぞ、四十九回も負けることができたってのは、それはそれで幸せだよ。高校野球のトーナメントとは違うんだから、負けるってのも捨てたもんじゃないんだ」

おじさんは屁理屈《へりくつ》みたいなことを言って、照れ臭そうに「……って思うことにしたよ、こないだから」と付け加えた。

8

荒木大輔サマは、最後の最後に、おじさんにとびきりのプレゼントをしてくれた。

十月八日は雨だった。試合は翌日、九日にスライド。ってことは、おじさんは神宮球場に行ける。大輔くんだって九日の夕方に長野から帰ってくるわけだから、間に合う。

八日の夜、塾の帰りに電話ボックスに入り、大輔くんちの留守番電話にメッセージを入れた。

「おじさん、明日、神宮球場に来てください。三塁側の内野スタンド。ぜーったいに、来てください」息継ぎを、ひとつ。「わたしも大ちゃんと行くから」

電話を切ったあとで、だいじょうぶ？　と自分に訊《き》いた。だいじょうぶだよ。ボックスの素通しの壁に映るわたしとうなずき合った。明日しかない。あさってには、もう大輔くんは引っ越してしまう。

ボックスから出て、雨降りの夜空を見上げた。「晴れろ！」と傘を頭上からはずして、夜空に怒鳴った。

何年ぶりかでつくったてるてる坊主《ぼうず》は、ずいぶん頭でっかちになってしまった。サインペンのインクがティッシュペーパーににじんで、左右の目の大きさもいびつになった。片目で泣いて片目でにらんでいるようにも見えるけど、ウインクしてるんだよと言えないこともない。

時刻はもうすぐ十二時になるところだった。日付が変われば、荒木サマ最後の日だ。おせっかい、なのかな。てるてる坊主の紐《ひも》を持ち、部屋の明かりにかざした。ほんとうは、まだ少し迷っている。あのお花見の日のことが、頭の片隅から消えてくれない。

リビングルームからベランダに出て、物干し竿《ざお》のフックに、てるてる坊主の紐を結わえた。雨はだいぶ小降りになっていた。明日は、なんとかなりそうだ。

窓を閉め、カーテンを引いていたら、母が寝室から出てきた。

「なにやってるの？」

「うん、ちょっとね」

笑ってごまかして、ふと思いついて母に訊いてみた。

「ねえ、だいぶ前のことなんだけど、大ちゃんちといっしょにお花見行ったこと覚えてる？ ほら、酔っ払いと喧嘩《けんか》になっちゃったとき」

母は半分寝ぼけた顔で「うん？」と首をかしげたけど、わたしはかまわずつづけた。

「あのとき、おじさん、めちゃくちゃ強かったよね」

「……ああ、そうね、あったあった」

「相手何人いたか覚えてる？ おじさん一人なのに、すっごい強かったじゃん」

母の反応はあくびをかみ殺したぶん、ワンテンポ遅れた。

「違うわよ、あのとき大変だったでしょ、別のグループの人が止めに入って助けてくれたのよ」

「うそ、そんなんじゃないって、おじさん一人で酔っ払いのオヤジたちボコボコにしたじゃん」

「なに言ってんの、テレビじゃあるまいし。あんた、なにか別の話と記憶がごっちゃになってるんじゃないの？」

母はあきれたように言って、トイレに向かった。

リビングに残ったわたしは、父の仏壇をぼんやりと見つめる。三十二歳の父が笑っている。赤ん坊のわたしを抱いたスナップ写真をトリミングして、引き伸ばしたものだ。仮通夜《かりつや》の晩、葬儀会社との打ち合わせを引き受けたおじさんがアルバムから選び出したのだと、いつか母に聞かされた。生涯最高の笑顔だと言ってくれたそうだ。子供を抱くときの顔って最高なんだな、悔しいけど俺といっしょの写真よりぜんぜんいいよ。おじさんは母にそう言って、自分の言葉で張り詰めていたものが切れてしまったみたいに、突然大声をあげて泣きだしたのだという。

トイレの水を流す音が聞こえた。わたしは肩から力を抜いて笑う。母の言うとおり、おじさんはじつは喧嘩に負けていたのかもしれない。母のほうが覚え違いをしているのかもしれない。わからない。でも、どっちでもいい。わたしは強いおじさんが大好きで、弱い大輔くんのことも大好きで、だから明日、おせっかいをする。

いいよね、おとうさん。ちょっとクサいドラマみたいに父の遺影に語りかけた。強いところも弱いところもなにひとつわたしの記憶に残してくれなかった父は、動かない笑顔で、いいよ、と答えてくれた。

9

大輔くんは泣き出しそうな顔で、窓の外を見つめる。電車はもうすぐ乗り換え駅に着くというのに、あいかわらず往生際《ぎわ》も物分かりも悪い奴だ。

てるてる坊主のおかげか父が応援してくれたのか、雨は朝方にはあがり、昼間は快晴と言ってもいいお天気で、だいじょうぶ、試合は予定どおり、あと三十分で始まる。

大輔くんをニュータウンの駅で拉致《らち》った。塾をさぼり、放課後の掃除もみんなに今度ジュースをおごるという条件で早退《はやび》けして、長野から帰ってくる大輔くんを駅の改札口で待ち伏せした。大輔くんがおばさんと二人で高架のホームから降りてきたのを見つけるとダッシュで改札を抜け、「おばさん！　大ちゃん貸して！」と一声叫んで、大輔くんの腕をとった。唖然《あぜん》とするおばさんをその場に残し、大輔くんの腕をぐいぐい引っ張ってホームに駆け戻り、発車間際の快速電車に飛び乗った。こんなにうまくいくとは思わなかった。奇襲に失敗して話が長くなり、大輔くんがいつものようにうじうじした態度をとりつづけたらビンタを張って連れていく、その覚悟も決めていたのだ。父が手助けしてくれたのかもしれない、これも。

「いいかげんにあきらめなって。いいじゃん、おじさんもいるんだから。おばさんに謝ってくれるよ」

並んで吊《つ》り革につかまるわたしは、同じ言葉を何度繰り返しただろう。納得したのかしないのか、「うーん」と低く喉《のど》を鳴らす大輔くんの反応も、同じ。ほんとうに厭《いや》だったら途中の駅で降りればいいのに、それもしない。とことんまで煮え切らない奴。でも、明日から大輔くんは長野に行っちゃうんだと思うと、そういううざったさも妙にしんみりと心に沁《し》みてくる。

「大ちゃん、明日、早いの？」

「……七時半の特急だから、六時前に家を出るんだ。だから、今夜は荷造りとか片付けとか大変なんだよ、マジに」

「荷造りなんか徹夜ですればいいじゃん。ね？」

せめてものサービスでかわいらしく微笑《ほほえ》みかけたら、ちょうど駅のポイントを通過した電車が大きく揺らぎ、つんのめって大輔くんの肩におでこをぶつけた。痛くはなかったけど、大輔くんの肩は意外にがっしりしていた。もうひとつ、意外というか驚いたこと。大輔くんのほうがわたしより背が高いんだ。そんなことずっと前からわかっていたけど、いまあらためて思い、思うと急に照れ臭くなり、「痛いじゃん、気をつけてよ」と舌打ちして、尖《とが》った唇でつづけた。

「悪いけど、六時前なんて起きられないから、見送り行かないよ」

「いいよ、そんなの」

「どうせあれだもんね、高校は東京に帰ってくるんだもんね？」

「……わかんないけど」

「だって、長野って、冬めちゃくちゃ寒いじゃん。大ちゃん寒がりだし、すぐおなか冷えちゃうから無理だよ」

バカなこと言ってる。大輔くんも少しだけ頬をゆるめた。

大ちゃん、いままでほんとうに、ごめん。

声は出なかった。そっぽも向いてしまった。窓ガラスにうっすら映り込むわたしの顔は、謝るどころか怒っているように見えた。

「まあ、あれだよね、大ちゃん、べつにがんばらなくてもいいから、長野に行っても元気でね」

そっぽを向いたまま言うと、大輔くんは「なんだよそれ」とまた笑って、いつものようにしょぼくれた顔でうつむいた。

トンネルのような薄暗い通路を駆け抜けて三塁側の内野スタンドに出ると、照明に浮かび上がった人工芝の鮮やかなグリーンが視界いっぱいに広がった。荒木サマは、マリンブルーと白のツートンカラー、じつを言えばちょっとまだ目になじまない横浜ベイスターズのユニフォームを着て、マウンドの土をスパイクで均《なら》している。

スコアボードは一回裏、ヤクルトスワローズの攻撃が始まるところだ。場内アナウンスでベイスターズの守備陣が発表され、スワローズのトップバッターの飯田《いいだ》選手は、ネクストバッターズサークルでマスコットバットを振っている。

「間に合ったあ……」

かすれた声でつぶやくと、喉がひりついた。地下鉄の駅から全力疾走だった。一回表にベイスターズが先制点を挙げていた。もし三者凡退だったりしたら、球場に駆けつけたときには荒木サマのサヨナラ登板は終わってた、なんて間抜けな事態にもなりかねなかった。

「大ちゃん、ほら、なにやってんのよ、おいでよ」

後ろを振り向き、通路を抜ける手前で立ち止まってしまった大輔くんを手招いた。

「いいよ、俺、ここで見るから」

「いまさらなにビビッてんのよ」

「おとうさん、ぜったいに怒るよ」

「怒るわけないじゃん」

「怒るって。怒ってるんだよ、こないだからずっと」

「いいじゃん、あんた、おじさんに怒られてでも長野に逃げたかったんでしょ？　自分で決めたんでしょ？　ここまで来て情けないこと言わないでよ」

キレそうになるのを必死にこらえて、わたしは「ね？　行こっ？」とせいいっぱいの笑顔をつくった。でも、大輔くんの足は動かない。半べそをかいて、いやいやをするように首を横に振る。

「……大ちゃんさあ、あんた十五でしょ？　親孝行してあげなよ、一度ぐらいは」

わかってよ、ちゃんとわかってよ、これ以上クサいこと言わせないでよ、と祈ったけど、だめだった。大輔くんは口をぽかんと開けて「はあ？」と聞き返した。サイテーの奴《やつ》だ、こいつ。キレた。もういい。大輔くんの腕をつかんで、思い切りひっぱって、怒鳴ってやった。

「おじさん、あんたに謝りたいんだってば！　それくらいわかれよバカッ！」

怒鳴るだけじゃ気がすまなくて、手に持ったスポーツバッグを大輔くんの腰にぶつけてやった。通学鞄《かばん》にプラスして、スポーツバッグ。重かったんだから、これ持って走るのって。

わたしはスポーツバッグをあらためて大輔くんに突き出した。

「あんたにあげる」

「……なに？」

「あんたの、昔使ってたグローブ。ちゃんとオイル塗っといたから、長野に持ってってよ」

大輔くんはバッグとわたしを見比べる。

ほら取ってよ、とバッグを軽く振って、つづけた。

「向こうでキャッチボールする友だちぐらい、つくらなきゃだめだよ」

大輔くんは黙ったままだ。

「あんた、野球はめちゃくちゃ下手だけど、おじさんはいつでもコーチしてくれると思う……っていうか、コーチさせてあげなよ、日曜日とか東京に帰ってきてさ」

大輔くんの返事はない。でも、ゆっくりと、腕がバッグに伸びていく。場内アナウンスが飯田選手をコールした。いよいよ荒木サマの最後のピッチングが始まる。大輔くんがバッグをつかんだ。手、離すよ？　いい？　だいじょうぶ？

バッグの重みが消えて自由になった左手で、わたしは大輔くんの肩を軽く叩《たた》いて言った。

「行くよ、おじさん探すよ」

大輔くんの体が、通路から出た。

飯田選手がショートゴロに倒れると、拍手と歓声が、三塁側はもちろんグラウンドを隔てた一塁側からもあがる。『大輔　夢をありがとう』『不死鳥　11　荒木大輔』といったプラカードを掲げている人が、三塁側だけじゃなくて一塁側にも、びっくりするぐらい多かった。外野スタンドにも『奇跡を再び〝不死鳥〟11 荒木大輔』の横断幕。嬉《うれ》しいことに、それが掲げられているのは、スワローズの応援団が陣取っているライト側だった。チームの敵味方なんて関係ない。荒木サマは、間違いなく今夜のヒーローだった。

わたしは大輔くんと二手に分かれて、通路の急な階段をグラウンドに向かって降りながら、座席を一列ずつ見渡していった。なかなか見つからない。おじさんみたいなサラリーマンがたくさんいるせいだ。それも、団体で来ている人は少ない。ほとんどが一人でぽつんと、なにかをじっと噛《か》み締めるように荒木サマのピッチングを見つめている。オバサンも多い。十六年前、甲子園で投げる荒木サマに声援を送っていたんだろうな。

二番バッターの辻《つじ》選手が、フォアボールを選んだ。荒木サマもさすがに緊張しているのか、ボールが上ずっている。複雑な気分だ。荒木サマが打たれるシーンは見たくないけど、かといってあっさり三者凡退でサヨナラ登板が終わるのも寂しい。その思いはみんな同じなのか、スタンドから「ゆっくりでいい！　ゆっくり投げろ！」「楽しんでやれよ！」と中年のオヤジたちの声が飛ぶ。オバサンの中には、ハンカチを目に当てている人もいた。

みんな、なにを思って荒木サマを見つめているんだろう。期待、たくさん裏切っちゃったよね、荒木サマ。たくさん、たくさん、つらいことがあった。でも、そういうのぜーんぶ含めて、荒木サマのこと忘れない。いいじゃん、負け越しのヒーローだって。活躍したシーンをぜんぜん思い出せないヒーローってのも、いていいんだよ。

三番バッターの稲葉選手、三振。スタンドは拍手と歓声で沸き立ち、気の早い紙吹雪も舞った。

四番のオマリー選手がバッターボックスに入る。荒木サマが投げる最後のバッターになるかもしれない。

おじさんは、まだ見つからない。来てくれなかったんだろうかと不安がよぎり、そんなことない、奥歯を嚙み締めて自分に言い聞かせた。

乾いた打球音とともに、ボールが外野に高々と飛んでいく。伸びがない。センターの波留《はる》選手が軽い足取りで落下点に走り、キャッチした。

スリーアウト、チェンジ。

わたしは階段を片足だけ降りた姿勢のまま、動けなかった。「終わっちゃった……」とつぶやきが漏れ、全身から力が抜けていく。

大輔くんは隣の通路にいた。わたしと同じように階段を片足だけ降りて立ち止まっていた。口をぽかんと開けて、グラウンドを見つめている。違う、グラウンドじゃない、大輔くんのまなざしをたどると、スタンドのフェンスにしがみついた背広姿のオヤジがいた。

オヤジは、ベンチに引き揚げてくる荒木サマに声をかけた。

「ダイスケ！ もう一回投げろ！ 次の回も投げろ！」

まわりの観客からも歓声や拍手が起きた。オヤジはさらに、ダイスケ、ダイスケ、と繰り返し叫ぶ。やがてそれは観客を巻き込んだ大輔コールになった。その声に元気づけられたのか、オヤジは背広を脱ぎ捨てて、応援団みたいにジャンプして体をスタンドに向けた。

おじさん。

来てた——。

おじさんも、先に大輔くん、それからわたしに気づいてくれた。一声ごとに広がっていく大輔コールを指揮して手拍子をとる手は休めず、その代わり顎《あご》で、自分の席を指し示す。プラスチックの青い椅子《いす》が、三つ、空いていた。

10

おじさんを真ん中に、右に大輔くん、左にわたし、三人並んで座った。おじさんは大輔コールの成功がよほど嬉しかったみたいで、「最高だよなあ、最高」と大きくうなずく。

　でも、二回表のベイスターズの攻撃は、七番バッターの佐伯《さえき》選手からだ。九番の荒木サマにはピンチヒッターが出されるはずだ。サヨナラ登板は終わったのだ。バックスクリーンの電光掲示板にはまだ荒木サマの名前が残っているけど、もうすぐそれも消えてしまう。

「せっかくつくってきたのに……なんか、バカみたい」

　ため息交じりに、八つ折りにした模造紙を通学鞄から取り出した。ゆうべ、てるてる坊主《ぼうず》のあとにつくったポスターだ。

「だいじょうぶ」おじさんは言った。「次の回も投げるから。あれだけみんなで大輔コールしたんだ。大矢監督だって無視できないだろ。信じろって、好美ちゃん。元気出せよ」

「そんなの期待したら、よけい落ち込むじゃないですか。もういいですよ、だって零点に抑えたままサヨナラしたほうがカッコいいし」

　無理に自分を納得させようとした。すると、おじさんは、ちょっと怒ったような声で「違うよ」と言って、わたしに向いていた視線をグラウンドに戻した。

「次の回に登板して、打たれたっていいんだよ。そんな、無失点で終わるなんてダイスケらしくないじゃないか。三十九勝しかしてないのに、四十九敗もしてる奴なんだぞ。

そういう奴なんだ、ダイスケは。そこがいいんじゃないか」

おじさんの視線はグラウンド経由で、大輔くんに向いた。

「なあ、まだ終わってないよな。これからだよ、これから」

大輔くんは小さく唇を動かしたけど、スタンドの歓声が頭上に覆《おお》いかぶさって、なにをしゃべったのかは聞き取れなかった。佐伯選手がサードフライに倒れたのだ。

次は八番バッターの谷繁《たにしげ》選手。それから、九番の……荒木サマの名前もこれが見納めだと思って、もう一度バックスクリーンに目をやった、そのときだった。

「あれ？」大輔くんの甲高い声。「ほんとだ、おとうさん……」

あわてて顔の向きを戻すと、バッターボックスに向かう谷繁選手の後ろに、背番号47、数字の上に『ＡＲＡＫＩ』、ネクストバッターズサークルで荒木サマが素振りをしている。

ってことは、次の回も、投げるんだ。ダイスケは、まだ終わってないんだ。

おじさんを振り向いたけど、どんな顔をしていたかは、わからない。背中しか見えない。おじさんは体を右側に大きく倒し、頬ずりするように大輔くんの肩をきつく抱き寄せていた。

「な？　おとうさん言っただろ？　な？　ダイスケ、おとうさんの言ったとおりだっただろ？」

おじさんの太い腕に包まれて、大輔くんはうなずいた。大きく、何度も何度もうなずいた。

荒木サマが一塁ファールフライに倒れたのを見届けてから、わたしはゆっくりと立ち上がった。

「じゃ、お二人さん、これよろしくね」と折り畳んだまま椅子の上に置いたポスターを指さし、その人差し指に中指を加えてVサインを大輔くんに送った。

「大ちゃん、またね。暇があったら手紙書いて」

目を真っ赤にした大輔くんの答えは、あいかわらず「うん」と「ううん」の区別がつかなかったけど、まあいいや、グローブの入ったスポーツバッグを膝《ひざ》に抱いている、それだけで嬉しい。

「好美ちゃん、どこ行くんだ？」と訊《き》くおじさんの目も赤い。

「わたし、後ろで見てるから」

きょとんとした顔のおじさんと大輔くんに見送られて、わたしは通路の階段を上っていった。空いている席は途中にいくつもあったけど、それを無視して、出口を目指す。

ベイスターズの攻撃が終わり、荒木サマがマウンドに向かっているのだろう、地響きのような歓声が背中を震わせた。

でも、わたしは振り向かない。荒木サマの最後の勇姿は、スポーツニュースで、父の写真といっしょに見ることに決めた。

荒木サマは、二回裏のマウンドで先頭バッターの古田選手を三振にとって、現役生活に別れを告げた。

胸を張ってベンチに引き揚げた負け越しのヒーローは、しょぼくれた顔の少年と男泣きするオヤジが掲げたポスターを見てくれただろうか。『大輔　元気で』。ちゃんと読めただろうか。

11

翌朝、大輔くんはおばさんと長野に引っ越していき、わたしはこの秋初めて、朝食の飲み物をホットミルクにした。

「おじさんも寂しくなるね、これからしばらく」

母がトーストにマーガリンを塗りながら言った。わたしはうなずいて、朝刊のスポーツ欄を開く。荒木サマがいた。写真入りの大きな記事だった。

「ときどき晩ごはんとかに招《よ》んであげれば？」とわたしは言った。

母はあいまいにうなずいて、「まあ、長野に行っちゃうのがよかったのか悪かったのか、わかんないよねえ」とパンの隅のほうまでていねいにマーガリンを塗っていく。

あんたはどう思う？　そう訊かれたら、どんなふうに答えればいいのか、自分でもわからない。言葉はきっと、頭のなかで組み立てる前に唇から勝手にこぼれ落ちていき、しゃべったそばから忘れてしまうだろう。

「まあ、けっきょくねえ」母は誰か別のおばさんに話しかけるように言った。「転校したって、問題が解決したわけじゃないんだけどねえ」

わたしは黙ってホットミルクを啜《すす》る。唇についた牛乳の膜を舌先で拭《ぬぐ》い、小さなげっぷをひとつして、ほんとにこの子はお行儀が悪いんだから、と母に軽くにらまれた。

朝食のあと、コードレス電話の子機を自分の部屋に持ち込んで、思いつくままクラスの友だちに電話をかけた。べつになにかを伝えるためじゃなく、訊きたいことがあるわけでもなく、ほんの一言二言でもいい、ただおしゃべりをしたかった。

留守のコもいたし、寝起きの声でろくに話もしないうちに、ごめん夕方にもう一回電話してよ、と電話を切るコもいた。でも、みんな、元気そうだった。

律子とは長電話になった。中間試験や高校受験の話、将来の夢についてもおしゃべりした。一年生の頃からずっと仲良しだったけど、ボケもツッコミもない長い話をしたのは、これが初めてだった。律子はツアー・コンダクターになりたいらしい。「好美は？」と尋ねられて、とっさに「新聞記者」と答えた。同じ質問を明日ぶつけられたら、ぜんぜん違う答えになっているかもしれない。でも、それはたぶん、律子だって。

大輔くんのことは、誰とも話さなかった。そういえばさあ、と何度か言いかけたけど、いつもぎりぎりのところで「最近、なんかおもしろいテレビない？」とか「駅前にプリクラの新しいのが入ったって知ってる？」とか、話が横にそれてしまった。

ひとわたり電話をかけたあと、荒木サマのスクラップブックに最後の切り抜きを貼《は》った。「記録より記憶に残った」と記事に書いてあった。わたしたちみんな大輔くんのことは一生忘れないだろうな、と思った。「昔むかし、あるところに、超いじめられっ子がいました」なんて。

お昼前にコンビニに買い物に行こうとして、公園で懐《なつ》かしい光景に出会った。

若いおとうさんと子供たち、おにいちゃんは小学一年生か二年生、妹は幼稚園の年長組ってところかな、三人でキャッチボールをしていた。おにいちゃんも妹も新品のグローブをはめて、おとうさんが放るボールを追っかける。空はきれいに晴れ上がり、ボールの白がくっきりと見える、今日はキャッチボール日和《びより》だ。

顔よりグローブのほうが大きい妹は、おにいちゃんに文句ばかり言われながらも、すごく楽しそうだった。おにいちゃんはどうやらイチローのファンみたいで、背面キャッチに挑戦してはボールを頭で受けている。

でも、妹よりもおにいちゃんよりも楽しそうに笑っていたのは、やっぱりおとうさんだった。

おにいちゃんも妹も、いつか、おとうさんといっしょにキャッチボールをしたことを懐かしく思い出すだろう。子供たちがひょっとして忘れてしまっても、おとうさんはよく晴れた休日のキャッチボールのことをぜったい、ぜーったいに忘れないはずだ。

大輔くんから手紙が来たら、そのことを返事に書こうと思う。

それから、クラスのみんなの話を書こう。

大輔くんの机が教室からなくなった日の、なんともいえない重い気分、悪いけどもうみんな忘れてる。週末の二日間で忘れた。ふだんどおりの毎日が、たぶん卒業するまでつづく。ひどい奴《やつ》らかな、わたしたちって。サイテーの連中なんだろうな。

完全なコドモじゃないから、やってはいけないことや悪いことは、たくさんわかってる。でも、やっぱりコドモだから、わかってることをうまくやれない。「ごめんなさい」なんて照れ臭いし、「わたしたちが悪かったんです。反省します」なんて嘘《うそ》っぽい。わたしたちは悪いコかもしれないけど、照れ臭さや嘘っぽさに平気で知らんぷりできるような偽善者にはなりたくない。サイテーの自分より、嘘つきの自分のほうが、いまは嫌いだ。これから先は、どうなんだろう。

だからね、大ちゃん。

オトナになってからもう一度、みんなで会えたらいいね。「ごめんね」って大ちゃんに言える日がくればいいね。許してくれなくても、かまわないから。

白いボールがなだらかな弧を描いて行き交う。おとうさんからおにいちゃんへ、おにいちゃんからおとうさんへ、おとうさんから妹へ、妹からおとうさんへ。

空が青い。そして、高い。

わたしは大輔くんへの手紙の最後に書き記すだろう。

ねえ、大ちゃん、生きることとって楽しいのかな、つらいのかな。ときどきわたしはそれがわからなくなる。大ちゃんを見てると特にね。でも、考えをずーっと煮詰めていって、じゃあ生きるのやめる？　どうする？　って訊かれたら、迷わない、生きることを選ぶ。

今日みたいなキャッチボール日和には、世界中のみんな、優しくなれたらいい。戦争してる人も、あくどいことしてる人も、絶望してる人も、セコいこと考えてる人も、病気の人も、貧しい人も、大金持ちも、強い人も弱い人も、いじめっ子もいじめられっ子も、みんなグローブはめてボール持って、一番たいせつな人とキャッチボールすればいい。たいせつじゃない人ともキャッチボールすればいい。

わたしは買い物をキャンセルして公園のベンチに座り、そんなことをいつまでもぼんやり考えてたんだ……って。

エビスくん

1

小学生時代最後の夏休みは、小学生時代最低の夏休みになってしまった。楽しいことなどなにひとつない、嫌なことばかりの日々だった。〈今日の天気〉のかわりに〈今日の気分〉を書き込む欄が日記帳にあるのなら、〈不安だった〉〈悲しかった〉〈悔しかった〉〈寂しかった〉〈あきらめた〉〈少しほっとした〉の繰り返しで四十日間を過ごしたことになる。

図画の宿題だった夏休みの思い出の絵は、岬の突端にある大学病院を描いた。読書感想文には『十五少年漂流記』を選び、いったん〈ぼくも一度でいいから、こんな冒険をしてみたいと思いました〉で締めくくったものの、読み返したあと〈でも、こんなおもしろい冒険は、実際にあるわけがないと思います〉と付け足した。庭のヒマワリを観察するつもりだった理科の自由研究は、八月に入ってすぐに隣町の祖父母の家に連れて行かれ、夏休みの残りはそこで過ごすことになったので、けっきょく五ページしかノートを埋められなかった。

二学期の始業式の日、ぼくは教室に入る前に職員室を訪ね、理科の宿題ができなかったことを担任の藤田先生におそるおそる報告した。ふだんは宿題を忘れると必ずゲンコツをくらってしまうのだ。

だが、先生は怒るどころか逆に同情する顔になって、「相原も夏休みはいろいろ大変やったさかいな、よっしゃ、勘弁したる」と言ってくれた。

「すんません」

「他の子ォには内緒やで」

「すんません」

「そんな謝らんでええから。男は、あんまり頭ぺこぺこ下げるもんやない」

先生は少しだけ笑ったがすぐに頰を引き締め、妹のゆうこの容体を訊《き》いてきた。

この数日間は、だいぶ安定している。呼吸困難に陥った七月の終わりには誰もが「もうあかん」と覚悟を決め、そこをなんとか乗り切ったあとも、血圧が急に下がったり敗血症を起こしかけたり腎《じん》機能が低下したりと、八月の旧盆過ぎまでは目の離せない状態だった。集中治療室から一般病棟に戻ってきたのはようやく先週のことで、けれど少なくとも九月いっぱいは、両親が交替で病院に泊まり込まなければならない。

先生は腕組みをして「なるほどな、相原もしばらくは難儀やなあ」と何度かうなずき、ふと思い出したように「学校から大学病院やったら、バス、乗り継ぎになるな」と言った。

　ぼくは黙って、あいまいにうなずいた。今朝は、校則で禁止されている自転車で登校した。自転車は裏門の近くの空き地に置いてある。学校が終わると、そのまま病院に向かうつもりだった。

「なあ相原、特別に自転車通学、許可したろか」

「ええんですか？」

「教職員用の自転車置き場、わかるやろ。そこに置いとけや。他のせんせになんぞ訊かれたら、藤田せんせの許可とってます言えばええ。まあ、職員会議でも話は通しとくけどな」

「すんません」

　また頭をぺこぺこ下げてしまった。だが、それはいつものことだ。癖というより、習性に近い。

「それでな、自転車通学を許可するかわりいうわけやないんやけど、ちょっと頼まれてほしいことあんねや」

「なんですか？」

「うちのクラスに転校生が入ってくるねん。エビスくんいうて、いままでずっと東京に住んどった子ォなんやけどな、その子の席、相原の隣にするさかい、あんじょう面倒見たってくれ」

「はあ……」

「よっしゃ、じゃあ、そういうことでええな。自由研究のノート、五ページまででかめへんさかい、提出しとき」

先生は回転椅子《いす》を回して机に向き直り、読みかけだったスポーツ新聞を、洗濯物を伸ばすように広げ直した。長嶋もあかんなあ、やっぱり今年で引退なんかなあ、まあこれで巨人もおしまいや。寂しさと嬉《うれ》しさの入り交じったつぶやきが聞こえた。この町のたいがいのひとがそうであるように、先生も阪神タイガースの大ファンで、ジャイアンツが大嫌いで、しかし長嶋茂雄だけは特別なのだという。

昭和四十九年。長嶋茂雄の現役最後の年。ぼくの小学生時代最後の秋。ゆうこと過ごす、これが最後の秋になるかもしれない、とも思っていた。

立ち去ろうとするぼくに、先生はスポーツ新聞に目を落としたまま、言った。

「妹さん、はよ良うなるとええな」

「すんません」

頭を下げかけて、あかん、またやってもうた、情けなくてため息が漏れた。

体育館での始業式が終わると、エビスくんが藤田先生に連れられて教室に入ってきた。体の大きな奴《やつ》だった。背丈はクラスで一番の菊ちゃんより高く、横幅も学年一のデブの高沢よりひとまわり太い。しかも、脂肪太りの高沢と違って体ぜんたいががっしりしている。

先生は朝の話どおりエビスくんをぼくの隣の席に座らせて、「わからないことがあったら、相原くんになんでも訊きなさい」と教壇から声をかけた。前のほうの席に座っていた女の子たちが「せんせ、東京弁でなにすかしとるん」とからかうと、教室がどっと沸いた。「ひろしはガンジーやさかい、優しいでえ」と後ろの席から中西が言って、教室にもう一度笑い声が巡る。

ガンジー。ずっと昔、どんなにきつい目に遭《お》うても抵抗したらあかん、じっと我慢せなあかん、と言いつづけて、最後にはインドをイギリスから独立させた偉い人。一学期の道徳の時間にその話を習ったとき、先生が「うちのクラスでいうたら、相原みたいなもんやな」と言ったせいで、ガンジーがぼくのあだ名になったのだ。

席についたエビスくんの顔を、横からそっと覗《のぞ》き込んだ。頬の肉が厚い。人差し指を思いきり突き立てたら、付け根までめり込みそうだ。むすっと黙りこくっている。先生と並んで教壇に立っているときからそうだった。初顔合わせの緊張とは違う、もっとふてぶてしい表情だった。

宿題の提出やプリントの配付で教室がざわつきはじめるのを待って、声をかけてみた。

「仲良うしような、これから」

エビスくんはぼくに目を向けず、鼻を鳴らした。言葉で返事をする気にもならない、そんな感じの仕草だった。

「エビスくん、ずっと東京におったんやろ？　でも、すぐ慣れるさかい、わからんことあったらなんでも訊いて」

また、鼻が鳴る。反応はそれだけだ。

「友だちになろうや、な？」

今度は、鼻を鳴らしてもくれなかった。

まあええわ。ぼくは目を窓の外に広がる空に移し、夏休みの名残の入道雲の輪郭をまなざしでなぞりながら、こころのなかでつぶやいた。

神さま、ぼく、ええ子やったろ？　転校生とは仲良うしてあげな、あかんもんな。

神さまはぜったいにいる。雲の上からぼくをじっと見つめ、悪い子になったらお仕置きをしてやろうと待ちかまえている。まだ小学校に入る前から、ずっとそう思っていた。

ぼくはお仕置きが怖い。怖くてたまらない。神さまは怒ると、ぼくの一番悲しむことをするだろう。どうや、ひろし、おまえは悪い子やさかい、こんなつらい目に遭うんやで。神さまはそう言って、ぼくのたった一人の妹を、手の届かない遠くへ連れ去ってしまうだろう。

あの頃、ぼくにはたくさん信じているものがあった。ノストラダムスの大予言も、背後霊や地縛霊も、ＵＦＯも、ユリ・ゲラーも。いま振り返ってみれば、怖いものばかり信じていたような気がする。自分が臆病《おくびょう》だとわかっているのに、いや、きっと臆病だからこそ、怖いものや不気味なものを「そんなん、あるわけないやろ」と笑い飛ばすことができなかったのだろうと思う。

そして、小学六年生のぼくが信じていたもうひとつのこと。

奇跡はいつか必ず起きる。起きてもらわなければ困る。神さまはその日のために空からぼくを見つめているのだ。

学校が終わると、グラウンドでソフトボールをしようというキーやんたちの誘いを断って、走って裏門から外に出た。空き地に停めておいた自転車にまたがり、大急ぎで大学病院に向かった。

一年生のときから使っているランドセルは蓋《ふた》のマグネットがすっかり弱くなってしまい、砂利道を自転車で突っ走っていると、くっついたりはずれたりをひっきりなしに繰り返して、そのたびに背中でガチャガチャと音が響く。

岬の付け根から突端まで、道は上り坂がつづく。五段変速の自転車は、これも四年生の頃からさんざん乗り回しているせいで、上り坂用のローギアにしたときには気をつけないとチェーンがはずれてしまう。中学に入ったら新しいのを買ってもらうことになっているが、夏休みの間に、やっぱり断ろう、と決めていた。ゆうこが苦しんでいるのに自分だけ欲しいものを買ってもらうなど、神さまが許すわけがない。

ぼくはゆうこのために生きる。生きたい、と思う。小学六年生のこどもに「生きる」という言葉は大袈裟《おおげさ》すぎるというのなら、こう言い換えてもいい。あの頃のぼくは、いつも、ゆうこのことだけを思っていた。

五つ違いの兄妹だ。大きなおなかを撫《な》でながら「ひろしの弟か妹がでけるんよ」と嬉しそうに言った母の笑顔も、真夜中に突然苦しみだした母を乗せて病院に向かった救急車の赤いランプも、分娩《ぶんべん》室の前の廊下にしゃがみ込んで頭を抱えていた父の背中も、はっきりと覚えている。

だが、一番強く覚えている光景は、ゆうこと初めて会ったときのことだ。ゆうこは、ほの青い光の射《さ》すカプセルに入っていた。体のあちこちにチューブを差し込まれ、顔はほとんど酸素マスクで覆《おお》われていた。カプセルの周囲には大きな機械が何台も置いてあり、お医者さんや看護婦さんが怒ったような顔で機械を操作していた。

妊娠八カ月の早産で生まれたゆうこの心臓は、太い血管のつながりかたが違っていたり、空くはずの穴がふさがったままだったりの不良品だった。病室に入る前に父から何百万人に一人という難しい病気だと聞かされ、お医者さんからは「ゆうこちゃんは、おうちに帰っても体がじょうぶやないさかい、優しゅうかわいがってあげてな」と言われた。

悲しさより、悔しさのほうが強かった。何百万人に一人の割合が、なぜぼくの妹なのか。ぼくはカプセルから顔をそむけ、ゆうこの呼吸に合わせて画面のグラフが動く機械を、父に肩を抱かれるまでじっとにらみつけていたのだった。

ゆうこが生まれて、わが家の暮らしは一変した。父はゆうこの治療費を稼ぐために、郵便局を辞めて夜勤手当や危険手当の貰《もら》える造船所に転職した。母は病院と家を行ったり来たりで、家で過ごす夜もほとんど笑わなくなった。

半年後、ゆうこがようやくカプセルから出たか出ないかの頃、ぼくは母にびんたを張られた。理由は忘れた。看病に追われてかまってくれない母に、きっとわがままを言いつのったのだろう。

母はぼくをぶったあと涙をぽろぽろ流し、うめくような声で言った。

「ひろしはお兄ちゃんなんやさかい、辛抱したってえな。お願いやから、もっとええ子になって。あんたが悪い子でおったら、ゆうこの病気、いつまでたっても良うならんやないの。ほんま、ゆうこ、死んでまうで。それでもええんか？　あんた、それでもお兄ちゃんか？」

その日を境に、ぼくも変わった。わがままを言わなくなり、友だちと喧嘩《けんか》をしなくなった。いたずらをやめ、両親に甘えるのをやめた。いい子になろう。ゆうこのために一所懸命いい子になろう、と決めた。我慢や忍耐とは少し違う。いい子になることが、ぼくの夢になり、目標になった。カードにスタンプを捺《お》していくように、ひとついい子になれば、ひとつ神さまに褒められ、ひとつゆうこが元気になるのだ。

ゆうこが生まれてから、もうすぐ丸七年になる。スタンプは、いくつたまっただろう。カードの枡目《ますめ》が一杯になれば、ごほうびになにを貰えるのだろう。神さまは、スタンプを捺し忘れてはいないだろうか……。

病室に入ると、ゆうこはちょうど点滴を終えたところだった。ふだんは透き通るように青白い顔も、点滴のあとはほんの少し赤みが差す。この一カ月ほどろくに食事もとっていないのだが、頬の輪郭は円みを帯びている。抗生物質の副作用で、むくみが出ているせいだ。たまにしか見舞いに来ない親戚《しんせき》たちは「ゆうちゃんも、だいぶ元気そうやない」と喜ぶが、痩《や》せこけた頬をしていた頃よりもいまのほうがずっと、ゆうこは死に近づいているのだ。

ぼくはベッドの横の椅子に座り、母が売店で買っておいてくれたパンと牛乳の昼食を食べながら、エビスくんのことを話した。体が大きかったということは身振りを交えて話したが、無愛想な態度のことは黙っておいた。嫌な気分になることは話したくない。話すぼくよりも、聞くゆうこのために。

　ゆうこは「エビスってけったいな名前やねえ。ビールみたいやん」と細い声で言った。

「そんなことあらへんよ、ゆうちゃん」母が、傾斜ベッドのハンドルを回してゆうこの体を起こしながら言う。「えらいゲンのええ名前の子ォやない、エベッさんは七福神の一人なんやさかい」

「ほんま？　お兄ちゃん」

「ほんまやで。商売繁盛《はんじよう》の神さまやねん、エベッさんは」

　ゆうこはそれを聞いて、自分の鼻に息を吹きかけた。頰の動きは少なくても、兄妹だ、ちょっとした表情の変化でも感情を読み取れる。笑うときはいつでも目をつぶり、照れると上下の小さな前歯をすり合わせて、怒ったら下唇を内側に巻き込むように嚙《か》む。期待はずれのものに出会ったときには、自分の鼻に息を吹きかけ、息の行方を追うように両目を上に向けて、それから肩の力を抜くのだ。

「どないした？」と訊くと、ゆうこは「だって、商売繁盛やったら、うちにぜんぜん関係ないやん」と言った。

「あかんなあ、ゆうこはエベッさんを甘う見とるわ。バチかぶっても知らんで」

「なんで？」

「商売繁盛いうことは、ようするに、みんなが幸せになるいうことや。せやから、ゆうこみたいに病気の子ォは病気があっというまに治る、お兄ちゃんみたいに勉強せなあかんのんは勉強がようでけるようになる。どや、どえらい神さまやろ。ほんまやで、エベッさんは神さまのなかの神さまや。なんにでも効くねん。ゆうこも聞いたことないか、アロエかエベッさんか、いうて」

ゆうこは母の差し出す吸い飲みで湯冷ましを一口飲んで、「アホらし」と笑った。頰が火照《ほて》るのか、掌《てのひら》で風を送る。細い手首が、かくかく、と折れる。強く振ったらそのまちぎれてしまいそうな頼りなさだった。

「なあ、お兄ちゃん、エビスくんってエベッさんと関係あるんやろか」

「関係て？」

「ご先祖がエベッさんやから、エビスくんいうのんと違うん？　神さまの子ォやったらおもろいのにな……なんて、おもろないか、おもろいわけないな、そんなん」

最後にまた「アホらし」と、さっきよりもっとつまらなさそうに唇から漏れる。

「おもろいよ」ぼくは勢い込んで言った。「ごっつ、おもろいやんか。友だちが神さまの子孫やなんて、こんなおもろい話あらへん」

「どこが？」

「ぜーんぶ、や」

「わからへん。神さまの子孫かもしれん。いいや、あいつはぜったいにエベッさんの子孫や。お兄ちゃんには、ちゃーんとわかるんや」

「アホらしいこと言わんといて」

「アホやないよ。なに言うてんねん。ひとの話にアホアホ言う奴がアホなんやで」

ゆうこが自分の言葉を「アホらし」と打ち消すたびに、ぼくはつまらない意地を張ってしまう。聞きたくない。「アホらし」が連なったすえに「生きてくのがアホらしなったわ」となるのが怖い。ゆうこには、いつも楽しいことだけ考えていてほしい。体がずいぶん心はいつも元気に、なにかを夢見たり、なにかを好きになったりしていてほしい。そのためなら、どんなことだってしてやりたい。

もっとも、ゆうこはほとんどなにも欲しがらないし、わがままも言わない。長期の入院をしている子供たちは、みんなそうだという。あきらめたり我慢したりすることに慣れすぎたのかもしれないし、家族が看病に疲れきっているのを肌で感じているせいかもしれないし、なにかを求めたり夢見たりする気力も萎《な》えているのかもしれない。それとも、退院して外に出たいという一番の夢を封じられているためだろうか。理由を「これだ」と決めつけるのは、病気ではない人間の傲慢《ごうまん》さのあらわれのような気もする。

ゆうこがぼくにプレゼントをねだったのは、これまでに一度しかない。去年のクリスマス前に、大ファンの西城秀樹《ひでき》のサインが欲しいと言い出したのだ。ぼくは「よっしゃ、お兄ちゃんに任せとき。ヒデキに手紙出して頼んでみるさかい、ぜったいにだいじょうぶや」と指きりをして、その約束をちゃんと守った。〈ゆうちゃん、早くよくなれ！〉とメッセージが添えられたサイン色紙を、クリスマスイブに病院に持っていった。日付もちゃんと〈1973・12・24〉。〈西城〉が〈西条〉になっている、と母がそっと教えてくれたのは翌日の夜のことで、そのときにはすでに色紙は枕元《まくらもと》の壁に誇らしげに飾られていたのだった。

湯冷ましをもう一口飲んだゆうこは、肩をゆっくり上下させた。これは、半分あきれているときの癖だ。

「ほなら、お兄ちゃん、エビスくんいう人に訊《き》いてみてよ。もし、万々が一……そんなんあるわけないけど、もしも、ほんまに神さまの子孫やったら、いっぺんお見舞いに来てもろて」

「見舞いに？」

「な、ええやろ？」

「よっしゃ、連れてきたる。約束や、指きりげんまんしよ」

ゆうこの細く骨張った小指に自分の小指をからめた。指きりげんまん、嘘《うそ》ついたら針千本呑《の》ォーます。歌うように言うゆうこの胸には、嘘なんて一度もついていないのに、すでに針が千本入っている。呼吸困難に陥ったときの痛みは針を千本呑んだようなものなのだと、いつか看護婦さんから聞いたことがある。

指きりが終わると、ゆうこは「あーあ、アホな約束してもうた」と母に笑いかけた。「アホかどうかわからんで、お兄ちゃん、いつも約束守ってくれたはるやろ」と母が言う。ぼくは黙って、いままでゆうこが会ったことのない友だちの顔を順に思い浮かべてみた。

あかん。瞬《まばた》きに紛らせて、大失敗や、と嘆いた。よけいなことを話してしまった。クラス一のデブで、なおかつクラス一のノッポ。エビスくんの身代わりになれる奴《やつ》なんて、いるわけない。


帰宅すると、まず洗濯機を回し、炊飯器のタイマーをセットする。帰り道のスーパーマーケットで買ってきた総菜を冷蔵庫にしまい、部屋の掃除を終えると、まだ陽は残っていたが一階の雨戸をたてる。父の夜勤の日は、朝までひとりきりで過ごさなければならない。

しゃべる相手のいない夕食を早々に終えると、百科事典でエベッさんのことを調べた。同じエビスでも、漢字はいろいろな書き方がある。恵比須、恵比寿、夷、戎。転校生のエビスくんは、「戎」という字だった。もともとは、兵器、兵士、闘いといった意味で、「夷」には、異民族や野蛮人という意味もある。エビスくんの顔はまだ思い出すにはあやふやだったけれど、あの体格と態度からすると、神さまの子孫というより大昔の乱暴な兵士の血筋なのかもしれない。

そして、なにより肝心なこと。エベッさんに、病気治癒の御利益《ごりやく》もあるのかどうか。

……なかった。

エベッさんは、商売繁盛、豊作、豊漁の神さまで、それ以外に御利益はない。しかも、海に漂流する水死体をエベッさんと呼ぶこともあるのだという。

なんやねん、こいつ、役立たずの神さまやないか。百科事典に描かれた、釣竿《つりざお》を抱いてにこにこ笑うエベッさんの絵を、親指で押しつぶしてやった。ひとりきりで夜を過ごすときのぼくは、けっこう強気なのだ。

2

翌朝、登校して自分の席につくと、いきなり後ろから頭をはたかれた。痛みより驚きで一瞬目の前が真っ暗になり、頭を抱えて振り向くと、エビスくんが立っていた。

「エビスくん、乱暴せんとき、痛いやん」

エビスくんの顔は、おっかなかった。肉の盛り上がった丸顔に細く小さな目がめり込み、鼻の穴がひくついている。

「これ、おまえが書いたんだろ」とエビスくんは言った。くぐもった低い声。もう声変わりしているのかもしれない。

「ここ見ろよ。おまえ、ふざけんなよ」とクラス日誌が鼻先に突き出される。昨日の日直は、五十音順の出席番号一番のぼくだった。

「なにが?」

「字が違うだろうがよ、バカ!」

怒鳴り声と同時にエビスくんの体が、ぐん、と大きくなった。十六文キックを放つジャイアント馬場のように背を反らし脚を上げたのだと気づく間もなく、椅子《いす》の背を踏み付けるように蹴《け》られ、ぼくは椅子ごと床に転げ落ちてしまった。

女の子たちの悲鳴があがり、教室の後ろから、半ズボンのポケットに両手を突っ込んだ浜ちゃんが「どないしたんか、おう? おう? おう?」と肩を揺すりながら近づいてきた。つくり笑いで浜ちゃんにかぶりを振りかけた顔に、クラス日誌が叩《たた》きつけられた。鼻の頭はとっさに腕でかばったが、おでこに日誌の角がぶつかって涙が出るぐらい痛かった。

「なんや、こら、おまえ、ひろしになにすんねん」

浜ちゃんがエビスくんに詰め寄った。女の子がまた悲鳴をあげる。浜ちゃんの兄貴は地元の暴走族の元特攻隊長で、高校中退後はマグロ漁船に乗っている。浜ちゃん本人も、体格こそ人並みだったが、学校で一番喧嘩が強く柄も悪い。幼稚園からの付き合いのぼくとは幼なじみの縁で仲良くやっているが、一学期には、駅前でカツアゲしてきた中学生を逆に殴り倒して財布をぶんどったこともある。

エビスくんは、浜ちゃんと正面から向き合った。おびえた様子はない。浜ちゃんの怖さをなにも知らない。アホや、やられてまうで。ぼくだけではなく、クラスの誰もが思ったはずだ。

だが、次の瞬間、横にふっとんでいったのは、浜ちゃんのほうだった。机がいくつも、けたたましい音をたててなぎ倒された。エビスくんの右フックが頬に入ったのだ。呆然《ぼうぜん》とした顔で床に尻餅《しりもち》をついた浜ちゃんは、すぐさま「わりゃあ……」と立ち上がった。

そこに、エビスくんの回し蹴りがとぶ。今度は腹。浜ちゃんは懸命に両足を踏ん張ってこらえ、「いてまうど、しまいにゃ」とうめきながら低い姿勢で体当たりしていったが、エビスくんの二発目の回し蹴りがカウンターになって顔面を直撃した。女の子が悲鳴をあげる間もなかった。

倒れた机の上にひっくりかえった浜ちゃんは、背中を丸め、頭を抱え込んだ。教室じゅうが静まり返るなか、やがて、浜ちゃんのか細い声が聞こえてきた。くそったれ、くそったれ、くそったれ……。べそをかいて繰り返す唇には、血がにじんでいた。

ぼくはあわてて日誌をめくり、前日のページの備考欄に目をやった。〈戎くんが東京から転校してきました。みんな仲良くしましょう〉。首をかしげかけたとき、背中をひやっとしたものが滑り落ちた。字が違う。〈戎〉を〈戒〉と書いてしまった。カイくん。イマシメくん。早く病院へ行こうと気が急《せ》いていたせいで、書き間違えてしまったのだ。

「わざとやったのかよ、てめえ」

首を思いきり横に振った。

「なめてんだろ、おれのことよお」

なんでぼくがエビスくんなめなあかんのん、勘弁してえな。喉《のど》がひくつくだけで、声にならない。腰を引き、首を縮め、顔をかばって両手を上げたとき、チャイムが鳴った。廊下側の席にいた女の子が「せんせ、来はったで」と言って、ぼくたちを取り囲んでいた人垣がいっせいに崩れた。浜ちゃんも洟《はな》をすすりながら自分の席に戻る。倒された机をそれぞれの持ち主が大急ぎで起こしたが、元通りになる前に藤田先生が教室に入ってきた。

「どないしたんや?　なにガタガタ机動かしとんねん」

遠慮がちに滑っていくみんなの視線を、エビスくんは素知らぬ顔で受け止めた。

「なんかあったんか?」と先生が近くの席の数人に声をかけた。口ごもる女の子たちを制して、浜ちゃんが「なんもありませーん、わいとヤスハルがプロレスやっとっただけでーす」と言い、隣の席のヤスハルを小突きながら「おまえが派手にひっくりかえるさかい、大騒ぎになってしもたろうが」と笑った。小学六年生。なんでもかんでも親や教師に話すのは恥ずべきことだと、浜ちゃんのようなガキ大将はもちろん、ぼくですら思っていた、そんな年頃だ。

先生が納得して朝の連絡事項を伝えはじめると、エビスくんはポーカーフェイスのままぼくに向き直り、人差し指をまず自分に、それからぼくに向けて振って、その指の動きにリズムを合わせて小声で言った。

「仲良くなってやるよ、親友な、おれら」

笑った。自分の言葉に笑顔を添えたのか口をぽかんと開けたぼくがおかしかったのかは知らないが、エビスくんはたしかに、初めて笑った。笑顔になっても、やっぱり細い目を頰にめり込ませていた。

ぼくたちは親友になった。まわりは誰ひとりとして認めず、当のぼくだって、どこが親友やねん、と言いたくなる、そんな奇妙な付き合いが始まったのだ。

教科書に、ボールペンでおめこマークを書かれた。「おめこ」のことを東京では「おまんこ」と呼ぶのだと教えられ、「ほら言ってみろよ、覚えたんならいまから大声で言ってみろよ」と耳たぶをひっぱられた。シャープペンシルの芯《しん》を全部抜かれた。弓のように反らした定規で手の甲を叩かれた。コンパスの針で顔を突く真似《まね》をされ、手で顔を隠すと向こうずねを蹴られた。体育の時間の前に服を着替えていたら、「パンツ脱がせてやろうか」と背中に回られ、あわてて逃げた隙《すき》に体育館シューズの中に唾《つば》を入れられた。給食のときにジャムやマーマレードをとられた。泥で汚れたズックでハーモニカを踏まれた。

休憩時間も逃げられない。エビスくんはぼくがトイレに行くときにもついてきて、用足しの真っ最中にズボンを不意に持ち上げて、パンツにおしっこがかかると、隣の女子トイレにまで聞こえるような大声で「きったねえ、ひろし、しょんべん漏らしてやんの」と言う。購買部の売店に消しゴムやノートを買いに行くときも、廊下を歩く後ろから唾を足元に吐きつけて、それをかわそうと足をピョンピョン跳ね上げるぼくの背中に回し蹴りをぶつける。

エビスくんは、いつも笑っていた。ぼくがあせったりおびえたり泣き出しそうになるのを見ると、笑顔はいっそう深くなった。

けれど、笑う相手はぼくひとりだった。エビスくんは他の誰とも付き合おうとせず、言葉すら交わさない。始業式の日と同じように、いつもむすっとした顔でクラスの連中を眺めるだけだ。

「親友だもんな、おれとひろし」

エビスくんは、ぼくをいじめたあとに必ずそう言って、握手を求めてくる。しかたなく掌《てのひら》を差し出すと、小指でさえぼくの親指ぐらいありそうな大きな掌で包み込み、不意にレモンをしぼるように思いきり締めつけてくる。締めながら、手首をよじり、肘《ひじ》を逆にひねる。あかん、骨折する、うめきながら思ったことも一度や二度ではなかった。肘を抱えてうずくまる背中に、「ずーっと親友だからな、裏切るなよ、いいな」とエビスくんの嬉《うれ》しそうな声が貼《は》りつく。声をすり込むように背中を何度も踏まれ、仕上げに尻を蹴られるときもある。

朝、学校に行く支度をしていると、胃がしくしく痛むようになった。夜中に何度もおしっこに起きる。トイレにたってもほとんど出ないのに、布団《ふとん》に戻るとすぐにおちんちんの根元がむずがゆくなってしまう。

クラスのみんなは、誰も助けてくれない。「ひろしも気ィ優しすぎるん違うか。おまえが辛抱するさかい、エビスもいじめてくるんや」と何人もの友だちから言われた。まるで、こっちが悪いことをして叱《しか》られているみたいだ。

エビスくんは自己紹介をまったくしなかったが、狭い町だ、噂話《うわさばなし》はいくつか流れてきた。母子家庭だという。母親と二人きりでこの町に来た。父親はやくざだったらしい。ちんぴらに射殺されたという説があり、事件を起こして刑務所に入っているという話もあり、また、香港《ホンコン》だか台湾だかに高跳びしているのだと話す友だちもいた。「ちょっとひろし、ほんまのところをいっぺん訊いてみたれや」と菊ちゃんたちは勝手なことを言うが、いずれにしても、やくざの息子ということで、エビスくんに正面きって文句をつける友だちは一人もいない。頼みの綱の浜ちゃんも、一対一の勝負で叩きのめされたのがよほどこたえているのか、エビスくんにかんしては無視を決めこんでいた。

藤田先生は、なにも知らない。エビスくんの隙を見て昼休みに教室を抜け出し、職員室の前まで行ったことはある。それでも、ドアをノックできなかった。ノックしてはいけないんだ、と自分に命じた。

絶交するわけにはいかない。ぼくたちはずっと、親友のままでいなければならない。

ゆうこの容体は九月の半ばを過ぎてようやく一段落つき、とりあえず今日明日のうちに命がどうこうということはなくなった。

だが、元気が出てきたぶん、エビスくんのお見舞いを待ちわびる気持ちも日を追ってつのっていた。ぼくが病室を訪れるたびに「エビスくん、まだなん？」とせがむ。ドアを開けるなりベッドに体を起こし、入ってくるのがぼくひとりだと知ると落胆してため息をつく。ときには「はよ連れてきて。なあ、お兄ちゃん、はよエビスくんに会わせて」と繰り返しているうちに涙ぐんでしまうこともある。「万々が一神さまの子孫やったら連れてくる、いう話やろ？」とは、もう言えない。いつのまにかゆうこの頭のなか

からは、それ以外の可能性は消えうせているようだった。もっと元気になってから会《お》うたほうが
「あわてんでもええやないか。どうせやったら、もっと元気になってから会うたほうがええん違うか」と言ってもだめだ。ゆうこは「あかん」と首を横に振り、逃げ腰のぼくをなじるように、ぼくが一番触れてほしくないことを言う。
「お兄ちゃん、こないだ言うたやん、エビスくんと友だちになったて。友だちやったらお願いしてよ、来てもろうてよ、そんなんもでけへんのやったら友だち違うわ」
長患《ながわずら》いの病人は嘘《うそ》を見抜くことに敏感になるのだと、なにかの本で読んだ覚えがある。だから、ぼくはエビスくんと、もっともっと仲良くならなくてはいけない。

九月の後半になっても、エビスくんのいじめはつづいた。
授業中、藤田先生が黒板に向かうたびにエビスくんの太い腕がこっちに伸びてきて、肘の内側をつねる。爪《つめ》を立て、つまんだ肉をネジを回すようにきつくひねる。給食のジャムを昼休みに椅子に塗られ、午後の授業中にとられた消しゴムは肥後守《ひごのかみ》でさいの目に刻まれて、次の休み時間に服の背中に放り込まれる。風呂《ふろ》に入ると、体じゅうにあざができているのがわかる。消しゴムをとられ、鉛筆をへし折られ、ノートを破られているうちに、九月のお小遣いはすべてなくなり、お年玉の貯金も、このままなら十月が終わらないうちに遣いきってしまいそうだった。

ぼくは学校帰りに泣きながら自転車を漕《こ》ぐようになった。岬の坂道をペダルを踏ん張って上りながら、涙をぽろぽろこぼす。声は出さない。歯を食いしばって泣く。病院からの帰り道にも涙が出る。下り坂をぎりぎりまでブレーキをこらえて強い向かい風を浴びながら、くそったれくそったれくそったれ、エビスくんにではなくぼく自身にうめき声をぶつける。

親友、とエビスくんは言う。いじめの言い訳だということぐらいわかっているのに、ぼくはその言葉を信じ、すがっている。親友なんだからエビスくんもぼくの頼みごとを聞いてくれるはずだ、自分にそう言い聞かせながら、いじめに耐えている。それが悔しく、情けなくてたまらなかったが、逆に、そこをうしなってしまったら、ぼくはもう学校へも通えなくなってしまいそうな気がする。

エビスくん、ちょっとぼくの話、聞いてくれへんかなあ、お願いがあんねん。喉元まで出かかった言葉を何度呑《の》み込んだかわからない。まだや、まだ足らんぞ、もっといじめられて、エビスくんがもっと上機嫌で笑いよるときを狙《ねろ》うて言わなあかんのや。

アホかおまえ、こころのなかで別の声がする。

けれどすぐに、アホでええねん、さらに別の声が聞こえる。

どっちにしてもアホはアホだ。悔しさや情けなさすら感じなくなるほどのアホになってしまえばいい。

いま思い出そうとしても、それが九月の何日だったか、どうしても日付が出てこない。ひとつの場面、忘れてしまいたいくらい嫌な光景だけ残して、あとはすべて記憶から抜け落ちている。

昼休みだった。おしっこに行こうとしたぼくは、席を立ったところでエビスくんに行く手をはばまれた。

「しょんべんか？　クソか？」とエビスくんはぼくの腕をつかんで訊《き》いた。「ちょっとごめん、離したって、ごめん、すぐ帰ってくるさかい」と言っても離してくれない。「ぼくはうんこに行きますって言ってみろよ。くさいうんこをしたいのでそこを通してくださいって、おっきな声で言えよ」

手首をひねられた。うめき声が漏れそうになるのを必死にこらえて、つくり笑いで「冗談きついわあ」と言った。すると、エビスくんは目を細くして「そうだな、いまの冗談な」とうなずき、さらに手首をひねりながらつづけた。

「ちんぽ出して便所まで行けよ。しょんべん漏れそうなんだろ、じゃあおまえ、ここからちんぽ出しといたほうがいいだろ。な？」

「あかんよ、そんなん、でけへんよ」

「やれよ」

「堪忍《かんにん》してえな」

「うるせえなあ、早くやれよてめえ」

すねを蹴《け》られた。うずくまろうにも手首をつかまれているので体を動かせない。それに下腹から力を抜くと、おしっこが漏れてしまいそうだった。すねの痛みにつぶった目が、涙でうるむ。まぶたのなかでさまざまな色の光が揺れる。

みんな見ているだろうか。きっと、見ている。でも助けてはくれない。エビスくんにいじめられていることよりも、誰からも助けてもらえないことで悲しさが胸にあふれた。

廊下から女の子たちの笑い声が聞こえる。吉田智子《よしだともこ》さんの声が交じっていた。女子のクラス委員の吉田さんは、クラスでいっとう勉強ができて、二番めにかわいい女の子で、ぼくの片思いの相手でもあった。吉田さんがもうすぐ教室に入ってくる。エビスくんに手首をひねられ、足を踏まれ、すねを蹴られ、頭を小突かれているぼくを見る。そして、おちんちんを出して歩くぼくを見る。笑うだろうか。あきれるだろうか。軽蔑《けいべつ》するだろうか。同情だけはされたくない。相原くんってかわいそうやねえ、吉田さんの声でそんなふうに言われたら、死んでしまいたくなる。

「早くちんぽ出せよ、しょんべん行きたいんだろ？　早くしねえと漏らしちゃうだろ？」

「エビスくん、なんでこんなことするん……」息を詰めて言わないと、ほんとうに漏らしてしまいそうだった。「なんで、ぼくのこと、いじめるん」

「なに言ってんだよバカ、おれら親友だろ？　親友が頼んでるんだよ、ほら、早くしろよ。ひろしくーん、お願いしますよ、一生のお願い、ちんぽ出して！」

一生のお願い。エビスくんはたしかにそう言った。エビスくんの一生のお願いを聞き入れたなら、今度はぼくが一生のお願いを口に出せる。そやな、ぜったいにそやな、間違うとらんよな、自分に訊き、答えが出る前に、半ズボンのジッパーに手をかけた。

「エビスくん、ぼくの頼みも聞いてくれる？」

「うん？」

「ぼく、ちんぽ出すさかい、次はエビスくんの番やで、な？　ぼくの一生のお願い、ひとつだけ聞いて」

ジッパーをおろし、パンツのなかに指を入れて、縮こまっていたおちんちんをひっぱりだした。噴水の小便小僧のように腰を前に突き出して、親指と人差し指と中指でつまんだおちんちんを振った。泣いてしまうだろうかと思ったが、勝手に頬がゆるみ、へらへらと笑った。教室が静まり返る。ほんとうに話し声が消えたのかどうかはわからないが、記憶のなかでは、ここから先の光景に音はない。

エビスくんが体の位置を変えた。ぼくの正面に立った。クラスのみんなの視線をさえぎるように大きな体をひとまわりもふたまわりも広げて立ちはだかり、怖い顔でぼくをにらみつけた。頬の肉はどこへ消えてしまったのか、白目がちで吊《つ》り上がった目が端から端まではっきりと見えた。もういいよ、やめた、エビスくんの口が動く。おちんちんを早くパンツのなかにしまえ、と顎《あご》をしゃくる。ぼくが言われたとおりにすると、プロレスのヤシの実割りをするような格好で乱暴に椅子《いす》に座り、あとはもうそっぽを向いたままだった。

音が戻ったのは、限界まで来たおしっこをつま先立ってこらえながら、一生のお願いのことをもう一度確認しようとしたときだった。

「言っとくけど、おまえまだ歩いてないからな、約束なんて関係ないぞ」

全身からいっぺんに力が抜けてしまい、下腹をあわてて引き締めたが遅かった。じゅっ、という音とも熱さとも感触ともつかないものがおちんちんの先に広がり、パンツの前のほうが急に重くなった。ほんの少しだけ。幼稚園の年少組のとき以来、だった。

その日、病院からの帰り道に浜ちゃんといっしょになった。学校で禁止されているドロップハンドルの自転車に乗った浜ちゃんは「奇遇やのう」と笑ったが、浜ちゃんの家は病院のある岬とは正反対の方角だし、背後から声をかけてきたのも、岬の一本道から国道のバイパスに出てすぐ、まるで交差点で待ち伏せをしていたようなタイミングだった。

浜ちゃんはぼくに追いつくと、サドルから尻《しり》をずらして荷台に座った。両手を突っ張ってハンドルを支え、自転車を蛇行させる。ぼくの自転車に横からぶつかりそうになり、すぐに離れ、また近づいてきて、遠ざかる。

「おう、ひろし」

凄《すご》みを利《き》かせて言ったつもりでもまだ声変わりしていないので、アニメのネズミみたいな声だ。そこがエビスくんとの違いだった。

「自転車通学か。ええ度胸しとるの」

前輪を横から蹴られそうになり、あわててハンドルを切ってよけた。

「危ないやん」

「アホ。最初から届かへんわ、わい短足やさかい。ほんま臆病《おくびょう》なやっちゃの」

浜ちゃんはあきれたように笑い、ぼくも苦笑いを返して、そこから先は並んで走った。浜ちゃんと二人きりで話すのはひさしぶりだ。なんだか、正月にしか会わない従兄弟《いとこ》と「こどもはこども同士で遊んどき」と同じ部屋に入れられたときのような気分だった。

「あのな、浜ちゃん、言うとくけど、自転車通学は藤田せんせに許可貰《もろ》うとんねん。黙って乗っとるんと違うねんで」

「わかっとるわい」

「大学病院に通わなあかんねん、ほら、ぼくの妹……」

前輪を、今度はほんとうに蹴られた。ハンドルをとられ、道の脇《わき》の田んぼに落ちそうになった。なんとか体勢を立て直し、なにすんのん、と唇を尖《とが》らせると、浜ちゃんはぼくよりもっとむっとした顔で言った。

「わかっとる言うとるやないけ、そんなん知っとるんじゃボケ、ごちゃごちゃゴタク並べなや、男が」

そやね。黙ってうなずいた。ゴタク言うてもしゃあないもんな。

「エビスは知らんのやろ、自転車通学のこと」

「うん。ぼく、終わりの会がすんだらダッシュで帰るさかい」

「おまえ、わざわざ遠回りして藤田のそば通って教室から出て行くやろ」

「知っとったん？」

「あたりまえや。情けないもんやのう、先公の目の前ならいじめられん思うとるおまえも、先公がおったら手出しでけんエビスも、どっちも情けないもんや。男と違うで、そんなん。オトコオンナや、おまえら二人」

浜ちゃんの自転車は、また蛇行を始めた。ゴムのホーンをプカプカ鳴らしながら「親友いうんも、えらい難儀なもんやのう」と言い、「おう？」と尻上がりの声とともに自転車を近づけて、ぼくの反応をうかがうように顔を覗《のぞ》き込んでくる。

「親友やないよ。エビスくんが勝手にそう決めただけやねん」

「そやかて、ひろしもけっこう楽しそうやったで。ちんぽまで出して、ご苦労なこっちゃ」

にやにや笑いながら、小突くように顎をしゃくる。

「アホなこと言わんとき」ぼくは浜ちゃんの視線を払い落とそうとして、自転車のスピードを少し上げた。「毎日毎日、地獄やで」

「ほなら、ひろしはエビスが嫌いなんか？」

「嫌い、いうわけやないけど……」

「好きか？」

「いや、そない訊かれても困るんやけどなあ」

「どっちやねん」

浜ちゃんは荷台から尻を浮かせてペダルを勢いよく踏み込んだ。ハンドルをいっぱいに左に切って、ぼくの行く手をふさぐ格好でブレーキをかける。ぼくも急ブレーキをかけ、片足を道路について体を支えた。身のこなしにワンテンポ遅れて、背中のランドセルの蓋《ふた》が躍った。

どっちやねん。ぼくも自分に訊いた。大嫌いに決まっとるやないか、そう言ってしまえば浜ちゃんも納得してくれただろうし、ぼくだってずっと気持ちが楽になったはずなのに。

浜ちゃんは自転車を止めたまま、笑いの消えた顔で言った。

「おまえ、自分が情けのうならんか？」

「なにが？」

「なんで菊治やらマルやらがおまえを助けんか、教えたろか。みんな、エビスの親父《おやじ》がやくざやからビビッとるんやないんや。おまえが、エビスになにされても怒らへんさかい、ほなわいらもほっとけばええ、て思うとるんや。わかるか？　必死になっとらん者《もん》を、なんでひとさまが手助けせなあかんのや」

「ぼくかて必死や。必死に辛抱しとるんやないか」

「おまえに辛抱してくれいうて、誰が頼んだ？　必死になるいうことは、もう辛抱きかへんようになるいうこっちゃ。違うか？」

違う。必死になるから辛抱できるのだ。

「なあ、ひろし、いっぺんでええ、エビスに文句つけてみさらせや。一発ぐらいはどつかれるやろけどな、二発めからはだいじょうぶや。わいら、みーんな、ひろしの助っ人《すけと》になったる。あのデブのきんたま、蹴り上げたるわい」

浜ちゃんはサドルに座り直し、ペダルを踏み出す体勢を整えて、少しだけ照れ臭そうに「他の者《もん》はどうか知らんけど、わいは、そうする」と付け加えた。ぼくも、おおきに、と礼を言うのが照れ臭くて、ただ黙って小さくうなずいた。

「わいな、ひろしがガンジー呼ばれるの、ほんまは好かんねん」

浜ちゃんはそう言って自転車をUターンさせた。肩をそびやかしたガニ股《また》で、阪神タイガースの野球帽をあみだにかぶり直して、ひとつ大きくホーンを鳴らす。

小学校の高学年になってからは付き合う友だちもそれぞれ変わって、めったに遊ぶことはなくなっていたが、幼稚園の頃のぼくと浜ちゃんは一番の仲良しだった。そして、小学校に入ってからの友だちには誰にも信じてもらえないのだが、あの頃のぼくは毎日のように取っ組み合いの喧嘩《けんか》をして、ときには浜ちゃんを負かすことだってあったのだ。ゆうこが生まれる前の話だ。「わいら、親友やで」と舌足らずな声で友情を誓い合ったことも、きっと何度かあっただろうと思う。

いまでも不思議でならないのだが、ぼくはどんなにいじめられてもエビスくんを恨まなかった。いじめられるのは、もちろん嫌だった。つらかったし、悔しかったし、恥ずかしかったし、なにより殴られたり蹴られたりすると痛くてたまらなかった。それでもエビスくんを恨んだり憎んだりはしない。我慢してそうなったのではなく、最初から恨みや憎しみが湧《わ》いてこないのだ。

宙ぶらりんになったままの浜ちゃんの問いに、いまなら、首をかしげながらではあっても答えられる。ぼくはエビスくんのことが好きだった。なんでやねん、と浜ちゃんの声が聞こえてきそうだ。けれど、記憶をたどり、あの頃の自分にいまの自分の気持ちをすり寄せてみると、やはり好きだったとしか言えない。

勘違いせんときや、浜ちゃん、ぼくホモともマゾとも違うで、そういう意味の好きやないねん。なんて言うたらええんやろ、足し算だけとは違うねんな、友だちいうたら。あいつにはこういうええところがある、ああいうところが好きやねん、足し算して仲良うなるのも友だちかもしれへんけど、ここが嫌なところや、あそこが好かん、引き算して仲良うなる友だちもおってええんやないかなあ。だって、エビスくん強いんやもん、強いひとは引き算してもええねん、わがままでも乱暴者でもええねん、阪神の江夏さんやプロレスのデストロイヤーかてそうやろ。ぼく、男の子やさかい、強いひとのこと好きやねん。

アホか、と浜ちゃんは笑い、ぼくも苦笑いを返すだろう。浜ちゃんは強いひとやから、わからんかもしれへんな。これは、こころのなかでだけ、つぶやくだろう。

翌日からもいじめはつづいた。エビスくんは思いつきの意地悪を次々に仕掛けてきて、目を頬にめり込ませて上機嫌に笑う。ぼくは、頼みごとを切り出すきっかけすら見つけられずに、エビスくんの親友役をただ黙って務めるだけだった。

エビスくんの肩越しに、教室の隅に集まった浜ちゃんたちが見える。向こうも、ちらちらとこっちを盗み見ている。ピッチャーの牽制球《けんせいきゅう》を警戒する一塁ランナーのように、エビスくんが振り返ったらすぐにそっぽを向こうとしているのがわかる。

「笑えよ」とエビスくんが言い、ぼくは頬をゆるめる。「笑うな、バカ」と言われれば、あわてて笑顔をひっこめる。「ちょっと頭貸せよ、暇だから」と手招きされ、鼻を人差し指ではじかれる。目に映る風景がうるみ、その先で浜ちゃんたちの背中が揺れる。

みんなが顔をそむけているのは、エビスくんではなく、ぼくだ。

3

十月に入ると、学校じゅうが浮き立ちはじめた。運動会が近づき、放課後の自主練習が始まったためだ。運動会は、全学年をクラス順に縦割りして、赤、白、青の三組で総得点を競う。ぼくたちのクラスは白組で、入場行進の旗手も兼ねる白組キャプテンには浜ちゃんが選ばれた。

自主練習の初日、午後の授業が終わり藤田先生が教室を出るのを待ちかねて、浜ちゃんが教壇に駆け上がり、隣の教室にまで届きそうな大声で言った。

「男は騎馬戦の練習！　女は応援旗づくり！　ええの！　男は五分以内にグラウンドに集合せえよ！　遅刻したらどつきまわしたるぞ！」

しかない。

どこから持ってきたのか、先生が体育の授業で使うメガホンで教卓を叩《たた》いて、「おらおら、はよせんかい」とせきたてる。応援合戦のために裏地に竜虎《りゅうこ》の刺繡《ししゅう》が入った兄貴の学ランまで用意する入れ込みようだった。こういうときの浜ちゃんには、素直に従うしかない。

だが、エビスくんはクラスの連中がそそくさと立ち上がるのをよそに、いつもの無表情で、おそらくわざとゆっくりした仕草で、ランドセルに教科書やノートをしまっていった。

「おい、なんや、おまえ」浜ちゃんが教壇から見とがめて声を凄ませた。「まさか帰るつもりやないやろうの」

「帰るんだよ」とエビスくんは小馬鹿《こばか》にしたような軽い口調で答えた。

「ちょっと待てやこら、勝手な真似《まね》さらすな」

「どっちが勝手だよ。授業じゃねえんだろ、おまえに指図される筋合いはねえよ。バカじゃねえのか、おまえ」

静まり返った教室に、風船が割れるような大きな音が響いた。浜ちゃんがメガホンを思いきり黒板に叩きつけたのだ。

エビスくんはまったく動じることなく、隣のぼくを振り向いた。

「あいつ、また泣かされたいのかなあ。どう思う?」

「ひろしは関係ないやないけ！　こら、エビス、ぶっ殺すぞ！」

「うるせえなあ、蹴《け》り入れられたらすぐ泣くくせによ」エビスくんはぼくを見たまま、笑った。「なあ、ひろし、弱い犬ほど……なんて言うんだっけ、おまえ国語得意だろ、教えてくれよ。あいつみたいに弱い犬って、どうするんだっけ」

「エビスくん、もうやめようや、な？　みんな仲良うしようや、頼むわ」

「いいから、ちょっとおまえ前行ってさ、あのバカ殴ってこい」

上履きのつま先を踏まれた。エビスくんは右手にコンパスを握っていた。六時限めの算数の時間に、半ズボンの上から何度も太股《ふともも》を針で刺された。エビスくんは針の先を確かめて、血がついてるぜ、と嬉《うれ》しそうに笑ったのだった。

教壇の上では、怒りで顔を真っ赤にした浜ちゃんが、こっちに駆け出そうとするのを今ちゃんと菊ちゃんと高沢に必死に押しとどめられている。

「ひろし！　殴れ！　かめへん、わいがすぐに行ったる、思いっきりどつきまわしたれ！」

「ほら、殴ってこいよ」エビスくんはコンパスを分厚い掌《てのひら》で握り、針の先だけ覗かせて笑う。「行かないんなら、入れ墨彫ってやろうか？」

ぼくは首を思いきり強く横に振った。首がちぎれてもいい。どうなってもいい。こんなのは、もう嫌だ。エビスくんからも浜ちゃんからも殴られてかまわない。そのかわり、どっちも殴りたくない。ぼくはエビスくんが好きだ。浜ちゃんが好きだ。強いひとのことは、みんな好きだ。ぼくはなぜこんなに弱いのだろう。ふと見たら、浜ちゃんまで泣き出しそうな顔をしていた。それがたまらなく嬉しく、同じぐらい悲しかった。

クラス委員の小沢が、とりなすようにエビスくんに声をかけた。

「なあ、エビスくん、騎馬戦はチームでやる競技やろ？　四人一組でやんねやさかい、エビスくんが休んだら他の三人が困ってまうねん」

だが、エビスくんは「関係ねえよ、そんなの」とせせら笑う。

「ぶっ殺すど！」と浜ちゃんが怒鳴るのをさえぎったのは、吉田智子さんの透き通った声だった。

「みんなちょっと聞いて。運動会のことも大事やけど、やっぱり個人の用事もある思うんよ。うちも、用事のないひとには全員参加してもらいたい思うけど、どうしても参加でけへん日とかある思うんよ。そういうの、前もって聞いといたほうがええん違うかなあ」

浜ちゃんもエビスくんも黙っていた。吉田さんも強いひとだ。将来は、ぼくは女優や歌手のほうがいいと思っているのだが、弁護士か学校の先生になりたいらしい。

吉田さんという頼もしい援軍を得て、小沢が少しだけ胸を張って教室を眺め渡した。

「そしたら、とりあえず今日、エビスくん以外にも練習に出られへんひとがおるんやったら、手ェ挙げてください」

「裏切り者はエビスだけや！」と浜ちゃんがいらだたしげに言った。

ぼくはうつむいて、目をつぶる。ゆうこの顔が暗がりに浮かび上がる。

「ええか！　一人が勝手なことさらしたら、みんなが迷惑すんねやど！」

浜ちゃんの声が、ぼくだけを狙《ねら》って突き刺さってくるような気がした。

「誰もいませんか？　そしたら、エビスくん以外は全員参加いうことで……」

小沢の言葉は途中で止まり、ぼくは目を開けて、顔の横にあいまいに挙げていた手を降ろした。

「あ、そうやね、相原くん、あれやもんね」

吉田さんがつぶやくと、まわりにいた女の子たちが「あれってなに？　智ちゃん、教えて」と訊《き》いてきた。ぼくを振り向く子もいる。ささやき合う子もいる。吉田さんは困った顔で口ごもったが、かわりに女子で一番おしゃべりな藤井さんが椅子《いす》から腰が浮き上がるみたいに勢い込んで「あのね、相原くんて、おうちが大変なんよ……」と言いかけた。

それをさえぎって、浜ちゃんがメガホンで黒板を叩いた。さっきよりさらに大きな音が響き渡り、チョークの粉がぱあっと舞い上がる。浜ちゃんの左右では、菊ちゃんと高沢と今ちゃんが、鼻や頬や脇腹《わきばら》を押さえてうめいていた。

「女は黙っとれ！　どブスが偉そうにしゃべるな！」

「ちょっとなんなん、浜本くん」

気色《けしき》ばんで立ち上がった藤井さんを、吉田さんが「フッちゃん、気にせんとき、いつものことやん」と制した。

浜ちゃんはもう一度メガホンで黒板を叩き、教室じゅうをにらみつけた。

目が合った。おおきに、とぼくは小さく頬をゆるめた。ほんま、おおきに、やっぱり浜ちゃんや、男と男の友情や。

だが、浜ちゃんはぷいと顔をそむけ、痰《たん》のからんだような声で言った。

「キャプテンの命令や。裏切り者とはもう口きくなよ、ええの」

そして、もっとしわがれた声で付け加える。

「おまえら、わかっとるの、裏切り者は二人やで」

エビスくんはぼくを見てにやっと笑い、コンパスの針で半ズボンの裾《すそ》を軽くつついた。

まるで、ぼくたち二人の友情を確かめ合うみたいに。


その日を境に、ぼくはエビスくん以外のクラスの男子の誰からも口をきいてもらえなくなった。

それでも、ぼくは浜ちゃんが好きだった。エビスくんが好きだった。吉田さんも好きだし、生活指導には厳しいくせになにも気づいてくれない藤田先生のことも好きだった。最初は浜ちゃんに脅されてしかたなく、やがて面白がってぼくを無視するようになったキーやんや菊ちゃんたちもみんな、好きだった。

ぼくは、ぼくの出会うひとすべてを好きになりたかった。なぜだろう。ゆうこを見ているせいだろうか。

ゆうこは、病院の外に友だちがいなかった。病気のせいで幼稚園に通えず、この四月に入学した小学校にも、けっきょく二カ月足らずしか登校できなかった。六年生の教室とは別棟の校舎の一階、一年生の教室に沿った廊下を通りかかるとき、ぼくはいつもランドセルの並ぶ棚に目をやる。一学期の終わり頃は、ゆうこの棚は空っぽだった。交通安全の黄色いカバーのかかったランドセルが行儀よく枡目《ますめ》に収まっているなか、ぽつんと、一粒だけくりぬいたトウモロコシのように、ゆうこの棚が空いていた。二学期が始まってしばらくすると、そこには夏休みの工作の宿題がいくつも放り込まれていた。〈あいはらゆうこ〉の名札シールを剝《は》がしたり落書きをしたりする奴《やつ》がいたら、思いきりぶん殴ってやろう。できもしないくせに、そう決めていた。

正式な学校なのかどうかは知らないが、ゆうこは七月に入院してから、体調の良い日には大学病院の一室に設けられた院内学級で勉強を教わるようになった。七月の時点では、一年生は五人いた。約三カ月の間に亡《な》くなった子が二人、病気が治って退院した子が一人、新たに入ってきた子が二人。亡くなった二人のうち一人は、ゆうこといっとう仲良しだった美奈《みな》ちゃんという女の子だ。八月の末に、尿毒症で亡くなった。翌朝ゆうこが泣きながら描いた「げんきでね」と手を振るドラえもんの絵は、美奈ちゃんのお父さんが棺《ひつぎ》に納めてくれたのだという。

友だちが死んでしまうというのは、そして死んでしまうかもしれない友だちと出会い、付き合うというのは、どんな気分なのだろう。マンガやテレビで観《み》て、だいたいこんな感じだろうと思っていても、ぼくが「わかる」と言っては申し訳ないような気がする。

ぼくは友だちがみんな好きだ。誰にも死んでほしくない。いま友だちが元気に生きているということが、嬉しくてたまらない。その嬉しさが、いつまでもつづいてほしかった。友だちにかぎらない、バスの運転手さんも、スーパーマーケットでレジを打つおばちゃんも、本屋のおばあちゃんも、クリーニング屋のおじさんも、隣の柴犬《しばいぬ》のチビも、鳥も、魚も、虫も……とにかくみんな、丸ごとみんな、好きになりたかった。

きっと、あの頃のぼくは、胸に抱えきれないほどの大きな片思いをしていたのだろう。

誰に？

笑わんといてくれるか。

宇宙に。

ゆうこの容体が急に悪化した。朝からの微熱が夕方になってもひかず、陽が暮れかかった頃から気胸の症状も出はじめた。

「だいじょうぶだいじょうぶ、いつものことやから、すぐに良うなるわ」

母はゆうこの額の汗を濡《ぬ》れタオルで拭《ぬぐ》いながら、誰にともなくつぶやいた。このままだと今夜のうちに設備の整った別室に移され、さらに危険な状態になると集中治療室へ運ばれるはずだ。夏休みのビデオテープを再生しているようなものだった。

ゆうこはぼくが病室に来ているのを知ると、熱でうるんだ目をせいいっぱい見開いて、あえぐ息にかすれ声を乗せた。

「今日も、エビスくん、あかんの」

語尾を持ち上げる力すら、なくなっている。

ぼくはベッドの脇で膝《ひざ》を折ってゆうこと目の高さを同じにして、「明日や」と言った。

「明日来るいうて約束したんや。ほんまやで。せやから、ゆうこ、おまえなにやってんねん、せっかく明日会えるのに、具合悪うなったらあかんやないか。がんばれよ、明日会えるんやで。楽しみやろ、なあ、明日、エベッさんになにお願いしたい？」

ゆうこは熱と息苦しさで紅潮した頰をかすかにゆるめ、「わからへんよ、まだ」と瞬《まばた》いた。

「考えとかなあかんやんか。せっかく来てくれるんやから」

「どんなん、でも、ええの？」

「おお、なんでもええぞ。遠慮なんかするな。相手はエビスくんやからな、エベッさんの子孫や、神さまなんや。どんなことでも聞いてくれる、ほんまやで。なんがええ？」

看護婦さんが容体の確認に入ってきた。いつもは冗談ばかり言う陽気なひとなのに、今日はこわばった顔で、ぼくの会釈《えしゃく》に気づいてもくれない。

「お兄ちゃん……」と口を開きかけたゆうこを、母が「しゃべったらあかん」と制した。看護婦さんはゆうこの脈をとり、体温計を腋《わき》の下に差し入れながら、今夜の当直態勢を母に伝えた。当直医だけでなく、ゆうこの主治医でもある医局長も待機することになったという。

体温は三十八・六度。看護婦さんは「またちょっと上がってしもたなあ」と眉《まゆ》をひそめ、ナースコールのボタンのありかを確認するように枕元《まくらもと》をちらりと見てから、足早に部屋を出ていった。

ドアが閉まるとすぐ、ゆうこが再びぼくを呼んだ。さっきよりもずっと細い声だった。ぼくはゆうこの顔に耳を寄せて「お願いすること決まったか？」と言った。顎《あご》が小さく、縦に動く。息遣いに、ぜえぜえ、と濁った音が交じる。

「ひろし、もうやめとき」母が強い口調で言った。「しゃべって咳《せき》が出たら困るやないの。明日でええやない」

ぼくはゆうこの顔を見つめて、「あかん」と言った。

「なに言うてんの、あんた。ゆうちゃん具合悪い言うとるやないの。わからんのか？」

「わかっとる。でも、いま決めてほしいんや」

「勝手なこと言わんとき。ほら、そこどいてあげな、ゆうちゃん息が苦しい言うてるやないの」

「いま決めなあかんのや」

「ひろし、どないしたん……」いったん跳ね上がりかけた母の声はすぐにしぼみ、涙交じりのものに変わった。「なあ、お母ちゃん困らせんといてえな」

ゆうこは目を開けているのかつぶっているのか、息遣いに合わせて揺らぐまつげに隠れて、瞳《ひとみ》が見えない。唇は熱でひび割れて、頰の表面には網のように細く血管が透けていた。長い夜になる。父も仕事を終えるとすぐに駆けつけてくるだろう。容体がこの段階で踏みとどまってくれるのか、集中治療室で何日も過ごすようになるのか、それとも、もうこの部屋に戻ってくることはないのか、いまはなにもわからない。だから、聞いておきたい。声がぼくの耳に届かなくてもいい。ゆうこに言わせたい。欲しいもの、やりたいこと、夢見ていること、なんでもいい、ゆうこに持っていてほしかった。

「エベッさんが来るまでの辛抱や。だいじょうぶや、ゆうこ、エビスくん神さまなんやさかい、なにお願いしてもええんや。明日、お兄ちゃんといっしょにエビスくんにお願いしようや。なにがええ？　なにが欲しい？　なんでもええさかい、言うてくれ」

ゆうこは顔をゆがめ、胸を圧《お》しつぶす重しを少しだけ浮かせて、息のない声で言った。

「美奈ちゃんにな……もういっぺん、会いたいなあ」

頬の動かない微笑《ほほえ》みが浮かぶ。アホか、ぼくも声や表情をうしなったまま答える。アホなこと言うな、アホや、おまえ、なにしょうもないこと言うてんねん。

「やっぱり、あかんわ、急に、言われたかて、なんも、思いつかんよ」途切れ途切れの声が、ぼくの耳にすがりつく。「でも、なんかある、考えとく」

「そうや、考えといてくれ、約束やで、お兄ちゃんも今度はぜーったいに約束守るさかい、指きりや、な、嘘《うそ》ついたら針千本呑《の》ますで、ええな」

「もう、呑んどる、わ、うち」

ゆうこは自分の喉《のど》に指先をあてて、額やこめかみから汗を絞り出すように顔をしかめた。唇が、また動く。しゃべろうとしたのではない、口を閉じることもできなくなったのだ。息を吸い込むときの音が変わる。濁りが消え、笛を吹くような甲高い澄んだ音になる。七月の終わりに意識不明になったときと同じだ。

母が枕元の壁に抱きつくようにして、ナースコールのボタンを押した。まだインターフォンがつながらないうちから、はよ来てください、はよせんせ呼んでください、と泣きながら繰り返す。

廊下から看護婦さんが駆けてくる足音と、ゆうこを運び出すためのストレッチャーの車輪の音が聞こえる。

「神さまはおるんや、ぜったいにおるんや。お兄ちゃん、ずっとええ子やったさかい、ちゃんとごほうび貰《もら》えるはずや。な、ごほうび、くれはるんやで。待っときや、明日やで、明日、エベッさんが来てくれはるんやで！」

ゆうこは目をつぶってうなずいた。実際に首や顎が動いたかどうかはわからない。だが、ぼくにはわかる。ゆうこはたしかにぼくの声を聞き、明日が来るのを待っている。わかる。わからないわけがない。ゆうこは、ぼくの、世界でたった一人の妹なのだから。

日付が変わった頃、ぼくは父と二人で薄暗い外来待合室の長椅子に腰かけて、自動販売機の缶コーヒーをすすっていた。

ゆうこの容体は、真夜中になってようやく落ち着いた。熱も三十七度台に下がり、朝までに平熱に戻れば、集中治療室行きはまぬがれそうだった。

「ほんまにええんか、家に帰らんで」と造船所の作業服を着たままの父が訊いた。ぼくは「面倒やさかい、ええよ、ここで寝るよ」と答える。タクシーで帰ればいいと父は言ってくれたが、誰もいない真っ暗な家に戻るのが嫌だった。

「熱、明日までに下がるやろか」と訊くと、「だいじょうぶや、心配するな」と油と潮のにおいの交じった掌《てのひら》で頭を撫《な》でられた。自動販売機の明かりが父の顔をぼんやり照らし出す。いつもは造船所の近くの銭湯で汗を流してから病院に来るのだが、今夜はまだ顔に油が黒くこびりついている。もう少し明るければ、汗が乾いて顔じゅう塩をふいているのも見えただろう。夏の盛りには、眉毛が塩で真っ白に染まっていることも多かった。

父は少し黙って、コーヒーを一口飲んでから「ひろし、男の約束でけるか」と言った。

「なにが？」

「ゆうこに手術受けさせよ思うとるんや。大阪の、阪大《はんだい》病院あるやろ。そこに、ごっつええお医者さんがおらはるらしい。去年からアメリカに研究しに行かはっとったんやけどな、今年の暮れに帰ってきはるらしいわ。なんやお父ちゃん難しいことよう知らんけど、心臓移植やらもでける、偉いせんせらしいで」

「ほんま？」

「ひろしにホラ吹いてどないすんねん」

父はぼくの肩を軽く小突き、「おんなじ大学病院いうても、ここは私立やからな。あっちは阪大や。国立一期の、昔でいうたら帝国大学や。ええせんせ、ぎょうさんおんねや」と笑った。

「そのせんせに、手術してもらうん？」

「まだ、わからん。医局長が紹介状書いてくれはるんやけど、とにかく偉いせんせで忙しいせんせやさかい、どないなるかわからん。そやから、男の約束なんや。話が本決まりになるまでは、ゆうこにもお母ちゃんにも言うたらいけん。秘密やで、ええの」

「手術したら、ほんまに良うなるん？」

「医局長は、五分五分や言うてはった。せやけどな、ほっといて治る病気と違うねん。このまま体が大きゅうなると、ゆうこの心臓、へばってしまうんや。言うてみたら、ポンポン船のエンジンでタンカー動かそうするようなもんやさかいな。その前に、どないしても手術しとかなあかんのや」

「お金、かかるんやろ？」

「こどもがそんな心配せんでもええ。だいじょうぶや、お父ちゃんかて一所懸命仕事しとるんやから」

　また頭を撫でられた。さっきより乱暴な仕草だったが、そのぶん掌の厚みや節くれだった指の太さが心地よかった。おとなの掌だった。誰かのために働き、誰かのことをしっかり思って生きていくひとの掌は、大きく、温かい。ぼくの掌は、いつになれば父のような厚みと堅さを持つのだろう。

　父は「冷え込んできたの」とひとりごちて、長椅子《ながいす》の背もたれに掛けてあったジャンパーをぼくに差し出した。ぼくは黙ってジャンパーの袖《そで》に手を通す。サイズはぶかぶかだったけれど、父は嬉《うれ》しそうに「ちょうどええやないか。お父ちゃん、もうすぐひろしに抜かれそうやのう」と言った。

「違うよ、まだぜんぜんこどもや、ぼく」

「そんなことない。もうおとなやさかい、お父ちゃん、ひろしと男の約束したんやないか」

「おとな違うよ。さっきお父ちゃん、こどもが金の心配せんでええ言うたやん」

「なにしょうもない屁理屈《へりくつ》言うてんねん」

母が待合室に入ってきたのを見て、父は腰を上げながら暗がりに腕時計を透かした。

「ちょっと休んどれや。わしがゆうこについとるさかい」

「すみません、じゃあ、三十分ほど……」

父と入れ替わりに長椅子に座った母は、ひとつ長いため息をついたあと、気を取り直すようにぼくを振り向いて笑った。

「もうすぐ運動会やろ、風邪ひいたらあかんで」

「だいじょうぶや」

「お父ちゃんもお母ちゃんもお弁当こさえて行くさかいな、かけっこがんばりや」

「ええよ、そんなの」

「だいじょうぶ、ゆうちゃんの世話はおばあちゃんに来てもらうさかい」

「来んでええて、ほんま」

「遠慮せんでもええやん」

「遠慮と違うよ」

ぶっきらぼうに答えるぼくを、母は疲れきった笑顔で見つめる。ぼくはもう母には目を向けない。見ると、つらくなる。髪の毛をかきむしりたくなってしまう。

「ぼくな……」つづく言葉を考えず、ただ沈黙の重みから逃げるために言った。「おじいちゃんとこに引っ越してもええで。そのほうがええやろ、ぼくのごはんのことやら洗濯のことやら心配せんでもええやん」

思いつきだったのかどうか、自分でもわからなかった。口に出して初めて、そういう手もあるんやなあ、と知ったようにも思ったが、ずっと前からそれを考えていて、やっといま話を切り出せたのだという気もした。

母は「アホなこと言いなさんな」と笑った。

「冗談で言うたんと違うよ、ぼく本気や。夏休みかてできたんやさかい、だいじょうぶや、ぼく、ちゃんとええ子でおるよ」

「なに言うてんの。だいいちあんた、おじいちゃんとこ行ったら、学校も移らなあかんのよ。転校してもええん？」

ぼくはうつむいて、「ええよ」と言った。エビスくんの顔、浜ちゃんの顔、吉田さんの顔、菊ちゃんの顔、小沢の顔、何人もの友だちの顔が目まぐるしく浮かんでは消えた。お母ちゃん、ぼく学校でいじめられとんねん、転校生のエビスくんに目ェつけられて、毎日どつかれて、浜ちゃんらも口きいてくれへんねん……。喉元まで出かかった言葉を、言うな、言うたらあかん、と押しとどめているうちに、涙がこみあげてきた。

「なーんてな、あかんあかん、転校はあかんわ。アホやなぼく、気ィつかんかったわ。いまの話、なしな。おじいちゃんとこ行くのやめるわ」

しゃくりあげながら笑った。うわずった声は、母の耳まで届いたかどうか、わからない。

母はなにも言わず、なにも訊《き》かず、ぼくの肩を抱いた。ぎゅうっと、しぼるように強く抱いた。ぼくはうつむいたまま、膝に載せた小さくやわらかい握り拳《こぶし》をにらみつけた。

4

翌朝、睡眠不足の目をしょぼつかせながら昇降口で靴を履き替えていたら、クラスの女の子が吉田さんを先頭に数人連れ立って駆け寄ってきた。

「悔しゅうないん？　相原くんちっとも悪うないのに、こんなんおかしいわ、ぜったい」

吉田さんはぼくと向き合うなり、怒った声で言った。二重まぶたのくっきりした大きな瞳を見開いて頬をふくらませ、他の女の子と目配せし合ってからつづける。

「女子全員で相談したんよ。藤田せんせに話してみるわ、相原くんがエビスくんからも浜本くんからもいじめられてます、て。おせっかい思うかもしれんけど、うちら、もう辛抱たまらんのよ。このままやと相原くん、かわいそすぎるもん」

まわりの女の子もいっせいにうなずいた。小学六年生は、女子のほうが男子より体の大きい年頃だ。吉田さんたちのまなざしは上から下へ注がれる。

「な？　せんせに言うてええやろ？　学級会開いてもろて、みんなで話し合わなあかんよ」

ぼくはうつむいて、首を横に振った。

「なんで？　うちら、相原くんのこと心配してるんよ。なんで言うたらいけんの？」

言葉が出ない。どう説明すればいいのかわからない。ぼくはただ、首を横に振りつづける。

吉田さんの白いブラウスの胸元に、シュミーズのレースが透けていた。吉田さんは胸が大きい。ブラウスだとよくわからないが、体操服に着替えると、胸にプリントされた校章の菱形《ひしがた》が、吉田さんのだけ縦にも横にもひとまわりふくらんでいるのだ。

「智ちゃんなあ、相原くんのことほんまに心配したはるんよ」

吉田さんの隣にいた鳥山さんが言い、反対側の隣から、近藤さんが話を追いかけた。

「あのねえ、これ、いまは言わんとこ思うたんやけど、智ちゃん昨日もみんなに言うたんよ。相原くんの妹さんに千羽鶴《せんばづる》贈ってあげようや、いうて。ほんまよ、みんな、ほんまにあんたのこと……」

つづく言葉は、他の女の子の悲鳴でかき消された。吉田さんが廊下に後ろ向きに倒れ込むのが、スローモーションのように目に映った。スカートがめくれ、黒いブルマーが剝《む》き出しになった。それを見てやっと、ぼくは自分がなにをやってしまったかを知った。両方の掌に残るやわらかい感触は、吉田さんの胸のふくらみを思いきり押しつぶしたときのものだった。

「なにすんのん！」と近藤さんが吉田さんを抱え起こしながら金切り声をあげ、いままで黙っていた渡辺さんまで、ぼくをにらみつけて言った。

「相原くん、さっきからどこ見とったん？　うち、知っとるんよ。あんた、智ちゃんの胸ンとこ、ずうーっと見とったやろ。いまもブルマー見とるやろ。こいつ変態や！」

女の子たちの罵声《ばせい》を全身に浴びて、ぼくは外へ逃げ出した。「弱虫！」と誰かの声が背中に突き刺さる。吉田さんだったかもしれない。

昇降口から正門につづく通路を、登校してくる下級生に何度もぶつかりながら走った。走りだしてすぐ、右足は上履きで左足にはズックを履いたままだと気づいた。戻ろうか、思ったのは一瞬だけだった。

一年生なのか二年生なのか、ランドセルにカバーをつけた小さな男の子が、走ってくるぼくをよけようとして転んだ。ぼくは立ち止まりも振り向きもせず、走りつづけた。目は開けていたが、なにも見てはいなかった。空の青さだけ、目から胸へ滑るように染《し》みていく。神さまなんてどこにもいないんだ、と思った。いくら我慢しても、いくらいい子になろうとがんばっても、神さまはぼくを苦しめたり悲しませたりするばかりだ。そんなもの、神さまでもなんでもない。

輪郭のぼやけた正門が近づいてくる。門の前の横断歩道が青になり、顔を見分けられないたくさんの男の子や女の子が、よーいどんの号令を受けたみたいに、こっちに向かって歩いてくる。

「ひろし！」

すれ違った数人の人影のなかから、声が聞こえた。浜ちゃんや、浜ちゃんの声や。ぼくは走る速度をゆるめて後ろを振り向き、目の焦点を合わせた。

「おまえ、なにやってんだよ、どっか行くのか？」

きょとんとした顔でぼくを見ていたのは、エビスくんだった。あたりまえや、声、ぜんぜん違《ちご》うとったやないか。

勘違いに失望するより先に、ぼくはまた全速力で駆け出した。校門を抜けて青信号の点滅していた横断歩道を渡ったとき、ゆうことの約束を思い出した。だが、引き返す気になれない。これからどこに行くかも考えられない。ここ以外のところなら、どこでもいい。

「ひろし！　ちょっと待てよ！」

エビスくんが追いかけてくる。ぼくは前を向いたまま「ついてくるな！」と怒鳴った。

「なんだよおまえ、なに怒ってんだよ」

「あっち行け！」

「待てって、こら、ひろし、蹴《け》り入れるぞ、バカヤロウ」

エビスくんの声はあっというまに背中のすぐ後ろで聞こえるようになった。

また横断歩道に出くわした。国道のバイパスだ。今度の信号は赤だった。右に曲がるか左に曲がるかちょっと迷い、そのぶんスピードがゆるみ、エビスくんの大きな体が背後に覆《おお》いかぶさってきた。ぼくは足を止め、身をよじりながら目をつぶり、自分でもなにを言っているのかわからない大声をあげて、右腕を下から思いきり振り上げた。

手ごたえが、あった。体育のマットのような堅さ。拳がはじかれる、と感じた直後、意外なほどあっけなく拳はマットにめり込んでいった。目を開ける。エビスくんの顎《あご》と喉《のど》の境目に、ぼくの拳がある。アッパーカット。『あしたのジョー』で力石徹《りきいしとおる》が矢吹丈をノックアウトした、あの必殺パンチが決まったのだ。

拳をはずそうとしたが、全身が硬直してしまったみたいで、腕も足も腰も首も顔も動かない。エビスくんがうめきながら、ぼくの腕を払いのける。つっかえ棒がはずれた格好になり、そのままエビスくんは路上に両膝《りょうひざ》をつき、顎を両手で押さえてうずくまった。

ぼくはエビスくんのそばに立ちつくして、握り締めた右の拳をぼんやり見つめた。震えている。拳だけではない。腕ごと、肩から痙攣《けいれん》をおこしたように震えていた。

エビスくんが顎を押さえて立ち上がる。殴られる覚悟は、とうに決めていた。殺されるやろか、もうええわ、どないでもしてくれえ、と歩きだした。体の重みが感じられない。右足と左足、上履きとズックの靴底の厚さの違いが、むずがゆさをふくらはぎから腰へ伝える。何歩か進んだところで、やっと拳を開くことができた。血がせき止められて青白くなっていた掌に、ぱあっと赤みが差していく。エビスくんはまだ殴りかかってこない。ぼくは青空をにらみつけて歩きつづけた。空に波が広がる。学校の始業のチャイムが鳴る。思ったより遠くから聞こえた。チャイムの尻尾《しっぽ》の低い響きが耳にもぐり込み、湿り気にからめとられて消えた。空が揺れる。雲の白がにじむ。夏の名残の入道雲は、すべて鰯雲《いわしぐも》に変わっていた。

エビスくんはぼくを殴らなかった。黙って、ときどき顎を押さえて舌打ちしながら、ぼくの少し後ろをついてきた。なにしとんねん、はよ殴ればええやん。ちっとも怖くない。蹴られてもいいし、つねられてもいいし、コンパスで後ろから刺されたってかまわないのに、エビスくんは今日にかぎってなにもしない。最初はそれをいぶかしく思い、けれど歩いているうちにどうでもよくなって、しまいにはたくましい家来を引き連れた王様みたいな気分にさえなった。

ごめんな。王様の、偉さではなく寂しさを胸に、ゆうこに謝った。お兄ちゃん、嘘《うそ》つきやねん。エビスくんを殴ってもうた。きっと、頼んでも無理や。でも謝らへんぞ、男の子はぺこぺこしたらあかんのや。どうせ、こんな奴《やつ》、エベッさんの子孫でもなんでもあらへん。ただのデブの、アホやんか……。

トラックやダンプやトレーラーがひっきりなしに行き交うバイパスは、町の中心地を避けて通っているため、昼間の歩行者はほとんどいない。おかげで、コンテナ倉庫の立ち並ぶ港のはずれまでの一時間ほどの道のりを、誰にも呼び止められることなく歩きとおすことができた。

倉庫街を抜けるとバイパスはT字路になる。右へ折れれば大学病院のある岬へ、左なら造船所。突き当たりは、海だ。

ぼくはまっすぐ、背丈より高い防波堤の階段をのぼった。足をさらにもう一歩踏み出せば、海へまっさかさまに落ちる。両端を岬と造船所の突堤に切り取られていても、海はじゅうぶんに広い。空よりも深みを帯びて、わずかに緑も交じった青が、どこまでもつづいている。潮のにおいを含んだ風は思いのほか強く、波もうねっている。沖合のテトラポッドに波がぶつかってはじけるたびに、大きな太鼓を鳴らすような音が響き渡る。その音を聞くともなく耳に流し込み、足元の海面が揺らぐのをぼんやりと見ていると、体の重みが足から抜けてしまいそうになる。

「おい、危ねえぞ」

階段の下から、エビスくんが初めて口を開いた。声がかすれ、妙に高く聞こえたのは、喉がまだ痛んでいるせいかもしれない。

なんでついてくるねん、学校サボるんは不良やで、藤田せんせにびんた張られても知らんで、アホやな。ぼくはエビスくんに背を向けたまま短く笑い、縄跳びをするようにその場でジャンプした。何度も何度も、跳んだ。水平線が押し下げられ、空が広くなる。こめかみがすうっと涼しくなり、今度は水平線が迫《せ》り上がる。死んだろか、死んでもうたろか。上履きとズックの靴底の厚さと重みの違いがジャンプの軌跡を微妙にゆがめ、ひとつ跳ぶごとに、ひとつ着地するごとに、ぼくの体は少しずつ前へ前へずれていく。

「海に落ちるぞ、おまえ、危ねえって、ほら」

嘘みたいだ。エビスくんがぼくを心配してくれている。優しいやん、エビスくん。ほんまは、きみ、ごっつ優しいん違うか？　嘘やけど。

ははははっと声を出して笑い、ひときわ高く跳んだ。海と空、それぞれの青がにじんでひとつになった瞬間、ランドセルの蓋《ふた》のマグネットがはずれた。ジャンプに合わせて跳ねた教科書やノートが、そのまま宙空に飛び出した。

「あかん！」と叫ぶぼくの声と、エビスくんの「バカ！」が重なった。

着地と同時に両手と両膝を防波堤につき、海を覗《のぞ》き込んだ。いったん沈んだ筆箱が、ちょうど浮かび上がったところだった。目をこらすと教科書やノートも何冊か水面近くに漂っていたが、手を伸ばして届く距離ではなく、やがて波がすべてを巻き込んで再び海中に沈め、それっきりだった。


どれくらい時間がたっただろう。防波堤にひざまずいて揺れる海を見つめているうちに、背筋に鳥肌がたち、膝が震えはじめた。いままで感じなかった恐怖が、後悔や絶望を押しやって胸を内側から叩《たた》きはじめる。ジャンプどころか立ち上がることも、もうできない。後ずさって階段を降りようとしても、膝小僧がコンクリートにめり込んでしまったように、まったく動けない。

「おい、どうした」とエビスくんが訊く。なんでもない、と答えることもできない。声を出すと、いっしょに体の重みも口から抜け出てしまい、そのまま海に落ちてしまいそうだった。

「降りられないのかよ」

バランスを崩すのが怖くて首を振ることすらできず、あう、とうめいた。エビスくんの腕が、後ろから半ズボンのベルトをつかむ。膝と掌《てのひら》が防波堤から浮き上がったあとは、体をエビスくんにすべて預けた。太い腕と盛り上がった胸がぼくを受け止める。

エビスくんは路上にへたり込んだぼくの前にしゃがみ、「バカかおまえ」と笑いながら頬にびんたを張った。ビチャッという音が内側から耳に突き刺さり、左の頬が熱くしびれた。けれど、ぜんぜん痛くない。麻酔をかけて虫歯を抜くときのように、いまごっつ痛いんやでと頭のなかではわかっていても、その痛みを受け止める場所がどこにもない。

「忘れるなよ。さっきのあれ、まぐれなんだからな。おれが本気出したらおまえなんか殺しちゃうんだからな、調子に乗って、いい気になるんじゃねえぞ」

わかってる。頬をさすりながらうなずいた。エビスくんに勝てるわけないやん、エビスくんはぼくなんかに負けたらあかんのや。

造船所のサイレンが聞こえた。午前十時。学校では二時限めが始まっている。算数の時間だ。ぼくはゆっくりと立ち上がり、雲が薄くたなびく空を振り仰いだ。両頬から掌をはずす。頬にまとわりつく熱やしびれを海からの風が剝《は》がし取っていくのが気持ちよかった。

まなざしを空から少し降ろすと、黄土色の岩壁の上に松林が載った岬が見える。松林の間に見え隠れしている白い建物が大学病院だ。

「どこ見てんだよ」とエビスくんに訊《き》かれ、ぼくは目を動かさずに言った。

「妹が、あそこにおんねん。赤ん坊の頃からなんべんもなんべんも入院して、いまも入院しとるんや。あそこ、半分ぼくの家やねん。お母ちゃんも、お父ちゃんも、ずうーっとあそこにいてはんねん」

「なんだよ、それ。妹、病気なのかよ」

「なあエビスくん、きみのご先祖さん、エベッさん違う？」言葉が、軽く、ふわっと唇から離れて宙に浮いた。「きみ、エベッさんの子孫と違う？　ご先祖さん、神さまやったんと違う？　家のひとにそういうの聞いたことない？」

「あるわけねえだろバカ。それより、おまえの妹どこが悪いんだよ」

「エビスくんとぼく、親友なんやろ」

「そんなの関係ねえだろ。おれが訊いてんだよ、ちゃんと教えろよ」

「親友やろ？　ぼくら」

「生まれつき具合悪いのか？　ケガなのか？　病気か？」

「ぼくら親友やな！　ぜったいに親友やな！　ええな！」

エビスくんは目を小刻みに瞬《まばた》き、ふてくされたようにうなずいた。

ぼくは粘ついた唾《つば》を呑《の》み込んで、想像もつかない針千本の痛みをせいいっぱいになぞってみた。赤く染まったゆうこの顔、色が抜けて青白くなったゆうこの顔、息を吸って吐く、もう一度吸って、止める。そしてまたゆっくりと吐き出して、言った。

「お願いがあんねん、きみに。一生のお願いやさかい聞いてほしいんや。もし聞いてくれたら、明日からぼくのことどんなにいじめてもええ。殴っても蹴っても殺してもかめへんさかい、いっぺんだけ、ぼくの頼み聞いてほしいんや」

「なんだよ、それ」

「神さまになってんか。エベッさんの子孫になって、妹に会《お》うてやって」

アホや、と頭の奥で声が聞こえる。だが、やっと言えたやんか、と同じ場所から別の声も届く。ふたつの声をかき混ぜるように、ぼくは早口でつづけた。

「妹な、エビスくんにごっつ会いたがっとんねん。エビスくんのことエベッさんの子孫や思うとんねや。エベッさんは神さまやさかい病気治してくれはるんや、いうて楽しみにしとんねん。今日だけ、いっぺんだけでええから、神さまになって」

「ちょっと待てよ、おまえ、なに言ってんだかわかんねえよ」

「約束したんや。嘘ついてもうたんや。エビスくんのこと神さまや言うてもうて、今日、お見舞いに連れていくから言うてもうて、アホやねん、ぼくアホやから、ゆうこに、なんでもええさかい楽しいこと考えといてほしかったんや。そうせんと、ゆうこ、死んでまうねん……ほんま、死ぬんや、ゆうこ、死ぬんや……」

本でその字を読むときとも、誰かが話しているのを聞くときとも違う。自分の口で言った「死ぬ」は、唇の外にこぼれるのではなく、喉の奥にねっとりと糸をからめながら、ぼくのなかにしたたり落ちていった。

しばらく間をおいて、エビスくんが言った。

「情けねえよな、おまえって、死ぬほど哀れだよ」

意地悪く言ったのではなかった。笑ってもいない。世間話のやり取りから一言だけ切り取ったような、静かで平らな口調だった。

ぼくは黙ってうなずいた。失望は、意外なほどなかった。最初から期待などしていなかった。ぼくはいま、からっぽのランドセルと同じだった。重みをうしなって、ただ背負っている感触だけが残ったランドセルのように、いまここに立っているのはぼくのからだだけだ。こころは、どこかへ消えた。空に舞い上がったのかもしれないし、海に落ちたのかもしれない。

アホらし。からっぽのからだに、誰のともつかない声が響き渡る。男だったか女だったか、おとなだったかこどもだったか、組み合わせを選んで、あれはゆうこの声なのだと決めた。

「なーんてな、いまの冗談やからね、気にせんといて。エビスくんの名前がエベッさんとおんなじやったさかい、こんなんおもろいん違うかな思うて、ちょっと言うてみただけやさかい」

ゆうべと同じやな。そう気づくと、勝手に笑い声が出た。アホらし。ゆうこはいつも、こんなふうに、自分の胸に浮かぶことをひとつひとつつぶしていたのだろう。

「ごめん、エビスくん、さっきのこと忘れたって。な、ぼくってほんまアホやろ、情けないやろ、哀れや思うわ自分でも、かなわんなあ……」

エビスくんの右手が動くのが見えた。その直後、左目の前が真っ暗になり、光がはじけ飛んだ。びんたをくらった。さっきとは違って、今度のは痛かった。それこそ死ぬほど痛かった。頬だけでなく耳の奥までじんとしびれ、鼻が詰まった。顔の左半分を両方の掌で覆って、その場にしゃがみ込んだ。立っていたら目まいで倒れてしまいそうだった。

エビスくんはぼくを残して、さっさと歩きだした。

バイパスを、岬のほうへ。

足を止めずにぼくを振り向いて、「道、どう行くんだよ。教えろよ」と言った。

5

エビスくんがゆうこの掌をそっと握る。だいじょうぶ、だいじょうぶ、と言うように大きく何度もうなずく。

薄目を開けたゆうこに、エベッさんの子孫の顔が見えていたかどうかは知らない。ゆうべの高熱の名残でかさかさに乾いた頰でほんの少しだけ笑ったような気がしたが、それもぼくが勝手に思い込んでいるだけだ。

呼吸は一晩たってだいぶ落ち着いていた。熱も下がり、母に訊くと、「もし食べれるのなら」と出された朝食のおかゆも二口か三口すすったのだという。半ば眠り半ば目を覚ましたゆうこは、カーテン越しのしらじらとした陽射《ひざ》しに包まれていた。看護婦さんの出入りもなく、病室は静かだ。潮騒《しおさい》がかすかに聞こえる。いや、それもじつは天井の空調機の音だったのかもしれない。

寝てるんだな、とエビスくんがぼくを振り向いて笑う。

「ごめんな、せっかく来てくれたのに」

頭を下げて謝ると、エビスくんは笑顔のまま人差し指を唇の前に立てた。笑っていても、目が頰に隠れない。小刻みに瞬いているせいだ。

母は戸棚を探って、ぼくたちに出すお菓子を見つくろっている。ランドセルを背負ったままのぼくたちを見ても、最初に少し不思議そうな顔をしただけで、なにも言わなかった。ひょっとしたら藤田先生から連絡が入ったのかもしれない。嘘や言い訳をするつもりはなかった。ひさしぶりに父や母に叱《しか》られてみたい、そんな気もした。

エビスくんはゆうこから手を離し、もう一度ぼくを振り向いて言った。

「治るよ」

おおきに。ぼくは目を伏せて笑い返す。

「おまえがいるから、治るよ、ぜったい」

ほんまかなあ、ようわからんなあ、神さまの言うことは。もう笑えなくなった。これ以上頬の力を抜くと、別の表情になってしまいそうだった。

エビスくんの唇が、声を出さずに動いた。さ・い・じょ・う・ひ・で・き。枕元《まくらもと》の壁、入退院を繰り返しても飾る場所はいつも同じだった〈西条秀樹〉のサイン色紙に顎《あご》をしゃくって、唇がまた動く。バーカ。目が頬の肉にめり込んだ。細い線の端っこが濡《ぬ》れていた。

「あのな、ゆうちゃんのお願いごと、ことづかっとるんよ」

母がクッキーの缶を戸棚から出しながら言った。

「お母ちゃん、ほんま？」

「ゆうべな、熱の一番高かったときに、言うとった」

母は袋入りのクッキーを数枚ずつ、先にエビスくんに、それからぼくに渡して、あらためてエビスくんを見た。嬉《うれ》しそうに、まぶしそうに、見ていた。

「エベッさん、よう聞いてな。おばちゃん、ゆうこの言うたまんま、言うさかい」

エビスくんは黙ってうなずいた。

「ゆうこな……ゆうべ、なんべんも言うた。せんせが黙っとき言わはっても、喉《のど》ぜえぜえさせながら……お兄ちゃんのことな、ひろしのこと……これからもずうっと、仲良うしたって、友だちでいたってください、て。お兄ちゃん、学校終わっても友だちと遊べんさかい、エベッさんが友だちでいてくれたらええなあ、て……」

アホや、ゆうこ、アホやおまえ。ぼくはどうしていいかわからなくなって、スリッパで床を踏み鳴らした。なんでそんなことお願いすんねん、いっぺんしか会えんのやぞ、エベッさん、いっぺんしか来てくれはらんのやぞ、お兄ちゃんのことお願いしてどないすんねやアホ。

エビスくんは母に言った。

「ぼくら、親友です」

けれど、これからもずうっと親友です、とはつづけなかった。

その理由を、ぼくは病院を出たあと、岬の坂道を町に向かって下りながら知った。

海に向かって突き出す格好のカーブを曲がったところで、それまで黙りこくっていたエビスくんが不意に道の脇《わき》の松林に入っていった。

「しょんべんしようぜ」

「ぼく、ここで待っとるよ」

「いいから来いよ、てめえ」

怒った声だった。ゆうこの病室を引き揚げてから、エビスくんはずっと不機嫌そうな顔をしていた。話しかけても「うるせえ」と言うだけで、途中からは返事すらなくなり、ぼくが前に回り込もうとすると黙って頭をはたく。お芝居が終わっていつものエビスくんに戻ったようにも思えたが、それでもどこかが違う。今日は朝からおかしかった。そうや、おかしいやないか、いつものエビスくんと違うやないか、いろんなこと全部。

エビスくんはおしっこをぶつける場所を選んで、松林をどんどん奥のほうに踏み入っていく。「マムシ出るかもしれんよ」と声をかけたが、やはり返事はなかった。

「おまえ、ここでやれよ。おれ、こっちだから」

立ち止まり指さしたのは、窮屈そうに並んだ二本の松の木だった。エビスくんが右、ぼくが左。学校のトイレと変わらない間隔だ。

「男ってさ……」エビスくんは半ズボンのジッパーを降ろしながら言った。「連れしょんができるからいいよな」

「そうやね」とぼくもパンツのなかをまさぐりながらうなずく。立ちしょんではなく連れしょんと言ってくれたことが、なんだか嬉しかった。

エビスくんのおしっこが、勢いよく松の木の根元に飛ぶ。太い、一本の筋になっている。おちんちんは手で隠されていたが、黒いものがちらりと見えた。

ぼくはエビスくんから目をそらし、自分のおちんちんをパンツからひっぱり出した。つるんとした下腹の肌に潮風の冷やっこさを感じながら、おちんちんの付け根から力を抜く。細いおしっこの筋が、よく見ると二筋、縄のようによりあわさっている。勢いは、あまりない。幹まで届かず、枯れた松葉を敷き詰めた砂地に、黄色がかった水たまりをつくっていく。

「ゆうこっていうんだっけ、おまえの妹」

「そう。優しい子になってほしいいうて、ゆうこ」

「元気になる、ぜったい、これほんとだぞ」

「だとええね」

「なるんだよバカ、おれが言ってるんだから」

エビスくんは身震いしておしっこを終え、背中からランドセルを降ろしながらぼくの後ろに回ってきた。

「ちょっと待っといて、もうすぐ終わるさかい」

「いいよ、べつに」

「すぐ、すぐやから、な？」

おちんちんを見られまいとして背中を丸めると、エビスくんはぼくのランドセルの蓋《ふた》を開き、なかを覗《のぞ》き込んだ。「なんだよ、全部海に落ちてんじゃねえかよ」とあきれたようにつぶやいて、自分のランドセルから取り出した教科書をぼくのランドセルのなかに入れていった。

背中が重くなる。からっぽのランドセルに、いつもの、けれど妙に懐《なつ》かしい重みが満ちていく。

「残りの教科書も、ぜんぶおれの机ンなかにあるから」

エビスくんはそう言って、メンコを張るようにランドセルの蓋の先をマグネットの留め金にぶつけた。一発で留まった。吸いつくようにぴったり留まった蓋はもう勝手に開くことはない、はっきりとわかった。

「明日から使えよ」

「そんなん、あかんよ」振り向きたかったが、おしっこがまだ終わらない。「エビスくんかて教科書なかったら困るやん」

「いらねえんだよ、おれは」

「なんで?」

「転校するんだ」

「うそ……」

あわてて振り向いたはずみに、おしっこの最後のしずくが手を濡らした。エビスくんは「きったねえ、バカおまえ、こっち向くなよ」とあとずさって、おかしそうに笑いながら、足元の松ぼっくりを拾って次々にぼくにぶつけてきた。標的は、おちんちんだった。しわくちゃに縮まったおちんちんをパンツにしまいながら、身をよじり腰をかがめて松ぼっくりをかわしているうちに、ぼくも笑いだした。

「あ、おまえ、おれがいなくなるのがそんなに嬉しいのかよ」

「違う違う、エビスくん、やっぱり神さまやったんやなあ、て。な？　神さまやさかい、用がすんだら空に帰るんやろ。違う？　ピンポーンやろ？」

「バーカ」

「アーホやねん、ぼく」

「おまえ、ほんと、わけわかんねえ奴《やつ》だよな。なに笑ってんだよバカ」

簡単やんか。めちゃくちゃ悲しいから、笑うとんねや。

答えるかわりに、足元の松ぼっくりをひとつ拾って、エビスくんにぶつけ返した。エビスくんはよけなかった。半ズボンの真ん中、おちんちんのあたりに当たった。

エビスくんは野球の審判の真似《まね》をして、「ストラーイク！」と言った。

ぼくたちは約束した。バイパスを歩きながら、教室に帰ったら引っ越す先の住所を教えてくれるよう、何度も何度も念を押した。指きりをしようとぼくが小指を差し出したら、エビスくんはむすっとした顔で「ガキみたいなことやらせるなよ」と言って、小指の先を狙《ねら》って唾《つば》を吐きつけた。それでいい。ぼくは一人で、指きりを成立させた。

「ほんまに教えてよ、忘れんといてよ。ぼく、ぜったいに手紙書くさかいな」

「わかってるって言ってるだろ、しつこいんだよてめえ」

「嘘《うそ》ついたら針千本、な」

「早く歩けよ。給食終わっちゃうだろ」

「あと、駅まで見送りに行くさかい、ええやろ？」

「うるせえなあ」

「ぼくのこと、忘れんといて。親友なんやからね、約束やで、これも」

エビスくんは面倒臭そうに小刻みにうなずいて、何度めかに顔を上げたとき、まなざしを遠くへ投げ出したまま、「どうせ一生会わねえよ」と言った。

ぼくは少し考えてから、答えた。

「一生忘れんよ、ぼくは」

大型トレーラーが数台連なって、ぼくたちを追い越していった。ぼくの声が聞こえなかったのか、聞こえないふりだったのか、エビスくんの返事はなかった。繰り返そうかと思ったが、やめた。自分の口にした言葉が急に気恥ずかしくなったせいだ。

　昼休みの教室には、女子しかいなかった。机を隅にどかしてつくったスペースに、模造紙を貼《は》り合わせた運動会の応援旗を広げ、手分けして絵の下描きをしたり色をつけたりしている。黒板に、浜ちゃんの下手くそな字で〈男はグラウンド！〉という殴り書きがあった。その横に、小さくキーやんの字で〈ひろしも〉。さらにその横に、これは菊ちゃんの字だ、〈我も〉。

　ドアのそばにいた鳥山さんが最初にぼくたちに気づき、「智ちゃん智ちゃん！　相原くん帰ってきはったよ！」と吉田さんを手招いた。

　エビスくんはぼくの肩を後ろから押して、「おれ、しょんべんしてくる」とまた廊下に出た。

「さっきしたやん」とあわてて言うと、「うるせえな、おれの勝手だろ」ともう一度肩を小突くように押して、そのままトイレに走っていく。あとを追おうとしたら、その前に吉田さんたちが駆け寄ってきた。昇降口でぼくを取り囲んだ女の子が全員。吉田さんも鳥山さんも近藤さんも渡辺さんも、みんなすまなさそうにぼくを見ていた。

　朝と同じように、吉田さんが話を切り出した。

「ごめんね、相原くん。うちら考えなしのこと言うてもうて……堪忍《かんにん》して」

「浜本くんに叱られたんよ、うちら」と渡辺さんが言い、近藤さんが「おまえらよけいなことするなって、めちゃくちゃ怒らはったん、あのひと」とつづけた。

「浜ちゃんが？」

吉田さんはこっくりとうなずいて、「いま、エビスくんと病院行っとったんやろ？藤田せんせ、給食のときにそない言うてはったけど」と言った。

「せんせが、なんで……」

「せんせはクラスのことはなんでもわかるんやいうて、いばってはったわ。たぶんお母さんから聞かはったん違う？」

さっきから吉田さんの横で、くすくす笑いながら「あんた言い」「あんたが言うてあげたほうがええて」と肘《ひじ》をつつき合っていた渡辺さんと近藤さんが、話を引き取って交互に言った。

「それでな、おかしいんよ。浜本くん、せんせによけいなこと言うて叱られはったんよ」

「うちらに、わいがうまいこと言うたる、て見得切って、朝の会のときにせんせに言うたんよ。相原は風邪ひいて熱があるんで遅刻しますて電話がありました、て」

「せんせも最初は信じてはったんやけど、給食のときに、なに大嘘ついとんねやアホンダラァ、てゲンコ三発」

「痛そうやったわあ、うちらまで背中びくーってなったもんねえ」

「相原くん、いまのこと浜本くんに言うたらあかんよ。また、うちらが叱られるさかい」

二人の話に相槌《あいづち》を打っていた鳥山さんが、ふと思い出したように「気がつくかなあ」と言って、ベランダに向かった。ぼくたちが帰ってきたらすぐに知らせるよう浜ちゃんに頼まれたのだと、渡辺さんが教えてくれた。ぼくたち。ぼくと、エビスくん。あのデブ、ほんまにひろしの親友になったん違うか？　浜ちゃんの言葉を声色を使って再現してくれたのは近藤さん。

鳥山さんは、ベランダからグラウンドに向かって両手を大きく振った。応援旗の絵を描いていた中谷さんが「トンちゃん、これ振ったほうが目立つ思うわ」と真っ赤な色画用紙を持っていく。

「それでね、相原くん」

吉田さんが優しい声で、ぼくの視線をベランダから引き戻す。ぼくはもう吉田さんの胸を見ない。背丈のせいで少し上目使いになってしまうけれど、ちゃんと、吉田さんの顔と向き合った。

「相原くんは気ィ悪うするかもしれんけど、やっぱりうちら千羽鶴《せんばづる》を妹さんにプレゼントしたいんよ。病院に持っていくかどうかは任せるさかい、受け取るだけは受け取ってくれる？」

「おおきに」とぼくは言った。ゆうこ、ごっつ喜ぶ思うわ、ほんまにおおきに、とつづけたかったが、胸がつっかえて言葉にならなかった。神さまは、やっぱり、いる。信じ直した。ぜったいにいる。ほんまや。おまけにな、聞いて驚くなよ、ひょっとしたら神さまはぼくの親友になってくれはったんかもしれんのやで。

「ねえ、相原くん、ほっぺどないしたん」渡辺さんがぼくの左頰を指さした。「なんか、あざでけとるやん。痛ないん？」

エビスくんに殴られたんやろ。みんな、そんな顔でぼくを見ていた。

ぼくはかぶりを振り、ゆっくりと息を吸い込んで、言った。

「神さまに、びんた張られたんや」

きょとんとした顔の吉田さんは、きれいだ。学級会で司会をするときよりも、音楽の時間にピアノを弾くときよりも、いまがいっとうきれいだ。

「こらあ、ひろし！」

グラウンドから浜ちゃんの声が聞こえた。メガホンを使っている。吉田さんが、くすっと笑った。渡辺さんも、近藤さんも、ベランダから鳥山さんも、みんな、笑った。

「はよ下りてこんかい！　騎馬戦の馬が足らんのや！」

それから。

「エビスもはよ来い！　いまから赤組と練習試合やんねや！　わりゃ、秘密兵器やろが！」

吉田さんが「ほら、待ってはるよ」と嬉《うれ》しそうに言い、近藤さんが「エビスくんも連れていかな、浜本くん、怒らはるやろうなあ」といたずらっぽく渡辺さんと顔を見合わせて、「なーっ」とコンビの歌手みたいに同時に首を倒した。

ぼくは廊下に飛び出した。トイレまで突っ走った。エビスくんエビスくんエビスくん、頭のなかで名前を呼びつづけた。同じ馬になれればいい。四人組がつくれなかったら、ぼく一人でエビスくんと組めばいい。ぼくが馬になる。エビスくんを、おんぶする。つぶれてしまうやろか、走りながら笑った。浜ちゃんとエビスくんがおるんや、赤組なんかに負けるわけないやないか。

「エビスくん！　騎馬戦やろうや！」

トイレに駆け込むと同時に叫んだ。

誰もいなかった。

ぼくの声はタイルの壁にはじかれて、いつまでも耳の奥でしびれるように鳴っていた。

6

運動会の翌週、長嶋茂雄は現役を引退した。中日ドラゴンズと戦った最後の試合の日、藤田先生は珍しく有給休暇をとった。試合を観《み》るために東京まで出かけたのだという噂《うわさ》もあったが、実際のところはわからない。

エビスくんにかんする噂も、いくつか流れた。お母さんがこの町で借金を抱え、それを踏み倒して夜逃げしたのだという話もあった。じつはエビスくんのお父さんはやくざでもなんでもなく、夫婦喧嘩《げんか》がこじれて別居していただけなのだと言うひともいた。転校の手続きもとらずに出ていったため、藤田先生はしばらくの間、職員室でぶつくさ言っていたらしい。

エビスくんは約束をたくさん破った。ぼくは親友を見送ることも、親友に手紙を書くこともできなかった。ときどき空を見上げて、針二千本やで、と苦笑いを浮かべるだけだ。

もしも住所を教えてくれていたなら、最初の手紙には浜ちゃんの話を書くつもりだった。

エビスくんが黙って転校していったことを一番怒っていたのは、浜ちゃんだった。

「わしあいつに負けたまんまやないけ！」と運動会が終わってからもしじゅう持ち歩いているメガホンで机をバンバン叩《たた》いて悔しがっていた。あの日ぼくがアッパーカット一発でエビスくんをノックアウトしたことを話しても、浜ちゃんは「アホか」と言うだけでぜんぜん信じてくれなかった。

二通めの手紙には、ゆうこのことを書いたはずだ。

父が話していた阪大《はんだい》病院の偉い先生が、手術を引き受けてくれることになった。検査の結果、手術の成功率は五分五分から三分七分に下がってしまったが、手術をしなければ二十歳《はたち》までに死んでしまう確率はほぼ百パーセントなのだという。新聞の県内版にとりあげられたこともあって、たくさんの手紙やカンパがわが家に送られた。神社のお守りもいくつかあったし、千羽鶴は病室の壁が埋まるぐらい集まった。枕元《まくらもと》の一番いい場所に飾ったのは吉田さんたちが折ってくれた千羽鶴で、「ゆうちゃんのパジャマに縫い込むお守り、どれにしようか」と母に訊《き》かれて、ぼくは迷うことなく戎《えびす》神社のものを選んだ。

手術の話は、三通めになるだろう。

おおきに、とだけ書いただろう。

そして、いま。

「何年ぶりや?」

頭のてっぺんの髪が少し寂しくなった浜ちゃんが訊き、ぼくは黙って掌《てのひら》を開いた。五年ぶりになる。浜ちゃんの結婚式以来だ。

東京での暮らしは十五年を過ぎて、旧盆と正月も、子供ができてからは東京で過ごすことが増えてきた。帰省しても、せいぜい一泊か二泊。幼なじみと会う時間もとれない。

「たまには電話ぐらいしてこいや、おまえもなんぼになっても気が利《き》かんやっちゃのう」

「インド洋に電話して、どないすんねん」

浜ちゃんは、兄貴が漁労長をつとめるマグロ漁船に乗り込み、年の半分は海に出ている。六年前のぼくの結婚式のときには、漁で出席できないかわりに冷凍のホンマグロを一尾まるごと式場に送ってきた。おかげでフランス料理のフルコースに飛び入りでマグロの刺身がついてしまったけれど、美味《うま》かった、ほんとうに。

「それにしても、タイミング良かったよ。こういうついでがないと、同窓会いうてもなかなか東京からは……」

「大学病院が去年新しなったの、知っとるか？」

「バスから見えたし、飛行機からもちょっと見えた。女房と娘に教えたろ思うたけど、ぜんぜん変わってもうて、どこがゆうこの部屋やったか見当もつかんかったわ」

「おうおう、ひろしが女房、やて。偉うなったもんやのお」

浜ちゃんは笑いながらビールのグラスをぼくのグラスにぶつけ、忘れ物を思い出したように「元気やったか？」と言った。

「うん、まあ、ぼちぼちやっとるわ」

「太ったか、少し」

「そうやね」

「肉食うのやめてマグロにせな、コレステロールが溜《た》まってまうど」

ぼくは苦笑いでうなずき、浜ちゃんの肩越しに、菊ちゃんの背中に目をやった。誰彼なしに声をかけては、名刺を配っている。化粧品の通信販売の代理店を経営しているのだと、近況報告のときに話していた。その隣のグループの中心にいるのは、元・クラス委員の小沢。革新系の政党から次の市議選に立候補するらしい。不況で閉鎖された造船所の跡地の再利用をめぐる市長とゼネコン業者の癒着の話を、さっきから何度も繰り返している。

大広間の上座では、藤田先生が赤いカーディガンを羽織って、すっかりおばさんになった元・女子たちに囲まれている。小学校卒業以来初めての同窓会だ。案内状の書き出しは〈厳しかった残暑も終わり、ようやくしのぎやすい時候になりましたが、元・六年三組の皆様におかれましては、ますますご健勝のことと思います。さて、驚いてくださ い。鬼の藤田先生が、なんと還暦です。紅顔の少年少女だった私たちも、信じられないことに三十路《みそじ》半ばに差しかかろうとしています〉だった。

懐《なつ》かしい顔ばかりだ。高校の英語教師になったキーやんがいる。マルは、大阪のラジオ局のディレクターだ。テルちゃん、中西、渡辺さん、近藤さん、鳥山さん……。

一目見ただけでは誰だかわからないぐらい変わってしまったひともいる。会場に着いてすぐ、「相原くん、ひさしぶりやわあ、元気してはったァ？」と声をかけてきた吉田さんに、小学六年生の頃の面影はなかった。背丈はあの頃からほとんど伸びていないのに、横幅は当時の倍近くありそうだった。

吉田さんは、学校の先生にも弁護士にもならず、もちろん歌手や女優にもならなかった。クラス一のしっかり者の名残は、婿《むこ》養子をとったことと、ニュータウンの団地内で無農薬野菜の共同購入をとりまとめていることぐらいだ。それでも、おしゃべりの途中で「ねえねえ、それほんま？」と目を丸く見開き小首をかしげるときには、やっぱり吉田さんは吉田さんだった。

ビールが日本酒やウイスキーに変わった頃、藤田先生がバッグから一冊のノートを取り出した。当時のクラス日誌を家から持ってきてくれたのだ。元・女子たちが歓声をあげて、一ページずつ思い出話をしながらめくっていく。ノートが回ってくるまでには、とうぶんかかりそうだ。

菊ちゃんたちと車座になって話し込んでいた浜ちゃんが、ウイスキーのボトルを手に、ぼくの隣に戻ってきた。あぐらをかいて壁に背中を預け「あかん、酔うてもうた。船と違《ちご》うて足元が揺れんさかい、かえってペースがわからんわ」と言いながら、ウイスキーをストレートであおる。

「菊治に訊いてみたんやけど、けっきょくエビスの住所わからんかったんやて」

ぼくは黙ってうなずき、浜ちゃんが注いでくれたウイスキーを一口なめた。

「楽しみにしとったん違うか、ひろし」

「ちょっとだけな」ウイスキーを、今度は水で割って、もう一口。「でも、どうせ無理やろ思うとったよ」

「もし来とったら、決着つけたるところやったのに。ほんま、幹事も情けないもんやで。あいつ呼ばんで誰呼ぶいうねん」

「ええ歳《とし》こいて、めちゃくちゃ言うとんなあ」

「アホ、海の男はなんぼになっても若いんや。フォーエバー・ヤングゆうやっちゃ」

浜ちゃんはおどけて言って、間をとるように舌を打ち、「エビスかあ……」と天井を見上げてため息交じりにつぶやいた。

「懐かしいね」とぼくは言った。

「そらそうやろ、親友なんやからな、おまえら」

「親友違うよ、ただのいじめっ子や、あいつ」

「偉そうなこと言うてて、またエビスにどつかれても知らんぞ」

肩を軽く小突かれた。大袈裟《おおげさ》に痛がって身をよじり、浜ちゃんに聞かれないように、ごめんないまの嘘《うそ》やで、とエビスくんに小声で詫《わ》びた。

「最近、新聞やらテレビやらで、いじめのニュースがあるやろ。あれ見るたんびに、わい、エビスとおまえのこと思い出すねん。なんて言うんやろな、元祖・いじめ、いうか……昔のいじめはのどかなもんやったのう、いうか……ごっつ懐かしなんねん」

じつを言えば、ぼくもそうだ。いじめられるのをわかっていながら、いじめられっ子がなぜかいじめグループのそばにいた、そんな話を聞くと、痛みともくすぐったさともつかないものが胸の奥をよぎる。弱い男の子は強い男の子が好きなんや、それくらいわからんのかアホ、評論家やワイドショーのレポーターに毒づくこともある。

エビスくんは、いじめのニュースを観て、どんなふうに思うのだろう。ぼくを思い出したりするだろうか。黙って姿を消した罰の針二千本、まだ呑《の》み込んだままだろうか。

「あいつ、ほんまはひろしのこと好きやったんやろうの。ガキのころはそんなん考えもせんかったけど、最近になって、そう思うようになったわ」

「エビスくん、おそらく浜ちゃんのことも好いとったと思うよ」

「なにアホなこと言うてんねや」

浜ちゃんはまんざらでもなさそうに笑い、もっと飲めや、とウイスキーのボトルに顎《あご》をしゃくった。ぼくはかぶりを振って、浜ちゃんのグラスにウイスキーを注ぐ。

「明日の朝早いし、酒のにおいさせとったらまずいやろ」

そう言って、浜ちゃんが「そっか……」とうなずきかけるのを確かめてから、あの頃は口にできる日が来るとは思わなかった言葉を、ゆっくりとした口調で付け加えた。

「花嫁さんの兄貴が二日酔いやなんて、格好つかんさかいな」

浜ちゃんは指でＯＫマークをつくり、あらためて大きくうなずいてくれた。


ようやくクラス日誌が、元・女子から元・男子に回ってきた。子供の頃の役回りというのは、何年たとうと、そう変わるものではない。ノートをめくるのは元・クラス委員の小沢で、その隣に陣取って「おう、ちょっとそこんとこ声出して読めや」だの「はよ次のページめくらんかい」だのと指図するのは浜ちゃん、ぼくは人垣の最後列からつま先立ってノートを覗《のぞ》き込んだ。

九月一日。エビスくんと出会った日。

「そうそう、ひろし、漢字間違えてエビスにどつかれたんやったな」とキーやんが懐かしそうに言うと、話題がノックアウトシーンに至るのを避けたかったのか、浜ちゃんは「よっしゃ、次行け、次」と妙にあわてて小沢に言った。

ページをめくりかけた小沢の手が、ふと止まった。「ちょっと、ひろし、おる？」と後ろを振り向き、ぼくと目が合うと「ここ、ちょっと見て」とノートを差し出してくる。

「どないしたんか、こら、市会議員」と浜ちゃん。

「いや、ひろしがエビスくんの字ィ間違えた言うてたやろ、〈戎〉が戒めの〈戒〉になっとる、て。ほれ、ひろし、ここや、ここ」

「うん……」

「これ、おまえの字と違うんやないか？」

〈戒くんが東京から転校してきました。みんな仲良くしましょう〉

〈戒〉と、たしかに間違えて書いている。

だが、よけいな縦棒一本をよく見たら、線の太さと濃さが違う。ぼくは芯《しん》の先が丸くなった鉛筆で日誌を記していたが、〈戒〉の縦棒一本は、シャープペンシルで書かれていたのだ。

「どういうこっちゃねん」という浜ちゃんのつぶやきに、小沢が推理小説の探偵のような顔と声で答えた。

「エビスが書いたんやろうな。他に書く理由のある者《もん》おらんやろ」

「なんでそないなことすんねや」とキーやんが首をひねり、「あんなに怒っとったんやで、あのデブ」と浜ちゃんがつづける。

「そやから……ようするに、ひろしと連れンなる作戦やったんやないかなあ。自分で書いたんをひろしのせいにして、ひろしに一発かまして、それで強引に連れンなったろう思うたん違う？　なあ、ひろし、そんな気ィせえへんか？」

ぼくはなにも答えなかった。ただ黙って〈戒〉の字をじっと見つめた。親友。エビスくんの声が、細めた目を頬にめり込ませた顔が、太い腕が、びんたの痛みが、おちんちんのまわりの黒い茂みが、高波のように記憶の底をさらっていっぺんに押し寄せてくる。

座がしんと黙りこくってしまったなか、不意に浜ちゃんが笑い出した。「アホやあいつ、ほんまアホや!」と腹を抱え、畳を叩きながら笑う。やがて、それは一人ずつ広がっていき、最後は元・男子全員で大笑いになった。ぼくだって笑った。泣きたくなるぐらいおかしかった。

元・女子が怪訝《けげん》そうにぼくたちを見る。吉田さんがいる。昔とはかなり変わってしまった、けれどやっぱり昔のままの、ぼくの初恋のひとがいた。

トイレにたち、虫の音と潮騒《しおさい》を聞きながら、おしっこをした。月明かりなのか、正面の小窓から見る夜空はぼうっと明るい。明日は朝から快晴だと、天気予報が告げていた。広間ではカラオケが始まったらしく、エコーの効いた藤田先生の歌が聞こえる。舟木一夫の『高校三年生』だ。

おしっこの勢いが弱まりかけると、おちんちんを支えていた指を離し、陰毛を軽くひっぱってみた。おちんちんのまわりに毛が生えてきたのは、小学校の卒業間際《まぎわ》だった。父に連れられて阪大病院にゆうこを見舞いに行ったから、たぶん日曜日だったはずだ。

手術後の経過が順調なので近いうちに一般病棟に戻れるのだと泊まり込みの母に聞いて、前祝いしょうや、と大阪駅の食堂で父にビールを一口だけ飲ませてもらった帰り、列車のトイレのなかで気づいた。最初は糸くずがついているのだと思った。けれど、爪《つめ》でひっかいても取れなかった。つまむほどの長さはなくても、それはたしかに毛だった。おしっこが終わる。身震いしながら、おちんちんをパンツにしまう。東京より夜は冷え込む。吐き出す息が、かすかに白い。

いまごろ、ゆうこはなにをしているだろう。型どおりに三つ指をついて、父と母に挨《あい》拶《さつ》をしたのだろうか。誓ってもいい、母は泣く。父は、照れてしまって早々に床についたかもしれない。

あの日、母がエビスくんに伝えたゆうこの願いごとは、じつは母が考えたのかもしれない。そう思うようになったのは、いつごろだったろう。尋ねてはいない。これからも訊《き》くことはないだろうと思う。あと何年かすれば、ぼくはあの頃の父や母と同じ歳になる。

広間の歌が変わる。浜ちゃんが、矢沢永吉を歌う。ぼくは便器の前にたたずんだまま、夜空を見つめた。

エビスくん。

聞こえるか、なあ、エビスくん。

〈西条秀樹〉のサイン色紙、やっぱりばれてもうたよ。ゆうこが二年遅れの小学四年生やった頃。エベッさんが見舞いに来てくれたんやで言うても、笑われた。

ぼくもな、だいぶ変わったで。もうガンジーなんかやあらへん。ひとのこと怒ったり、恨んだり、出し抜いたり、ときどきしょうがなしに裏切ったりすることもある。

でも、あの頃とおんなじように信じとることも、あんねや。

奇跡は起きる。神さまは、おる。そやろ？　それ教えてくれたん、きみやないか。

エビスくん。

会いたいなあ、ほんま、ごっつ会いたいわ。

どこにおんねや、きみはいま。

ビタースィート・ホーム

1

カンジュセイという言葉が、一瞬、外国語のように聞こえた。小首を傾《かし》げて目を向けると、妻はもう一度同じ言葉を、最初のときよりもさらに悔しそうな口調で繰り返した。

「カンジュセイを育《はぐく》むように、ご家庭でもよろしくお願いします、だって。ひどいと思わない？　ちゃんと本だっていいもの選んで読ませてるし、晩ごはんのときにもいろんなことおしゃべりしてるし、この前も、あの子、ディズニーのビデオを観《み》て涙ぐんだのよ。カンジュセイってそういうことでしょ？」

感受性。やっと意味がつながった。妻の声は、語尾の跳ね上がる角度が急だった。困惑と憤《いきどお》りがそこから伝わってくる。

私は長女の担任教師の姿を思い浮かべた。長女の奈帆《なほ》は小学四年生だ。担任の水原先生は大学を出て数年目の女性教師。六月の父親参観日に一度だけ顔を見た。体は細く小柄だったが、熱のこもった話し方をする人だった。ジャージの上下やノーネクタイで授業をする教師が多いなかで、水原先生だけは毎日スーツを着て教壇に立っているのだと、奈帆に聞いたことがある。クラスの女子で一番背が低いことを気にしている奈帆は、同じように小柄な先生のことが大好きなのだと、いつも私たちに話していた。

「あの先生、こっちが子供のことをなんにも考えてないような言い方するんだもん。失礼だし、非常識だし、だいいち作文や日記ぐらいで、なんでそこまで言われなきゃいけないわけ？」

「そんなにひどいのか、奈帆の日記って」

「まあ、そっけないことはそっけないけど、でも私だったら……」

妻は言いかけた言葉の途中で息を継ぎ、「あなたも読んでみてよ」と腰を浮かせ、私が答える間もなく子供部屋に向かった。呑《の》み込んだ言葉は、聞かなくてもわかっている。私だったらそんなふうにはしない、私だったらこうやっている、私だったら子供たちにこういうふうに接する、私だったらあんな言葉を口には出さない……。

妻は五年前まで外で働いていた。公立高校の国語教師だった。長男の耕平《こうへい》が生まれたのを機に勤めを辞めた。私が、半ば強引に辞めさせたのだ。

日記帳を手にリビングに戻ってきた妻は、いっそう機嫌が悪くなっていた。耕平が、また親指をしゃぶって眠っていたらしい。幼稚園の入園前から口うるさく言っているのに、年長組になってもなかなか直らない。

「いろいろ親に心配かけさせてくれるわ、ウチの子は」

妻はため息交じりにソファーに座り、奈帆の日記帳をテーブルに放るように置いた。

日記帳と言っても、市販のノートではない。ページの上半分にその日の時間割と授業の内容を記すスペースがあり、下半分に日記を書くようになっている、水原先生がワープロでデザインしてコピーをとった手づくりのファイルだ。表紙には〈4年2組で過ごした日々――2学期〉のワープロ文字と、これも水原先生が描いた、ひなたぼっこをしている猫の親子のイラスト。一学期のファイルは、空を飛ぶ鳩《はと》のイラストだった。

「あいかわらず凝ってるよな」

素直に感心する。水原先生はファイルをつくるだけでなく、子供たちに毎日それを提出させて、昼休みに読んで短い感想を記している。三年生までの担任教師はそんなことは一度もしなかったし、同じ四年生でも日記を書かせるのはこのクラスだけなのだという。

「べつにこっちがお願いしたわけじゃないんだけどね」

妻は平べったい声で言って、また、ため息をついた。

日記の一番新しい日付は昨日、十月十三日のものだった。

〈晴れ。月曜日。太田くんと和田堀さんがカゼで欠席しました。給食はハッポウサイとリンゴとセロリのサラダと野さいロールとパンとマーガリンと牛乳でした。昼休みにミニバスケをしました。私のチームは土井さんと田中（智子）さんと安藤さんで、相手のチームは高田さんと長池さんと高橋さんと宮本さんで、24対18で負けました。家に帰るとテレビを見てから宿題をしました。プレイステーションで少し遊んで、ごはんを食べて、おふろに入って、ねました〉

数日分さかのぼってみても似たようなものだった。日記用のスペースはすべて文字で埋まっていたが、書いてあるのは給食のメニューと昼休みの遊びと帰宅後の過ごし方だけだ。「なるほどなあ」とファイルから顔を上げると、それを待っていたように妻が言った。

「ほんとうはいけないんだけど、あの子、朝学校に行ってから教室で書いてるのよ。だから今日のぶんはまだ書いてないでしょ」

「わかるよ」私はうなずいた。「ねました、なんて書いちゃうところが子供だよな」

「先生の感想、読んだ？」

「だいたいな」

奈帆の日記と同じように、欄外に赤ペンで書かれた水原先生の感想も毎日変わりばえのしないものだった。

〈田村さんがどんなふうに思ったかを書きましょう〉〈給食はおいしかったの？　おい

しくなかったの？〉〈ミニバスケが好きなのね。勝ったらうれしいし、負ければくやしいよね。その気持ちを書いてみてください〉〈自分の気持ちを書かないと日記にならないよ〉

痺《しび》れを切らせて妻に電話を入れた先生の気持ちもわかるし、腹を立てる妻の気持ちも、もちろん、わかる。

「一学期もこんな感じだったっけ？」

「ううん。二学期も、最初の頃はよかったのよ。今月に入ってから急に日記が嫌だ嫌だって言い出して……ほら、あの先生、日記は毎日書かないとだめだっていう人でしょ？　だからこっちも、とにかくなんでもいいから書きなさいって、そうしたら、こんな日記になっちゃったのよ」

「なにかあったのかな」

「先生は、学校では特に変わった様子はないって言ってたけど」

「反抗期」と私は言った。だが、クロスワードパズルで言うなら、音の数は枡目《ますめ》どおりでも交差する他の言葉と組み合わなかった。

「私やあなたにはふつうどおりでしょ？　違う？　お手伝いだってちゃんとするし、耕平の世話もしてくれるし、三つ編みだって自分でできるようになったし、いい子じゃない。だいたい、日記に感想をぜったいに書かなくちゃいけないなんてルールはないんだもん。私、奈帆の日記よく書けてると思うわよ。もっと下手な日記を書いてる子もたくさんいるって。まだ四年生なんだもん、毎日休まずに日記をつけるだけでも偉いと思わない？　そういうこと全然わかってないの、あの先生。よくこれで教師やってるわよ」

妻は一息に言って、不意に「だからね」と声をひそめ、私を見るまなざしに力を込めた。

「私、言ったでしょ。ああいう先生って一見教育熱心で良さそうに思えるんだけど、じつは一番タチが悪いのよ。今日だって、結局、私に嫌みを言いたかっただけなんだと思うわ」

私は苦笑いでやり過ごした。わかったわかったとうなずき、またその話かよ、そんなふうに付け加えてもいい。

水原先生への不満は、一学期の頃から何度も聞かされている。妻の言いぶんは正直なところ厳しすぎたり悪いほうへ穿《うが》ちすぎだったりすることも少なくないのだが、私が反論したり首を傾げたりすると、妻はよけい不機嫌になってしまう。

いつもなら、もうしばらく妻の愚痴に付き合い、いらだちが多少なりとも収まった頃合いを見て「よくわかったから、もう寝ようぜ」と声をかける。私たちは大学のテニスサークルの同期生で、卒業した年に結婚した。お互いに三十四歳になった今年で結婚生活は十二年を数え、そのあたりの呼吸はつかんでいるつもりだ。

だが、今夜は、ひどく疲れている。十月に入ってから厄介な仕事ばかりが立て込み、子供たちともずっと夕食を共にしていない。家に帰ってまで、堂々巡りにしかならない話でわずらわされたくはない。

「なあ……」努めて冷静に、なだめるように言った。「そういうこと奈帆の前では言わないほうがいいぞ。困っちゃうだろ、お母さんと先生が仲悪いと」

妻は低い声で「わかってる」と言った。

「先生だって、奈帆のこと心配して電話してくれたんだから。あんまり悪いほうに考えるなよ」

妻は、今度は黙ってうなずいた。納得したのではなく、この人はこういうことしか言えないんだとあきらめたような仕草だった。

妻は仕事を辞めてから、急に神経質になった。ささいなことで怒り出したり、ひとつのことをいつまでも思い悩んだりするようになった。本人もそれをわかっているのだろう、ときどき「ふつうは年を取ると人間が丸くなるんだけど、私は逆だよね」と自嘲《じちよう》するように言うこともある。

働いていた頃の妻は、仕事はともかく家庭では、こっちが心配になるぐらい楽天的で、厳しく言うならかなりルーズだった。掃除と食器の後片付けが嫌いで、夕食の献立を考えるのが苦手で、奈帆の保育園の送り迎えで鍛えた自転車乗りのテクニックはかなりのものだったけれど、ゴミの分別が大ざっぱなせいでマンションの管理人に何度も文句を言われた。

「だいじょうぶよ」というのが、その頃の妻の口癖だった。つづく言葉は、「なんとかなるって」。そう言って、いつも、疲れてはいるけれど屈託のない笑みを浮かべるのだった。

実際、回収日に出し忘れた生ゴミのにおいなど慣れてしまえばたいしたことはないし、回覧板を隣に回すのが一日や二日遅れたって困る人はそういないし、紙おむつは確かに便利だし、カロリー表示されたコンビニエンスストアの総菜のほうがへたな手料理より健康にいいことだってじゅうぶんにあり得る。共働きの夫婦に幼い子供一人の家庭では、「なんとかなる」の許容範囲はいくらでも広がっていくものなのだ。

だが、いまの妻は、めったに「だいじょうぶよ」とは言わない。「なんとかなるって」が「なんとかするわ」に代わってから、もうずいぶんたつ。

部屋はきちんと整理整頓《せいとん》され、以前は会釈《えしやく》を交わすだけだった隣近所とも付き合うようになり、産地直送の無農薬野菜の共同購入も始めた。夕食のおかずの皿が増えたし、耕平の通う幼稚園のスクールバスはマンションの玄関まで迎えに来てくれる。

「遅ればせながら」妻はときどき笑いながら言う。「やっと、ふつうの家庭らしくなったと思わない？」

ちくり、とトゲが刺さる。痛みというより音が、耳に響く。

ふつうの家庭。その言葉を最初に遣ったのは私だ。六年前、妻が二人目の子供を妊娠していることがわかったとき、長い話し合いの末に言った。一般論で私自身の喉《のど》と舌を何重にもガードして、言葉のトゲを妻の側に向けて。

間違っていたとは思わない。あの時点が限界だった。

妻は、毎年三学期になると奈帆を静岡県にある自分の実家に預け、朝五時頃に家を出て出席日数ぎりぎりの生徒を迎えに行っていた。

職員会議が長引きそうな日には「悪いけど奈帆のことお願い」と出掛けに妻に言われ、私はその日の残業や付き合いの予定をすべてキャンセルし、ときには会社を早退までして保育園に奈帆を引き取りに行き、帰りにコンビニエンスストアで弁当を買った。

奈帆が保育園に通っているうちは、まだいい。だが小学校に入ったら実家に預けるわけにはいかないし、学校だって低学年のうちは午後三時前には終わってしまう。それに加えて、二人目の子供が生まれるのだ。

いつまでもこんな暮らしはつづけられない。

「だいじょうぶよ、今度は私の学校の近所の保育園を探すから」

私も妻も、二十代の頃のような体力はなくなっているはずだ。

「子供がちっちゃいときだけよ、そこを乗り切れば楽になるから」

私もあと数年のうちには係長に昇進する。給料はさほど変わらないが、責任と仕事量は確実に増える。

「奈帆だってしっかりしてるんだから、留守番ぐらいできるわよ」

小学一年生の子供が、外が暗くなるまでひとりぼっちで部屋にいる姿など、想像したくもない。

「大変かもしれないけど、なんとかなるって」

ならない。

話しているうちに気づいた。奈帆が生まれ、一年間の育児休業を終えて妻が仕事に復帰してからの三年間、私たちは「なんとかなる」に甘えすぎていた。「なんとかなる」というのは嘘《うそ》だ、無数の我慢や軋轢《あつれき》や不自由さやストレスに見て見ぬふりをしてきただけだ、と思った。

奈帆が風邪をひくのを恐れることなく、仕事をしたい。手帳には仕事の予定だけを書き入れたい。妻の学校や奈帆の保育園の行事予定を年度初めに記し、その隙間《すきま》を縫うようにスケジュールを組むのは、もうごめんだ。上司や同僚や得意先に負い目を感じたくない。私は家族も好きだが、仕事も好きだ。自分の能力のすべてを仕事に注いでみたい。

そして、妻には、仕事に費やしていた時間と労力をすべて、奈帆や生まれてくる子供に向けてほしい。子供を育てることには、それだけの価値と重みがあるはずだ。生活は心配要らない。世間からは一流と呼ばれる企業だ。扶養家族三人、十分に背負っていける。背負わせてほしい。その代わり、よぶんなものを背中から降ろさせてほしい。ふつうの家庭になりたい。学校から帰ってくる子供を母親が「お帰り」と迎え、出勤する夫を「行ってらっしゃい」と妻が見送る、そんなふつうの家庭で子供たちを育てたい。

長い話し合いの後に、もっと長い沈黙を挟んで、「なんとかするわ」と妻は低い声で言った。思えば、それが妻が口にした初めての「なんとかするわ」だった。

妻は妊娠八カ月に入るまで仕事をつづけ、クラスの生徒から花束を貰《もら》って退職した。専業主婦になった初日に押し入れ用の収納ボックスを通信販売で注文して、大きなおなかを持て余しながらキッチンの床を隅々まで掃除した。奈帆は保育園から近所の幼稚園に移り、私は一日交替だった朝食の後片付けから解放された。

そんなふうにして、わが家はふつうの三人家族になり、やがて耕平が生まれて、ふつうの四人家族になった。

2

　十月の半ばを過ぎても、奈帆は感想のない日記を書きつづけた。水原先生は赤ペンで〈田村さんの思ってることや考えたこと、教えてほしいなあ〉とうながし、〈奈帆ちゃん、アニメが好きだよね。最近一番おもしろかったアニメってなに？　どんなふうにおもしろかったか書いてみて〉と誘うのだが、まったくそれに応《こた》えない。

　不安がなかった、と言えば嘘になる。私は妻を職場から家庭に引き戻したが、父親としての責任まで放棄したわけではない。

　しかし、奈帆ももう十歳だ。妻がいつかこっそり教えてくれた。小柄な奈帆にはとうぶん無縁の話だろうが、同級生にはすでに初潮を迎えた子も少なくない。難しい年頃にさしかかっている。父親にとってはなおさらだ。

「任せるよ」と私は妻に言った。

「自分の書きたいことを書きたいように書くのが日記だからね。ほんとうは先生の感想だって要らないのよ」

　妻は考えを確かめるような口調で答え、「それに」とつづけた。「私たちが日記を読んでるって知ったら、あの子、怒るわよ」

「でも、ずっとこのままだったら、また先生から電話がかかってくるんじゃないか?」

「かまわないわよ。私は、奈帆の日記はおかしくないと思うもん。無理やり型にはめちゃうほうがよくないわよ、ぜったい。あの人、なんにもわかってないのに、自分が一番正しいつもりなんだから……」

言葉はそこで途切れ、妻は激しくかぶりを振った。いらだちと悔しさが入り交じったまなざしで私を見つめ、目が合うと、さらにいらだちが増したように顔をそむける。

「まいっちゃう、もう、なんでこんなに腹が立つんだろう、嫌になっちゃうなあ。あの先生、私、だめ。来年もあの先生が担任だったらどうしよう。腹が立つのよ、やることなすこと嫌いなの。なんでだろう」

私には、理由がわかるような気がする。妻自身もほんとうはわかっているだろう、とも。

似てるんだよ、水原先生とおまえは。そんなふうに答えたら、妻は怒り出すだろうか、それとも泣き出すだろうか。

細かいところがどこまで共通しているかは知らない。けれど、きっと二人は似ている。教師時代の妻だって、工業高校の生徒に夏目漱石《そうせき》を読ませて感想文を書かせ、ちっとも真面目《まじめ》に書いてくれないとぼやいていた。やたらと体罰をふるう体育教師と職員会議で渡り合い、こてんぱんに論破してやったのだと私に自慢したこともあった。生徒の親にこまめに電話を入れ、親からの愚痴めいた電話に何時間も付き合っていた。もしも当時の教え子や親に妻のことを尋ねたら、「教育熱心な先生でしたよ」という答えがあちこちから返ってくるだろう。

妻は感情の高ぶりを抑えるように大きく息を継ぎ、数をかぞえるように指を立てていった。人差し指から始まって小指まで順に、最後に親指。

「欲求不満が溜《た》まってるのかなあ……」

吐き出す息に紛らせるように、つぶやく。立てた指が五本。五年。仕事を辞めてからの日々を、妻はまた握り込んで、「奈帆のことはもうしばらく様子見て、あんまりつづくようだったら、なんとかするわ」と気を取り直すように笑った。

「任せるよ」と私が言い、「なんとかするわ」と妻が言う。話はいつもそれで終わる。きれいな役割分担だ。私たちはお互いの領分を侵さない。

ときどき、私はバルコニーに出て缶ビールを飲む。手すりに背中を預け、妻のいるリビングルームを眺めながら、わが家のすべてに妻の気配が満ちているのを確かめる。壁にかかる絵も、カレンダーの図柄も、テーブルクロスも、すべて妻が選ぶ。子供たちのいない昼間、妻が一人で重いソファーやサイドボードを動かして、部屋の模様替えをすることだってある。私はもう、ティッシュペーパーのストックがどの部屋の物入れに収められているか知らない。

私はビールを啜《すす》り、体の向きを変え、都心の超高層ビル群にまなざしを投げ出す。私の領分は、わが家の外にある。私は外で働き、外から家族を包み込む、そんな父親であり夫でありたいと思う。

バルコニーで飲むビールは、ほのかに甘い。窓ガラス越しに見るわが家は、両手をいっぱいに広げればすべて抱き寄せられそうな気がする。私は、きっといま、幸せなのだろう。それを嚙《か》み締めるためにバルコニーでビールを飲む。ときどき、妻にそそのかされた耕平に窓の鍵《かぎ》を掛けられてしまい、窓ガラス越しに奈帆にあっかんべえをぶつけられることもあるけれど。


十月二十三日、木曜日の夜、いつものように十一時過ぎに帰宅すると、妻はリビングのソファーに座り、テーブルの上のファイルをじっと見つめていた。風呂《ふろ》上がりのタオルを首にかけたまま、髪はまだ濡《ぬ》れている。私が部屋に入っても顔を動かさず、「ただいま」と声をかけても返事はなかった。

「日記……俺も見ていいか」

どうぞ、と妻は口を動かした。けれど声にはならない。目が赤く泣き腫《は》れている。私は妻の斜向《はすむ》かいに座った。「風邪ひくぞ」とネクタイをゆるめながら顎《あご》をしゃくると、わかってる、これも口の動きだけで応えた。

私はファイルを手元に引き寄せて、膝《ひざ》の上に広げた。妻はようやく洗面所へ向かう。「髪乾かしたら、悪いけど、そのまま寝ちゃうね」と細い声で言った。「すぐ読むから」という私の返事は、ドアを閉める音に紛れて届かなかったかもしれない。

奈帆の日記は、いつもどおり天気で始まっていた。

〈くもりのち晴れ。水曜日。給食はカレーライスとゴボウサラダと中かスープとあま夏とプリンと牛乳でした。カレーをおかわりしました。学校から帰ってから、宮本さんのうちに、土井さんといっしょに遊びに行きました。宮本さんは、おかあさんがし事をしているので、だいどころにおやつがおいてあったので、3人で分けっこしました。土井さんが、宮ちゃんはいつでもテレビを見れていいなあ、と言いました。5時になったので家に帰って宿だいをしていると、弟がじゃまをするのでおかあさんにおこってもらいました〉

水原先生は、〈見れて〉の〈見〉と〈れ〉の間に赤ペンで〈ら〉を入れていた。最後の〈おこって〉も〈注意して〉に直されている。

アンダーラインを引いた箇所もあった。全部で二本。一本目は〈おかあさんがし事をしている〉のところだった。矢印で結ばれた欄外の感想には、〈えらいね。宮本さんって、学校でもしっかりしてるものね〉。二本目は、土井さんの言葉の下に引いてある。

先生の感想は、〈田村さんの意見はどうなの？　おかあさんが学校の先生だった頃のほうがよかった？　いまのほうがいい？　そういうところ、書かなきゃ！〉。

子供部屋に入り、ファイルを奈帆のランドセルにしまい、子供たちの布団《ふとん》を掛け直してやった。二段ベッドの上段が奈帆で、下段が耕平。奈帆の枕元《まくらもと》には学校の図書館で借りた『にんじん』が置いてあった。私も奈帆と同じか少し上の学年の頃に読んだことがある。うろ覚えのストーリーに、意地悪な先生に主人公がいじめられるシーンがあったような気がして、いや違う、彼は母親と折り合いが悪かったんじゃないか、と苦笑いが浮かんだ。

耕平はまた親指をしゃぶって眠っていた。指を口からそっとはずしてやると、いかにも大切なものを奪われてしまったみたいに寝顔が寂しげになる。男の子にしては気の弱いところがあり、幼稚園でも友達は多くない。母親がいつもそばにいて育ったせいなのかどうかは、知らない。

寝室に入ると、妻はドレッサーの鏡に向かって、生乾きの髪にカーラーをつけていた。背広を脱ぎながら「読んだよ」と声をかけると、「まいっちゃうよね」と鏡の中の私に苦笑いを返す。

「だいじょうぶだよ」

「なにが？」

「もし奈帆に訊《き》いても、いまのほうがいいって言うさ。保育園の頃はすごく寂しがってただろ、ほら、おまえが学校から帰ってくるとベターッてくっついて離れなかったりしたし……。いまはいつでもおまえがいるんだから、ぜったいに喜んでるって」

私はベッドの縁に腰を下ろし、妻はドレッサーの前から動かない。互いに背中を向け合う格好になる。そのほうが話しやすい。

「わかんないわよ」妻は言った。「母親が帰りを待ちかまえてるのって、意外とうっとうしいんじゃない？　私だって中学生ぐらいの頃はそうだったもん。あなたもそうじゃなかった？」

「まだ四年生だから、そんなの思わないって」

「でも、すぐに中学生になるわよ」

「耕平だって小さいんだから」

「すぐに大きくなる」

少し間をおいて、私は言った。

「負い目を感じることなんかないからな。俺たちは、奈帆や耕平にとって一番いい道を探して、考えて、話し合って、決めたんだから」

「負い目？　なに？　それ」と妻は短く笑った。

「水原先生に言われる筋合いはない。そうだろ？　これは家庭の問題で、学校とはなんの関係もないんだから」

　妻は黙っていた。その代わり、カーラーがフローリングの床に落ちる音が聞こえた。追いかけて、かがみ込んでカーラーを拾う気配と、ため息がつづく。

「いま思ったんだけど」妻が振り向く。「私が仕事を辞めて家にいるようになって、あなたはぜったいに喜んでるよね？」

　私は体の向きを変えずに「子供のためにな」と言った。「俺は、間違ってないと思う」

「私も、そう」

　妻は立ち上がり、ベッドに入った。「お風呂、出るときにお湯を抜いといてね」と言って布団に潜り込む。

　もうなにを話しかけても返事はないだろうと思って部屋を出かけたとき、背中に低い声が聞こえた。

「今度先生があんなこと書いたら、抗議するわ」

「今度書いたら、な」と私は言って、ドアを閉めた。


　金曜日の帰宅も遅くなった。書類をひとつ持ち帰って週末に片付けることにしたが、それでも家に帰り着いたのは午後十一時過ぎだった。いまでも保育園の送り迎えがあったらと思うと、正直ぞっとする。

玄関を入ると、すぐに子供部屋のドアが開き、とっくに寝ているはずの奈帆が困惑顔で私を手招いた。

「どうした？　早く寝ろよ」と言うと唇の前に人差し指を立てて、とにかく早くこっちに来て、と腕ごと振ってくる。

奈帆に手を引かれるようにして、明かりを学習机のスタンドだけにした子供部屋に入った。耕平はぐっすり眠っている。横向きにした体に布団を巻きつけて、やはり親指を口にくわえていた。

「お母さん、いまお風呂に入ってるから」

壁越しにドライヤーの音が聞こえる。洗面所は子供部屋と隣り合っている。妻はいつも、濡れた髪を最初はドライヤーの〈強〉で乾かし、水気が飛んだら〈弱〉で仕上げる。音は、すでに〈弱〉になっていた。

「あたし、上からしゃべってるね。お父さん、椅子《いす》に座っててよ」

奈帆は梯子《はしご》を伝ってベッドの上段にのぼる。薄暗さのせいか長い髪を編まずに肩まで垂らしているせいか、起きているときに顔を見るのがひさしぶりのせいか、急に大人びたように見える。

言われたとおり椅子に座ると、奈帆は紙風船がしぼむようなため息をつき、それに乗せるように言った。

「あのね……お母さん、先生と今日ケンカしちゃったの」

背中をひやっとしたものが滑り落ちた。

私はベッドに近づき、「どうしたんだ？」と声をひそめて訊いた。

「学校に電話かけて、すごく怒ってたの、お母さん」

「なんで？」

奈帆はさほどためらう様子もなく「あたしの日記のこと」と答え、「今日ね、先生に怒られちゃったんだよね」と笑った。照れ臭そうな笑顔だったが、落ち込んでいる感じはない。幼い頃から、私や妻に叱《しか》られても、けろっとしたところのある子供だった。

「とにかくそういうことだから、おやすみなさい」

「おい、奈帆、ちょっと待てよ……」

「あたし、もう寝てるから。明日は学校休みの土曜日だから、勘違いして起こさないでよって、お母さんに言っといて」

奈帆が寝転んで掛け布団を頭からかぶったとき、ドライヤーの音が止まった。

妻は日付が変わる頃まで一人でしゃべりつづけた。感情の高ぶりが波のように繰り返し押し寄せ、そのたびに目に涙を浮かべて「ああ、もう腹立つなあ！」とソファーの背当てのクッションを床に投げつける。

奈帆が、学校から一冊の本を持ち帰った。子供向けに書き直された『アンネの日記』だった。昼休みに水原先生に職員室に呼び出されて、「これを読んで、ほんとうの日記とはどういうものかを考えてみなさい」と手渡されたのだという。

だが、奈帆は、『アンネの日記』はすでに三年生の夏休みに読んでいた。中学生向きの本だった。「少し早いかもしれないけど、あの子、本が好きだからだいじょうぶよ」と妻が買ってきたのだ。特別なことではなかった。読ませたい本や聴かせたい音楽は過不足なく与えてきた。私も妻も、奈帆のためによかれと思うことはきちんとやってきたつもりだ。いつかの妻の言葉ではないが、先生に横から口出しされたくはない。

奈帆も本の表紙を見るなり、「この本、もう読んでます」と先生に言った。ところが先生はそれを嘘《うそ》だと決めつけ、本の内容について根掘り葉掘り訊いてきた。『アンネの日記』をちゃんと読んでいればあんな感想のない日記など書かないはずだし、ほんとうに読んでいるのなら質問に答えられるはずだ、と。

一年以上も前に読んだ本だ。突然訊かれても、すぐに記憶が蘇《よみがえ》るわけがない。しかも、職員室には他の先生もいる。皆、なにが起きたのかと二人を見つめている。「さらし者にしたのよ、奈帆のことを」と妻は怖気《おぞけ》をふるうように言い、私もそのときの光景と奈帆の気持ちを想像して顔をゆがめた。

先生は、奈帆がどんなに言っても信用してくれなかった。私たちの娘は、嘘つきの濡れ衣《ぎぬ》を着せられてしまったのだ。

帰宅した奈帆からいきさつを知らされた妻は、すぐさま先生に電話で抗議した。

「最初は、まあ、一言だけ言えばいいと思ってたんだけど、私に逆らう子供は許さないっていう感じでしゃべるんだもん、あの先生。人質をとってるような言い方なの。わかる？　脅迫してるようなものよ。あなたのやってることは教師の自己満足に過ぎない、って十回ぐらい言ってやったわ。こっちもダテに高校で教えてたわけじゃないんだから、おたくさまの手の内ぐらい透けて見えるんですから、って。それね、言葉の勢いで言ったわけじゃないのよ。わかるの。日記とか作文とかを子供にたくさん書かせるのが好きな先生って、みんなそうなの。生徒がなにをやってどんなことを考えてるかを全部自分が知らなきゃ気がすまないわけ。思想調査と同じよ。だってそう思わない？　子供の素直な心を伸び伸び表現させるとか、いまは大変でもこうやって日記をつけておけば大人になって読み返すことができるとか、そんなの嘘よ、ぜったいに嘘。ほんとうにそう思ってるんだったら書かせるだけでいいじゃない。毎日毎日、先生に見せる必要なんて、どこにあるの？　違う？　私にはわかるのよ。ああやって、あの人、奈帆たちのことを見張ってるのよ。生徒を監視したくてたまらないの、ああいう教師はみんな。だからね、私、はっきり言ったわよ。日記の検閲みたいなことはもうやめてもらえませんか、って。あとね、まだね、たくさん言ったのよ、あのね……」

私は間遠な相槌《あいづち》を打つだけで、妻に同意も反論もしなかった。驚きや戸惑いよりも、やっぱりここまで来たんだな、という思いのほうが強い。どうせいつかはこうなっていたんだろう、そっとため息をついて認める。

ひとしきりしゃべってようやく落ち着きを取り戻した妻は、決まり悪そうな苦笑いを浮かべ、「怒られるかと思った」と言った。

「怒らないよ」と私は言った。

「ひょっとしたら奈帆が嫌な思いしちゃうかもしれないけど、私、間違ってないと思うから」

「わかってる」

これは妻の領分だ。

「あっさりしてるね」と妻が笑う。

私たちは、もう何年も、長い話し合いをしていない。

3

妻がなにごとか話しかけてくるのを朝寝の夢うつつで聞き、どう応《こた》えたのかもわからないまま再び寝入ってしまい、目を覚ましたときにはすでに午前十時近かった。

パジャマのままリビングに入ると、奈帆と耕平がテレビを観《み》ていた。ダイニングテーブルには、コンビニエンスストアのサンドイッチが置いてある。

「お母さんは？」

「夕方に帰ってくるって」奈帆はテレビを観たまま答え、「お父さんのパン、残してあるから」と言った。

「どこに行ったんだ？」

「みっちゃんち。西村さんって、同級生。みっちゃんのお母さんに用事があるんだって。昨日のケンカのことなんじゃない？」

軽い口調だった。視線はあいかわらずテレビに向いている。NHK教育の幼児番組だった。画面ではキノコを模したヌイグルミが音楽に合わせて飛んだり跳ねたりしている。

私は黙ってテーブルについた。サンドイッチを手にとって包装を解《と》きかけたが、やめた。目覚めたときは空腹で胃が軋《きし》むほどだったのに、いまは別の種類の痛みがみぞおちに貼《は》りついている。

テレビに夢中になって「おはよう」も言わない耕平は、さっきから手を口にあてたままだ。顎《あご》が小刻みに動いている。注意するタイミングを窺《うかが》っていたら、奈帆が「耕ちゃん、爪嚙《つめか》んでる」と半ズボンから伸びた足を平手で叩《たた》いて叱った。耕平はきょとんとした顔で奈帆を見て、それからあわてて手を口から離した。

十時になって番組が理科の実験教室に変わると、奈帆はやっと私を振り向いて「ねえ、どっか遊びに連れてってよ」と言った。「一時に友達と遊びに行くから、それまで暇なの」

耕平も「ゆーえんち！」と声を弾ませた。ふだんはおっとりしているくせに、こういうときには耳ざとい。

頭の中で、会社から持ち帰った仕事の内容を巡らせた。家にある古い機種のノートパソコンでは、どんなに急いでも三、四時間はかかるだろう。週末のうちにけりをつけておかないと、月曜日の仕事にさしつかえる。明日の日曜日に出社して、会社のパソコンを使って一気に仕上げるか。それなら今日がんばったほうがいいか。夕方までにEメールで先方に送っておけば、月曜日の仕事がさらに楽になる。残業なしで帰ることだってできそうだ。いや、月曜日の夜を空けられるなら、こっちの都合で延び延びになっていた打ち合わせを急遽《きゅうきょ》セッティングしてもいい……。

耕平が私を見ている。遠慮がちに、それでも期待を隠し切れずに。漫画家ならその顔に「わくわく」という描き文字を添えるだろうか、「どきどき」のほうが似合うだろうか。

「わかったよ」今日は休日だぞ、とあたりまえのことを自分に言い聞かせた。「そんな遠くには行けないけど、ちょっと散歩しようか」

耕平は近場のお出かけに少し不満そうだったが、奈帆は、自分から言い出しておいて、意外そうに「出かけるの？」と訊く。

「ああ、だって家にいるの退屈なんだろ」

「べつに、そんなこともないんだけど……ま、いいや」

「なんだよ、それ」

「でも、チョーひさしぶりって感じ」

「なにが？」

「お母さんがいなくて、お父さんと外に出かけるのって」

それが嬉《うれ》しいのか嫌なのか、自分でもよくわかっていないような口調だった。

私も、子供たちとのひさしぶりの外出が億劫《おっくう》なのか楽しみなのかよくわからないまま、顔を洗い服を着替えた。

マンションから十五分ほど歩いて、ボート池のある公園に出かけた。「乗ってみるか？」とボート乗り場の前で誘ったが、子供たちは二人ともかぶりを振った。

池に沿った遊歩道をしばらく進むと、ブランコやジャングルジムのある一角に出る。耕平は最初からそれがお目当てだったようで、ブランコが空いているのを見るなり、歓声をあげて一目散に走りだした。奈帆は「立ち乗りしたら危ないよ」と耕平の背中に一声かけて、近くのベンチに座る。二人掛けのベンチの真ん中あたり。意識してその位置を選んだのかもしれないと思い、私はベンチの横に立ったまま、落葉の始まりかけた木立に目をやった。

「お母さん、月曜日に学校に行くかもしれないって。先生が謝るまで許さないって」奈帆はそう言って、公園の入り口の売店で買った動物ビスケットの封を切った。「マジだったよ、今朝もまだ怒ってたもん」

「そうか……」

「あたしは全然気にしてないんだけどね、はっきり言って」

あっけらかんとした口調だったが、逆に屈託がなさすぎて無理をしているような気もする。胸の内を知るには言葉の裏を読まなければならない、もうそんな年齢にさしかかっている。

「『アンネの日記』のことも？」と私は訊《き》いた。

「まあ……むかつくけど、しょーがないんじゃない？」コアラを頭からかじる。「あの本、最初のほうしか、ちゃんと読んでなかったんだよね。お母さんには内緒だけど」

奈帆は鼻歌でも聞こえてきそうな軽い仕草で二つめのコアラを選び取って、今度はお尻《しり》のほうからかじった。私の吐き出す息はすべてため息になってしまい、奈帆は話をそれ以上先に進めようとはせず、さっきよりもさらに軽い仕草でビスケットの箱に指を入れる。重さが釣り合わないいびつな沈黙のなか、耕平の漕《こ》ぐブランコが油の切れた甲高い音を繰り返す。

「お母さんと先生のこと、心配しないでいいからな」

「してないってば」

あっさり返ってきた答えは、同じ息の尻尾《しっぽ》で、「ほんとは『アンネの日記』なんかより、もっとむかついてることあるんだよ」につながった。

「なに？」

「お父さんとお母さん、黙ってあたしの日記読んでるでしょ。知ってるんだよ」

「いや……だって、先生から電話もかかってきたし……」耳の後ろが急に熱くなった。

「いいんだよ、親は読んでもいいんだよ、親なんだから、子供のことわかってないといけないんだから」

「そうだね」

奈帆は、いなすような軽い相槌を打った。「でも、読んだ後はちゃんとランドセルの最初の場所に入れといてって、お母さんに言っといてよ。こっちも考えて入れてるんだから」とつづけ、話はそれで終わった。私は言葉をうまく継げず、奈帆も私の言葉をべつに待っているわけではなさそうだった。

いつからだろう、と私は思う。私はいつから奈帆と話すことがこんなに下手くそになってしまったのだろう。

奈帆は動物ビスケットを箱から指でかき出しては「コアラないかなあ」と首をひねり、指先をこすり合わせて塩気を落とし、また箱に指をつっこむ。何度かそれを繰り返したが、結局コアラは見つからなかった。

「コアラが三つ入ってるのに当たるといいことあるんだけどね」

奈帆は箱をポシェットにしまい、「でも四つだと交通事故で死んじゃうんだって」と付け加えた。私は首を傾《かし》げて苦笑いを返す。

「ねえ、お父さん、ちょっと話変わっちゃうんだけどさ」

「いいよ、なんでも」

「お母さんって、なんで学校の先生辞めちゃったの？」

子供の話というのは、どうして前置き抜きに核心をついてくるのだろう。

「耕平が生まれたからだよ。奈帆はまだ保育園だったし、お父さんもお母さんも仕事してると、ちゃんと面倒見られないだろ。それで、お母さんが仕事を辞めることにしたんだ」

「じゃあ、お父さんが会社辞めるカノウセイもあったの？」

思いがけない言葉を放られて、耳が「可能性」を受け損ねた。

「いや、それは……そんなのは考えなかった」

「なんで？」

「なんでって、だって、お父さんはお父さんだし、そんな、赤ちゃんの世話なんてできるわけないだろ」

「あたしが赤ちゃんの頃、ミルクとかお父さんが飲ませてくれてたんでしょ？」

「だから、そのときにすごく大変だったんだよ。耕平のときにも同じようにやれって言われても、やっぱり無理だったと思うな。お父さんも会社が忙しくなってたし……」

ずるい言い方かもしれない。話をつづければ、もっとずるい言い方になってしまうだろう。自分でもわかっていた。けれど、奈帆はまだ子供だ。難しい話をしても通じない。大人の気持ちをわかりやすく説明することは、少しばかりのずるさを許すことでもある。こんなに小さいんだ、奈帆は。クラスで一番背の低い小柄な体つきにすがった。

「それに」と私は言った。「奈帆だって、いつもお母さんが家にいたほうがよかっただろ？」

　奈帆は不意にベンチから立ち上がり、「耕ちゃん、立ち乗りだめだって言ったじゃん」とブランコに向かって駆け出していった。

　それきり奈帆はベンチに戻ってこなかった。耕平の手をひいてブランコからジャングルジム、滑り台、砂場、トンネルと遊具をひととおり巡り、最後に耕平をもう一度ブランコに乗せると、「晩ごはんまでに帰るから」と友達との待ち合わせ場所に向かった。まだ約束の時間には間があったし、昼食も食べさせていなかったが、私は「車に気をつけろよ」とだけ言って見送った。

耕平はその後も一人でブランコに興じていた。幼稚園で習った歌やテレビアニメの主題歌を口ずさみながら、上機嫌にブランコを漕ぐ。それに飽きると、今度はジャングルジム。一人二役で正義の味方と悪党を演じ分けているのだろう、ひとりごとにしては大きすぎる声でしきりにつぶやきながら、ジャングルジムを登ったり降りたりする。

最初は一緒に遊んでやるつもりだった私も、まあいいや、とベンチに座り直した。耕平には耕平の愉《たの》しみ方があるのだろうし、どんなふうに遊べば耕平が喜ぶのかわからない。

奈帆と耕平。父親として二人の子供はどちらも可愛《かわい》いと思う。しかし、微妙な差がないわけではない。耕平は奈帆よりも遠い。よそよそしさとまでは言わないけれど、耕平との間には、どこかまだ埋め切っていない隔たりがあるような気がする。

耕平は生まれたときからずっと妻がそばにいた。耕平の子育てはほとんどすべて妻に任せきりだった。私が耕平を風呂《ふろ》に入れるのは週末だけだったし、オムツもめったに取り替えなかった。こんなふうに妻も奈帆もいない二人きりの午後を過ごしたことなど、五年間で片手に余るほどの回数しかないはずだ。

奈帆のときにはそうではなかった。妻に代わって保育園に迎えに行く夜は、帰り道に二人でいろんなおしゃべりをした。「お母さんには秘密にしようね」と、コンビニエンスストアで買ったアイスクリームをかわるがわる嘗《な》めながら帰宅したこともある。奈帆がハシカにかかったときは、試験期間中でどうしても学校を休めなかった妻に代わって、私が有給休暇をとって看病した。四十度の熱を出した奈帆の体がどんなふうに火照《ほて》り、触るとどれくらい熱かったか、いまでもよく覚えている。テニス部の顧問だった妻は、休日にも練習や試合で学校に出かけることが多かった。そんな日は、妻に代わって私が一日中遊び相手をつとめた。この公園にも何度も来た。危ないからよせと言うのに奈帆はいつもブランコの立ち乗りをしたがり、ジャンプで着地するたびに転んで膝《ひざ》を擦りむいたのだった。

ひとつ、いま、気づいた。「妻に代わって」というのは嘘《うそ》だ。そんな意識は、あの頃の私にはなかった。「お父さん」と「お母さん」は、いつも奈帆から同じ距離で並んでいた。

だが、耕平のときは違う。耕平の目の前には必ず「お母さん」がいて、「お母さん」の肩越しに「お父さん」が覗《のぞ》き込む。ひょっとしたら、少しおっかなびっくりのまなざしで。

私は耕平の癖をあまり知らない。好きなテレビ番組も、幼稚園の友達の名前も、箸《はし》の持ち方をいつ覚えたのかも知らない。

後悔しているのか？　まさか、と苦笑する。

ただ、私たちには、いまとは違う暮らしをしていたカノウセイは確かにあった。そのことぐらいは認めようと思う。

正午になるのを待って、耕平に「そろそろ帰ろう」と声をかけ、めったに遊んでやれない罪滅ぼしのつもりで抱き上げてみた。だが、五歳の男の子の体は思ったより大きく、重みもある。二、三歳の頃の感覚で抱こうとしたのが失敗だった。足を踏ん張るのが一瞬遅れ、腰の右側に鈍い痛みが走った。

「やっぱり一人で歩こうか」

耕平を降ろして手をつなぎ、遊歩道を出口に向かって歩きだしたが、腰の痛みは消えない。筋を違えてしまったのかもしれない。

「お母さん、うちにいる？」と耕平が訊く。

「わからない。いいよ、お昼ごはんは適当にお父さんがつくってやるから」

「なにつくるの？」

「いや……やっぱりコンビニでお弁当買おう」

耕平と二人でコンビニエンスストアへ行くのは初めてだ。

「なあ、耕ちゃん」そっぽを向いて訊いた。「お母さんが家にいるのといないのと、耕ちゃんはどっちがいい？」

耕平は即座に「いたほうがいいに決まってるじゃん」と言った。わかりきったことを訊かないでよ、というような声だった。

私は耕平の手を強く握り直した。

「ねえ、お父さん、帰ったらミニヨンクやっていい？」

「ミニヨンクってなんだ？　ロボットとか、そういうやつか」

「違うよ。車のこと」

それでやっと、ミニヨンクがミニ四駆につながった。

「耕ちゃんも持ってるのか？」

「うん。ストラトベクター、八月にお母さんに買ってもらったの。知らない？」

なにも知らなかった。

「ねえ、いいでしょ？」と耕平は足を止めて私を見上げる。

「いいよ」腕を少し強く引いた。「行こう」

知らなかったことが、もうひとつある。五歳の子供の足の運びは思ったよりずっと速く、べつに先を急ぐわけでもないのに不意に駆け出したりして、どちらが手を引かれているのかわからないほどだ。それでいて「ちょっと待て、一人で歩いてくれよ。お父さん、腰が痛いんだ」と手を離すと、遊歩道からはずれて池の水際《みずぎわ》に行ってみたり、売店の軒先に並ぶ風船に目を奪われて立ち止まったり、散歩中のシベリアンハスキーを怖がって私の陰に身を隠したり、とにかくちっともまともに歩いてくれない。

奈帆も五歳の頃はそうだったな、と思い出した。知らなかったのではなく、忘れていたのだと気づいた。

妻が帰宅したのは、夕方だった。奈帆は友達と遊びに出かけ、耕平は子供部屋で昼寝中。そう伝える私の声も耳に入らないみたいに、妻は勢い込んで「ねえねえ、すごいことになっちゃった」とダイニングテーブルについた。

「水原先生って、めちゃくちゃよ。信じられない」

憮然《ぶぜん》とした声で、しかし表情にはどこか弾んだ様子もある。

「西村さんのところに行ってたんだって？」

「そう、みっちゃんのお母さんに会って、それから二人で柏原《かしわばら》さんのところに行って、途中から吉川《よしかわ》さんと山崎さんも来て……夜になったら佐々木さんも顔を出すって言ってたけど、その前に晩ごはんの支度だけしておこうと思って帰ってきたの。もう、みんなで話が盛り上がっちゃってね、今夜クラス全員のお母さんに電話かけちゃおうって。みんなも、いままでは黙ってたけど、あの先生には言いたいことがいろいろあったのよ」

妻はバッグからノートを取り出して、他の母親の「言いたいこと」を走り書きのメモをもとに教えてくれた。

みっちゃんは、食べ物の好き嫌いが多い。「葉っぱみたいで気持ち悪い」という理由で生野菜がほとんど食べられないのだから重症だ。給食を残さずに食べたことも数えるほどしかない。三年生までのクラス担任はそれを黙認していたが、水原先生は、なんとかして偏食を直そうとした。半ばあきらめていた母親を「あせらず気長に取り組んでいきましょう」と励まし、雑誌やテレビで生野菜を使ったアイデア料理が紹介されると、レシピをみっちゃんの日記帳に挟んで渡したりした。その甲斐《かい》あって、七月頃には二口や三口程度は食べられるようになったのだ。

「すごくいい話じゃないか」と私は言った。

だが、妻は「最後まで聞いて」と話をつづける。

一学期末の保護者面談で、みっちゃんと母親は「夏休み中にがんばって偏食を直します」と水原先生に約束した。しかし、夏休み中の食事はメニューも量も母親が決められる。娘が嫌いなことをわかっていながら生野菜を出したくはない。「まあ、親の気持ちはそうだよね、やっぱり」と妻は言い、私は黙って先をうながした。

結局夏休みの四十日間、生野菜が食卓に出たことはほとんどなく、みっちゃんの偏食は直らなかった。約束違反だ。水原先生は、それを許さなかった。二学期に入ると、給食の生野菜を食べ残すことを禁じた。皿に野菜が残っているかぎり「ごちそうさま」を言わせてくれない。昼休みになっても、ときには五時間目の授業が始まっても、みっちゃんの机の上には給食のトレイが置いてある。友達が遊んだり授業を受けたりするのを横目に、みっちゃんは毎日、泣きながらレタスやキュウリを口に運んでいるのだという。

「西村さんだけじゃないわ」と妻はノートをめくった。

柏原さん。九月の終わり頃、息子の太郎くんが水原先生にひどく叱《しか》られた。下敷きにアニメのシールを貼《は》っていたせいだ。勉強に関係のないものは学校に持ってこないというのが、クラスの取り決めだった。太郎くんもふだんはそれを守っていたが、たまたまその日は母親が、塾に通うときの下敷きを間違えてランドセルに入れてしまったのだ。

「どういう意味？」と私が訊《き》くと、妻は「忘れ物しないように、お母さんが毎日ノートや教科書をランドセルに入れてあげてたんだって」とあきれたように笑いかけて、すぐに頰を引き締めた。

入れ間違えたのは母親だという言い訳は通じなかった。先生は下敷きを没収し、柏原さんに電話を入れて、親の干渉や過保護がいかに子供の成長を妨げるかを強い口調で話していった。

吉川さん。娘の香織ちゃんは、バレエと水泳と学習塾と英会話とパソコン教室とで、放課後は毎日のように予定が入っている。十月初め、奈帆たちが連日居残って運動会の応援合戦用の旗をつくっているときも、香織ちゃんだけは先に帰っていた。ただし、それはクラスの暗黙の了解になっていて、香織ちゃんは作業に参加しない代わりに、「恥ずかしいから」とみんなが嫌がっていた運動会当日の応援リーダーをつとめることになっていたのだ。

しかし、作業の様子を見に来た水原先生は、教室に香織ちゃんがいないのを知ると、すぐに母親に電話を入れた。運動会というのは当日だけではなく準備期間も含めての学校行事で、一人で先に帰るというのは間違っている、と。しかたなく香織ちゃんはバレエ教室を三回つづけて休み、十一月の発表会での主役の座を逃してしまったらしい。

山崎さん。息子の翔《しょう》くんが、夏休みの宿題だった自由画で戦争のシーンを描いた。戦車と戦闘機が激しく撃ち合いをして、地面には血みどろの兵士が何人も倒れている、という絵だ。水原先生は始業式の日にそれを見るなり描き直しを命じた。だが、絵はちゃんと描いているし、テーマも自由なのだ。翔くんから話を聞いた母親はすぐに先生に抗議したが、先生は逆に、子供がこんな凄惨《せいさん》な絵を描くのは家庭での教育に問題があるのだと言って、戦争がいかに愚かなものか、戦闘シーンの多いアニメや漫画を子供に見せるのがいかに悪影響を及ぼすか、親子で平和について語り合うことがいかに大切かを、まくしたてるように話していった。

「この調子なら……」妻はノートを閉じて、胸の内に兆《きざ》した予感を確信に変えるように、大きくうなずいた。「他の子からも、いくらでも出てくるわね、きっと」

電話が鳴った。妻はすばやく受話器をとった。奈帆の同級生の母親からだった。

「だいじょうぶよ奥さん、心配しないで。どう考えたって悪いのはあっちなんだから。任せて。私だって元教師だから、向こうのやり口ぐらいちゃんとわかってるのよ」

電話に応《こた》える妻の声は、あまり感じのいい響きではなかった。だが、聞く人によっては、いきいきとして頼もしい声ということになるのかもしれない。

耕平を産む前はいつもそんな口調で話していたような気がしたし、そうではなかったはずだとも思った。私はもう、たくさんのことを忘れてしまっている。

4

週末の二日間で、妻のノートは半分近く埋まった。子供一人につき一ページ。三十七人のクラスの、二十三人の母親から話を聞き出した。水原先生のやり方にはっきりと反発している親は出てこなかったが、「そういえばこんなことがあった」という感じで先生とのちょっとした衝突を思い出した人が何人かいた。あと数日のうちにクラス全員の話が揃《そろ》うことになっている。次の週末に有志があらためて集まって、今後の行動を話し合う予定だった。

　日曜日の深夜、妻は珍しく自分から缶ビールを開けて、ほろ酔いに任せるように言った。

「みんなに感謝されちゃった。痩《や》せても枯れても元教師だもん、説得力あるのよね。柏原さんや西村さんなんて声が大きいだけだから、理論的支柱っていうの？　そういうのは完全に私になってるね」

「これからどうするんだ？」

「パターンとしては、まず本人に話すでしょ。でも、どうせ親が言っても聞く耳持たないはずだから、次は校長先生宛《あて》に手紙を出すだろうね。それでだめだったら、強硬手段になっちゃうのかな。交替で毎日授業参観するとか、授業のボイコットとか、教育委員会に連絡するとか……」

　妻は他人事《ひとごと》のような口調で言って、「まあ、いくらなんでも、そこまでやるつもりはないけどね」と笑った。

「頼むぜ、奈帆が嫌がったり悲しんだりするようなことはぜったいにやるなよ」

「わかってるってば」

「先生だって一所懸命やってるんだし、それが仕事なんだから」

「こっちも一所懸命子供のことを考えてるのよ」

妻はゆっくりとした仕草でビールを一口飲み、小さなゲップを挟んで「それが仕事だから」と私の口調をなぞった。

週末にやるつもりだった仕事は、結局手付かずのままだった。時間はいくらでもあったのに、頭と体を仕事に切り替えるきっかけがつかめなかった。いつものことだ。月曜日の昼休みをつぶしてパソコンを操作しながら、私は苦笑いを浮かべる。いいかげん教訓を得るべきだ。週末に仕事をするのなら出社しなければだめだ。家庭は私にとって休息の場で、ビジネス雑誌ふうに言うなら、オンタイムとオフタイムの区別はきちんとつけなければ、どちらも中途半端《はんぱ》なままになってしまうのだ。

「係長、ちょっといいですか」

背中に声をかけられ、振り向くと、入社して二、三年の若い部下が立っていた。来月結婚する別の部下を祝う内輪の飲み会の相談だった。

「いつでもいいから、決まったら早めに教えてくれ。こっちもスケジュールいじらなきゃいけないからな」

気をつけたつもりだったが、微妙に不機嫌な口調になったのが自分でもわかった。部下にもそれが伝わったのだろう、つづく言葉は遠慮がちになった。

「やっぱり飲み会の代わりに、みんなからお金集めて記念品でも贈りましょうか。忙しい時期ですし、そのほうがいいですか？」

「いや……いいよ、ちゃんとやろう。せっかくだから相手の女の子も誘ってみろよ」

「そうですね、訊いてみます」

「相手の人ってOLだっけ？」

「ええ。でも、もう辞めてるんじゃないですかね。いろいろ準備もあるし、子供をすぐにつくりたいって言ってましたから」

「なるほどね。まあ、そのほうがいいよな」

部下が立ち去った後、パソコンの画面をぼんやり見つめながら思った。

もしも、結婚後も奥さんに仕事をつづけさせるかどうか部下に相談を受けたら、私はどう答えるだろう。答えを決めかねているのではない。自分がどんな答えを返すか知っているから、自分自身に問いたい。十二年前のおまえには、どうしてこんな簡単な理屈がわからなかったんだ？

私と妻は二十二歳で結婚した。二人とも社会に出て半年しかたっていなかった。世間一般の常識からするとかなり早い、早すぎると言ってもいい。お互いの両親も、表立って反対はしなかったものの、本音では「せめてあと二、三年してから」と考えていたはずだ。

だが、私たちは常識に自分を無理にあてはめようとは思わなかった。二人で決めたことは他のなによりも勝る。きっと自信があったのだろう。どこに根拠があったのかは、いまはもうわからなくなってしまったのだが。

結婚式は「そんなものにお金を遣うのなら、いい家具を揃えたい」と意見が一致したので挙げなかった。新婚旅行は入籍の三カ月後、有給休暇をたっぷり取ってスキーを愉《たの》しんだ。妻は学校では旧姓で通し、年賀状はそれぞれ別の図案にして、私は学生時代と同じように自分の服には自分でアイロンをかけた。

子供をつくることは自然の成り行きに任せた。生活が忙しくなることぐらいわかっていたが、子供をあきらめるのは負けを認めるような気がして嫌だった。誰に負けるのが嫌だったのか、誰に勝とうとしていたのか、それもいまではわからない。

奈帆が生まれてからも私たちは変わらなかった。お宮参りには出かけたものの、とんでもなく割高なスタジオでの記念撮影は断り、「子供は土のあるところで育てたほうがいい」という私の両親の声には耳を貸さずに、二人の通勤に便利な高層マンションをローンを組んで買った。「保育園ではしつけが行き届かない」と妻の両親に言われたときには、妻が腹を立てて段ボール箱一杯の育児書を実家に送り付けた。覚悟していたとおり毎日は目が回るほど忙しく、私も妻も、奈帆が寝た後のリビングルームで仕事をすることも多かった。それが当たり前だとも思っていた。その代わり、月に一度は奈帆をベビーシッターに預け、二人で学生時代のように新宿や渋谷へ遊びに出かけた。

私たちは変わっていない。ずっとそう思っていた。実際、なにか具体的な出来事があったというわけではない。いつのまにか、変わった。「ふつうの家庭」に自分をあてはめたくなった。変わることが負けだと言うのなら、私たちは負けた、それを認められるほど変わった。そして、誰もが結局はなにかに負けてしまうのだとも知った。

妻が働いていた頃の私は、上司はともかく、同じ課の女子社員の受けはよかった。妻が旧姓のままフルタイムで働き家事も育児も夫婦で分担し合っているというのが「理想的」であり、「最高」であり、「おじさんとはやっぱり違う」世代であり、「これからはぜったいにそういう時代になる」のだそうだ。

そんな支持と期待に応えて、私は彼女たちに雑用を押しつけたりせず、高飛車な物言いもしなかった。彼女たちも私の残業がなるべく早く終わるようフォローしてくれたし、課長の機嫌の悪いときには「気をつけたほうがいいですよ」と耳打ちしてくれたりした。

私のいまの暮らしを見たら、彼女たちはどう言うだろう。確かめてみたい気もするが、それは叶《かな》わない。二十代の頃の私を知っている女子社員は、もうオフィスにはいない。皆、結婚を機に退職してしまった。一人残らずきれいに、だ。

現役の女子社員は、就職難を勝ち抜いてきただけあって、感心するほど優秀か、もしくはあきれるほど強いコネを持っている。自分と一回り近く歳《とし》の離れた彼女たちを見ていると、十年前の妻ではなく十数年後の奈帆を想像してしまう。私も「おじさん」になった。仕事中は缶コーヒーよりも日本茶のほうを好むようになり、女子社員のいれるお茶に、ときどき「ぬるいよ」とケチをつけたりもする。

十月二十九日、水曜日の明け方、トイレに立ったついでに子供部屋を覗き、少し迷いながらも、やはり気になってランドセルから日記のファイルを取り出した。

〈くもりのち晴れ。月曜日。欠席は0。給食はクリームコロッケとホウレン草のおしたしとかき玉汁とポテトサラダとチーズと食パン2まいとイチゴジャムと牛乳でした。昼休みは土井さんと図書かんで本を読みました。『ふたりのロッテ』をと中まで読みました。土井さんは『地球の七ふしぎ』を読みました。家に帰ってから、西村さんがノートを買いに行くのでいっしょに行って、わたしは消しゴムを買おうとしたらさいふをわすれたので買えませんでした。えき前で西村さんが帰って、わたしは一人で家に帰りました。テレビは見ませんでした〉

水原先生は二カ所にアンダーラインを引いていた。『ふたりのロッテ』のところと、財布を忘れて消しゴムが買えなかったところ。欄外には赤ペンの文字で〈感想は？　なにも思わなかった？　そんなことないでしょ？〉とある。クエスチョンマークが痩せていた。書き癖なのかいらだちの証《あか》しなのかは、わからない。

先生の感想は、さらにつづく。

〈自分の思ったことや感じたことを言葉にするのは、すごくむずかしいと思います。だけど、むずかしいからといって逃げていては、いつか田村さんがほんとうに自分の考えを言わなくてはいけない時に言えなくなってしまいますよ。一学期の日記や九月の日記を読んで思い出してごらん？　自分の考えが、ちゃんと、イキイキと書いてありますよ〉

ため息とあくびが交じり合った。瞬《まばた》いても涙がにじまなかったので、少しあくびのほうが負けていたようだ。

ファイルをランドセルに戻した。最初に入っていた場所と同じ、算数と国語の教科書の間。表紙の向きも、たぶん間違いないはずだ。そっちに気をとられたぶん、ランドセルの蓋《ふた》を閉める仕草がおろそかになり、マグネットが音をたてた。

奈帆の布団《ふとん》がもぞもぞと動く。

「おかあ……お父さん？　なにしてんの？」

「いや、あのさ、今朝寒いから、耕平が布団蹴《け》ってたら直してやろうと思って」

「あ、そう」

「まだ早いから、寝てろよ」

「うん……」

そのまま部屋を出ていこうとしたら、奈帆はベッドから跳び起きて、「やだあ、もう！」と急いで梯子《はしご》を降りた。「どうした？」と近づく私を「どいて！」と突き飛ばすようにして勉強机に向かい、本棚から一冊の本を抜き取る。書店のカバーがかかった、文庫より少し縦長のサイズの本だった。白みかけた窓の外の明るさだけを頼りに、ページを手早くめくる。「なんなんだ？」と声をかけても返事はない。

本の終わり近くのページで手が止まる。奈帆は本に顔をくっつけるようにして、なにごとか早口でつぶやいた。ほとんど聞き取れない。尖《とが》った音や濁った音の多い外国語、もしくは呪文《じゅもん》のようだった。

つぶやき終えると、奈帆はようやく安心したように息をつき、本を元の場所に戻した。そして、私に向き直って「あたしがベッドにいるときは、こっちからおはようって言うまでは声かけないでくれない？」と怒った声で言う。

「なんで？」

「なんでも。そう決まってるの。朝になる前に男の人と話すときはそうなってるの。一回失敗すると、友達が一人、五年以内に死んじゃうんだから」

「はあ？」

「そうなってるの。もういいじゃない、だいじょうぶだから、しゃべって一分以内にマーキュリーのヒホウ使えばいいの。はい、じゃあお休み。今度から勝手に部屋に入ってこないでよ、お父さんは」

奈帆は一方的に言って梯子を登り、布団に潜り込んでしまった。

ヒホウ？　悲報、秘宝、秘法？　なにがなんだかわからないまま、ただ奈帆を怒らせてしまったことだけ背負って、部屋を出た。耕平も遠いが、奈帆だってじゅうぶんに遠い。これから遠くなる一方なのだろう、とも思う。

その日の夜までに、妻のノートはクラス全員ぶん、三十七ページ埋まった。

「こういうのは全員に話を通しておくことが肝心だからね」

リビングのソファーで話す妻の顔と声には、かすかな落胆がにじんでいた。学生時代、苦労してチケットを取ったラグビーの試合が予想外の凡戦だったときの表情に似ている。満足などしていないけれど、不満を口に出すとよけい悔しくなる、そんな感じだ。

「土曜日や日曜日の調子なら、どんどん出てくるぞって思ったんだけど……全然、尻《しり》すぼみ」

水原先生への悪評は、妻や柏原さんたちが期待するほど集まらなかった。まったく取り合ってくれなかった母親もいたし、教育やしつけに熱心な先生を擁護する声も少なくなかった。この週末に予定されていた集会も、最初に話が盛り上がった数名の母親だけの参加になりそうだという。

「みんな学校を信じすぎてるのよね。先生のやることに間違いはない、先生に任せておけばだいじょうぶなんて、お人よしっていうか無関心すぎるわよ」

「柏原さんや西村さんって、口うるさいタイプなんだろ」

「熱心なのよ」

「でも、昔はああいう親が一番嫌いだっただろう」

「そうね、うん、そうだった。被害者意識が強くて、自分の子供のことしか考えてなくて、視野が狭くて、自分のまわりだけが世界のすべてだと思い込んでる……そんなおかーさまがたって、大っ嫌いだった」

妻は少しおどけて言い、私も「よく愚痴ってたもんな」と短く笑った。

「でもね」妻は、たぶんわざと、あくびを挟んで言った。「親って身勝手になって当然なのよ。教師にとってはたくさんいる生徒の一人かもしれないけど、親にとってはそういうものじゃないでしょ？　かけがえがないっていうか、一生離れないんだもん」

「うん……」

「私ね、いまなら愚痴ったりしないと思う。おかーさまがたの気持ちも、ちょっとはわかってあげられると思う」

そうかもしれない。そんなことはないのかもしれない。確かなことはひとつ、妻はいま「おかーさまがた」の一人になっている。

「みんな言ってくれるのよ、田村さんみたいな人が先生だったらよかったのにね、って。

私もちょっと自信あるもん、いまだったら昔よりもっといい先生になってると思う」

私は黙ってうなずいた。

「ま、そんなこと言ってもしょうがないんだけどね」と妻は話を切り上げて、寝室に向かった。

私は妻の去った後もソファーに残り、何度も小刻みにうなずきつづけた。


翌日の夕方、ミーティングブースで同期入社の高橋と仕事の打ち合わせをしていたら、外線電話を受けた女子社員が私を呼んだ。妻からの電話だという。

常日頃から、妻にはよほどのことがなければ会社には電話をしないよう言ってある。二人で働いていた頃は、職員会議が長引くだの奈帆が熱を出したと保育園から連絡が入っただのと毎日のように電話があり、そのたびに上司や同僚に対して気詰まりな思いをしたものだった。

私は舌を打ち、後でかけ直すから、と女子社員に伝言した。打ち合わせは難しい局面にさしかかっている。水を差したくない。

だが、高橋は席に戻りかけた女子社員を呼び止めて、「いいよ、出てやれよ」とブースの外に顎《あご》をしゃくった。「話も煮詰まってるから、ちょっと一息入れようぜ」

「いや、いい。悪かったな、話の腰折っちゃって」

「昔だったら電話に飛びついてたじゃないかよ。電話が終わると九十九パーセント、その日の予定はキャンセルでさ。田村の早退《はやび》け電話って、有名だったろ」

「皮肉言うなよ」

「そんなのじゃないって。とにかく、こっちは気にしないでいいから、電話に出てやれよ。大事なことかもしれないだろ。子供がケガしたとかさ。俺もしょんべんしてくるから、な、出てやれって」

高橋の態度には、確かに皮肉は微塵《みじん》も感じられなかった。昔とは違うなと思いかけて、いや昔もそんなふうに笑って「出てやれよ」と言ってくれていたような気もして、あの頃はなぜ、そして誰に対して、あんなにも気詰まりだったのか、よくわからなくなってしまった。

高橋がトイレにたった後ブースに電話をつないでもらうと、妻の狼狽《ろうばい》した声が飛び込んできた。

——あなた、大変！　どうしよう、すごいことになっちゃった！

みっちゃんが昼休みに倒れ、学校から救急車で病院に運ばれたのだという。

——私もさっき奈帆から聞いたんだけど、給食をまた無理やり食べさせられてたんだって。そうしたら急に全身にジンマシンが出て、痙攣《けいれん》して、口から泡を噴いて床に倒れちゃったって。

奈帆や耕平とは無関係だったことに少し拍子抜けして、正直、腹立たしくもなった。

「あのなあ……そういうことでいちいち電話してくるなよ。仕事中なんだぞ。帰ってからでもいいだろ？」

しかし、妻は「それだけじゃないの」と早口につづけた。

みっちゃんの病状はたいしたことはなかった。一時的にストレスが高まってしまったというのが医師の診断で、夕方には家に帰ってきた。だが、おさまらないのは母親のほうだ。水原先生がみっちゃんの付き添いを保健室の先生に任せて、ふだんどおり午後の授業をおこなったことも、母親の怒りに拍車をかけた。

――柏原さんと二人で、いまから学校に行って水原先生に抗議するっていうのよ。それで私にも一緒に来てくれないかって。話が長引くと思うから、今夜は早く帰ってきて、子供たちに晩ごはん食べさせてやってほしいんだけど。

「無理だよ、そんなの」

――なんとかならない？　西村さんと柏原さんだけだと、興奮しちゃってるから、なに言い出すかわからないのよ。

「商談がひとつ入ってるんだ。俺が行かないとどうしようもないんだよ」

――だから、忙しいのはわかってるって言ってるじゃない。

高橋がブースに戻ってきた。私は、すぐ終わるからと手振りで示して、ため息に言葉を載せた。

「とにかくだめなんだよ」

電話を切った。そのつもりはなかったが、受話器を叩《たた》きつけるような格好になった。

「どうした？　揉《も》めごとか？」

笑いながら椅子《いす》に座った高橋は、おさらいをするように書類の前のページをめくりながら、「田村って、けっこう奥さんに威張った言い方するんだな」とつぶやいた。

「そんなことないだろ、ふつうだよ」

「若い頃の反動で亭主関白になってたりして。嫌だねえ、そういうオヤジ」

「おまえに言われる筋合いはないよ。いいから、早く納期出そうぜ」

高橋は三十四歳のいまも独身だ。女性に縁がないわけではないのだが、四十歳までに結婚すればいいと、のんびりかまえている。そんな高橋のちょっとした物の言い方が、ときどき無性にカンに障《さわ》ることがある。

予定どおり商談を兼ねた会食を終え、二次会は同僚に任せて家路を急いだ。

帰宅すると、玄関で靴を脱ぐ間もなく、洗面所で歯を磨いていた奈帆が廊下に飛び出してきた。少し遅れて、妻もリビングのドアを開ける。

「お父さん、ストライキ！　みっちゃんと香織ちゃんと、柏原くんと、あと、翔くん」

「明日から学校に行かないって。みんなで決めたんだって」

「なんだ？　それ」

　奈帆は「ね？　お母さん、そうなんだよね？」とリビングの戸口にたたずんだままの妻を振り返り、すぐに私に向き直って「あたし、どうすればいいと思う？」と訊《き》いた。

　まるで台風の近づいた夜のような顔をしている。

「どうすればって……」

「お父さんがいいって言ったら、休んでもいいんだって」奈帆はまた妻を振り向いた。「そうだよね？」

　妻は「早く歯磨きして、寝なさい。どっちにしても明日の朝は七時に起こすから」と奈帆を洗面所に戻し、ため息交じりに、あらためて私を見やった。

「一緒に行ったのか」と私は訊いた。

　妻は黙ってかぶりを振り、「授業ボイコットするんだって。すごい度胸」とつぶやくように言う。ドアの影がちょうど顔にかかって、表情が読み取りづらい。にらんでいるようにも、泣き出す寸前のようにも見えた。

5

私が背広を脱ぐのと入れ替わるように、妻はクローゼットからウインドブレーカーを取り出した。「ゴミは朝でいいだろ」と声をかけると、「学校に行くの。あなたが帰ってくるの待ってたのよ」と首にマフラーを巻きつけて言う。私と目を合わせようとしない。声もうわずり、かすかに震えていた。

「なに言ってるんだよ、もう十時だぞ」

「親から授業のボイコットを宣言されたのよ。まだ学校にいるわよ。校長とか教頭とかと、これからのこと話し合ってるわよ」

「学校に電話したのか」

「事務室の電話だから、夜はどうせつながらないの。とにかくちょっと行ってみるから。あなた、子供たちのこと見ててくれる？　晩ごはん食べるんなら、シチューがお鍋《なべ》に入ってるから」

妻は寝室から玄関に向かいながら早口に言って、靴箱の上のキーボックスから自転車の鍵《かぎ》を取り出した。玄関のドアが勢いよく開く。腕を取って引き戻そうとしたが、ぎりぎりのところで届かなかった。エレベータホールへ駆けていく靴音が、廊下に響き渡る。

私は寝室にとって返し、ハンガーからはずした背広を小わきに抱えて、玄関に出た。

「奈帆、ちょっと出てくるから、すぐ帰るから、電話は留守電にしといてくれ」

子供部屋から「はーい」と、肩透かしを食らわすような軽い声が返ってきた。留守番ぐらいできるんだよ、もう。親がくっついていなくたってだいじょうぶなんだ。誰かの胸倉をつかんで言ってやりたかった。誰に？　知らない、それは。

自転車置き場で妻に追いついた。自転車を駐輪ブロックから取り出し、向きを変え、ちょうどサドルにまたがったところだった。

非常階段を駆け降りているときには、「明日にしよう」と、場合によっては力ずくでも妻を止めるつもりだった。

だが、あえぐ息と胸の動悸《どうき》が勝手に声を出した。

「俺も行く」

妻はペダルに片足をかけたまま、きょとんとした顔で私を見る。

「俺も一緒に行くから」と私は繰り返した。今度は、はっきりと。

「あなたが行ったってしょうがないじゃない」

「途中まででいい。自転車、俺が漕《こ》ぐから。一人じゃ危ないだろ」

「二人乗りなんかしたら、もっと危ないわよ。それに……」

妻はクスッと笑って自転車から降りた。「ほら、見て」と自転車を軽く横に倒す。昔はハンドルのところに付けてあったチャイルドシートが、荷台に付け変えてある。

「知らないうちに、場所変えるなよ」

私も思わず笑ってしまった。

「耕平は男の子だから重いし、奈帆と違ってじっとしてないんだもん。こっちも歳《とし》だからハンドル支えるのが大変なの」

妻はそう言って、自分の気持ちを確かめるようにうなずきながら長い息を継ぎ、自転車を駐輪ブロックに戻した。家を飛び出したときの思い詰めた様子は消えている。「じゃあ、どうせ十分ほどだから歩いて行こうよ」と私に声をかける顔は、すでにひと仕事終えた後のように、すっきりとしていた。

私たちは並んで歩きだした。

表通りに出ると、妻が「なんで追いかけてきたの？」と訊いた。

「いや、よくわからないけど、夜遅いし、心配だし……」

妻は「あなたも親の自覚が出てきたじゃない」とからかうように言った。正解とは微妙にずれているような気もしたが、私は「そうかもな」とだけ言った。

マンションから学校へ向かうと、最初に長い上り坂がつづく。冷たい風が坂の上から吹きつけてくる。仕事の帰りには気づかなかったが、空は厚い雲に覆《おお》われていた。ひさしぶりの雨が、すぐそこまで来ているのかもしれない。

　坂道の半ばで、妻がぽつりと言った。授業ボイコットという事態に至ったのは、「バカ」が三つ揃《そろ》ったせいだった。

　柏原さんと西村さんと山崎さんと吉川さん、要するに先週末に集まったメンバーが全員、喧嘩腰《けんかごし》で学校に怒鳴り込んだ。それが最初のバカ。母親たちの金切り声を適当にあしらう余裕もなく、負けずに親の過保護や放任ぶりを批判した水原先生も、バカ。三番目のバカは、話をうまく収められずに、先生が謝るまでは授業をボイコットすると柏原さんたちに言わせてしまった校長や教頭だった。

　ボイコットはせいぜい数日で終わる。水原先生が負ける。話が公《おおやけ》になるのを恐れる校長が間に入り、強引に水原先生に謝罪させる。先生が頑としてそれを拒めば、校長は、というより学校は、体面と秩序を守るために先生を担任からはずす。妻の予想では、九分九厘《りん》そうなるだろう、ということだった。

「先生はどうなるんだ？」

「正式な形での処分は受けないと思うけど、学校にいづらくなるのは確実だし、異動しても、そういう噂《うわさ》はついてまわるからね。狭い世界だもん、ブラックリストみたいな感じで、へたすれば受け入れ先がなくて、どこにも移れないかもしれない」

「親のほうは？」

「中学校なら高校受験の内申書でマイナスになるかもしれないけど、小学校だからね、損するのは教師だけ。たとえ一人でも授業をボイコットする生徒がいたら、それだけで担任不適格と見なされちゃうんだから。理由や原因なんてどうでもいいの。たとえ三十七人中三十六人にとっては最高の教師でも、残り一人にヘソを曲げられちゃったら、それでアウト」

「なんか、ひどい話だな」

「割の合わない仕事でしょ？　教師なんて。だからボイコットが一番怖いの。小学校だって高校だって、教師はみんな怖がってるの」

「昔のおまえも？」

妻は少し間をおいて、「すごく怖かった」と低い声で言った。

坂道を上りきると、広い通りに出る。学校へはこの道をまっすぐに、あと数分。学校を過ぎてさらに進めば、閑静な住宅街に入る。商店やガソリンスタンドが点在する我が家の近所より、子育てにははるかに環境が整っているが、駅からはバス便になる。保育園も遠い。マンションを買った九年前は、通勤と保育園の送り迎えのことしか考えなかった。中古マンションの相場が下がったいまは、買い替えの見通しはまるで立たない。

「ほんとうはね」妻がつぶやくように言った。「学校に行く気なんかなかったの。柏原さんたちと一緒にボイコットしちゃえばいいかなって、半分決めてたの。でも、さっき、あなた帰ってきたでしょ、顔見た瞬間、頭に血がのぼっちゃって……なんでだろう、ぜったいに奈帆を休ませちゃいけないって気になっちゃったんだよね」

「柏原さんに電話して、説得するっていうのは考えなかったのか？」

「全然」あっさりと答える。「話してわかるタイプじゃないんだもん、あのオバチャンは」

「水原先生だと、わかってくれるかな」

「どうだろうね」

妻はこれもあっさりと答え、「でも」とつづけた。「私は、先生と話すほうがいいな、どっちかって言うと」

学校が見えてきた。廊下の常夜灯が、赤と緑、二色の薄明かりで校舎を内側から浮き上がらせている。

校門に回ると、職員室に明かりが灯《とも》っていた。

「ほら、やっぱり残ってた」

妻は得意そうにうなずき、ここまで来てふと不安とためらいを覚えた私に、「だいじょうぶ、なんとかなるって」と言った。言葉の尻尾《しっぽ》が弾む。つくり笑いではなかった。思い出した。昔の妻はいつだって、こんなふうに笑いながら「なんとかなる」を連発していたのだった。

校門のインターフォンで守衛を呼び出し、職員室に連絡を取ってもらった。通されたのは職員室の隅の応接コーナーだった。コの字型に配されたソファーには、すでに校長と学年主任と水原先生の三人が、ぐったりと疲れきった面持ちで座っていた。

私たちは水原先生と向かい合う位置に座った。「どうもこのたびは、とんだことになりまして……」とかすれ声で言う校長も、「お茶、いれてきます」といい口実を見つけたようにそそくさと席をはずした学年主任も、水原先生に目をやるたびに憮然《ぶぜん》とした息をつく。だが、先生は、最初に私と妻に小さく会釈《えしゃく》をしたきり、誰とも目を合わせようとしない。

校長が弁解めいた口調でなにか言いかけたのを制して、妻が話を切り出した。

「とりあえず謝っちゃったほうがいいんじゃないですか？」

静かな声だった。水原先生は黙っていた。感情の読み取れないまなざしを虚空《こくう》に投げ出して、小さく肩を上下させただけだった。

「いいじゃないですか、軽い気持ちで、すみません私も言いすぎました、って。そうしたら、あとはなんとかなりますよ」

「私は、自分が間違ってるとは思いません」

水原先生は、くぐもった低い声で言った。

妻はうなずいて、「でも」とつづけた。「間違ってなくても、正しくなかったかもしれない、先生のやったことや言ったこと」

「どこがですか？　教えてください。田村さん、教師だった頃、私みたいにしませんでしたか？　たとえば、奈帆ちゃんの日記、生徒があんな日記書いてて、なにも言わなかったんですか？」

「あんな日記っていう言い方、やめてください」と妻はぴしゃりと言った。

先生はその声を跳ね返すように顔を上げ、赤く充血した目で妻と私をにらみつけた。

「でも、感想のない日記なんておかしいじゃないですか。奈帆ちゃんだけじゃなくて、みんなおかしいことやってるんですよ、間違ってるんですよ、だから指導するんじゃないですか。それが教師の仕事じゃないんですか？　学校はなんのためにあるんですか？　どんなふうにやってもいいっていうんなら、教師なんて要らないじゃないですか。甘やかせっていうことですか？　そんなにお子さんを甘やかしていいんですか？」

「違います」

私が言った。勝手に声が出た。妻よりも私のほうが責められているような気がしてならなかった。

「僕たちは、ちゃんと考えて、ベストを尽くして娘を育ててきました。どんなふうにやってもいいなんて甘やかしたつもりはありません。ちゃんと信念を持って、子供のために一番いい道を考えてるんです。だから……」

言葉は途中でさえぎられた。

「けっこう間違ったことも、たくさんやっちゃいましたけどね」

割って入ったのは、妻だった。

私は言葉に詰まり、水原先生も困惑した顔になった。校長は給湯室のほうを大袈裟《おおげさ》な身のこなしで振り返ったが、学年主任が戻ってくる気配はない。妻はその場にいる誰にも目を据えずに、一息につづけた。

「ほんと、間違ってるんですよね、偉そうなこと言ってても。後悔してることいっぱいあるんです。ウチだけじゃなくて、たぶん、みんな。親って間違いばかりするんです。もし子供を三十何人も育てることができたら、たくさん失敗したり、後悔したり、反省したりして、だんだん子供にとって一番正しいことはどうなのかってわかってきて……最後の子のときにはちゃーんと正しい子育てができるのかもしれないけど、実際には一人とか二人でしょ。正しくないこと、やっぱりやっちゃいますよ。甘やかしたり大事なこと教え忘れたりしちゃいますよ。でも、これ、みんなのこと信じて言ってるんですけど、どんな親だって一所懸命なんです、自分の子供のこと必死に考えてるんです、で、考えて空回りしちゃったり、全然見当はずれのことやっちゃったりするんですよ。そういうのって、正しいとか間違ってるとかとは別のレベルなんですよ」

「屁理屈《へりくつ》じゃないですか、そんなの」と先生が言う。

「屁理屈以下でも、本音ですよ」と妻はあっさり答える。

「申し訳ないんですけど、なにおっしゃってるのか、全然わかりません」

「そう？」

挑むような先生の声と、それをいなす妻の声が、ぶつかったのかすれ違ったのか、先生はうつむいて、いままでのやり取りすべてを打ち消そうとするように大きくかぶりを振りながら言った。

「もういいんです」

「もういいって、なにがですか？」と妻が聞き返す。

「いいんです、もう、関係ないんです」

「だから、なにが関係ないんですか？」

「さっき辞表出しましたから」

私と妻はとっさに視線を校長に移した。校長は居心地悪そうに尻《しり》を動かし、「そうなんです」と答える。「一身上の都合で退職されることになりまして……今回の件とは関係ないんですが……」

水原先生は上目使いに私たちを見て、短く笑った。

「疲れちゃいますよね、もう。なんでこんな目に遭わなきゃいけないんですか、私が。

一所懸命やってるのに、なにもわかってもらえないんだから。はっきり言って、親のエゴに振り回されるのって、もううんざりですよ。こんなの、いじめと同じじゃないですか」

一呼吸挟んで、先生はさらに笑いを深めてつづける。

「結婚するんです、来年。だから、ほんとうはどっちにしても三月で辞めようかなって思ってて、それが半年早くなっただけのことですから。今度のことが関係ないとは言いませんけど、いいんですよ、これで踏ん切りがついたと思ってるんです」

どこまで本音なのか、わからない。せめてもの強がりで笑っているような気もするし、わがままで身勝手な親たちを置き去りにしてやった勝ち誇った笑顔のようにも思える。どちらにしても、嫌な気分がした。先生が口にした言葉や浮かべた表情ではなく、もっと大きな、私や妻もその中に包み込まれてしまう霧のようなものが、私を嫌な気分にさせる。

「私、いい母親になります、絶対に。良妻賢母って、古い考えだけど好きなんです。だから……やっぱり、難しいと思うんですよ、仕事と両立するのって。外で嫌な思いばかりしてるとストレス溜《た》まっちゃって、家族にも迷惑だと思うんですよね。楽になったほうがいいですよね、田村さんならわかってもらえると思うんですけど、百パーセント親の立場になったほうが楽じゃないですか、今回のことで、それ皮肉じゃなくて、すごくよくわかったんです」

妻は黙っていた。唇がひくつき、体の重みが腰から浮き上がっているのが、私にもわかる。先生を、じっと見つめる。私は割って入る言葉を探した。だが、私に、なにが言えるのだろう。あなたの婚約者はそれでいいと言ってるんですか？　婚約者がそれを望んだんですか？　言葉はきっとすべて、私に翻《ひるがえ》ってしまう。

「それでですね……」校長がうめくように言う。「明日から二、三日、有給休暇の形でお休みをとって、それで、まあ、少し冷却期間っていうんですか、そういうのを置いてから、水原先生にもあらためて今後のことを考えてもらいますので」

だが、その言葉は誰にも受け取ってもらえなかった。うなずいたのは校長一人で、妻も先生も校長に目を向けることすらなかった。

しばらく沈黙がつづいた後、妻は感情の高ぶりを抑えるように大きく息を継ぎ、両肩から力を抜いて、言った。

「楽になりませんよ、全然。センギョーシュフって意外と大変なんだから」

ポキポキと発音した「専業主婦」は、デザイナーやツアーコンダクターと同じ種類の言葉のように聞こえた。

「甘いよね、そういう考えって」

妻は私を振り向いて言った。軽い笑い声が、ふわりと浮いた。苦みをすべて消し去った笑顔のようにも、舌が麻痺《まひ》してしまうほどの強い苦みだったようにも思えた。

「帰ろう」と私は言った。

「ぜったいに甘いよね」

「いいから、もう帰ろう」

「楽になりたいから辞めたわけじゃないのにね、私は」

「帰るぞ」

　妻の腕を取った。妻は心配要らないからと言うように、軽い仕草で私の手をはずし、立ち上がった。「お騒がせしました」と校長に頭を下げ、うつむいたままの水原先生に「がんばってください」と声をかけて、そのまま一人で出口へ向かう。

　私は追いかけて腰を浮かせ、中腰のまま、先生に言った。

「僕は、後悔していません。妻が仕事を辞めたことは間違っていなかったと思います」

　返事はない。

「でも、身勝手かもしれませんが、先生は、できれば仕事をつづけてください。奈帆のこと、これからもよろしくお願いします」

　先生はうつむいたまま動かない。

「奈帆は学校を休ませません。約束します」

　先生はスカートの上に置いた掌《てのひら》を左右でぎゅっとつかみ合い、ため息とともに両肩をすぼめた。

下り坂のせいだけではなく、行きよりもずっと早くマンションまで帰り着いた。妻はしゃべりどおしだった。水原先生とも奈帆とも自分とも関係のない、どうでもいい話ばかりつづけた。冷たい夜風に背中を縮めながら「ラーメンでも食べて帰らない？」と言って、「奈帆が怒るね、そんなことしたら」といまにも雨の降り出しそうな曇り空を見上げる。

私は相槌《あいづち》を打つだけで、自分からはなにも話しかけなかった。喉《のど》のずっと奥、みぞおちに近いあたりに、つっかえているものがある。最後に水原先生に言った言葉の、音は消えても響きが、まだ残っている。嘘《うそ》をついた。ひとつだけ。いま初めてそれに気づいたのか、ずっと以前から気づいていて素知らぬ顔をしていたのか、自分でもよくわからなくなってしまった。

エントランスホールでエレベータを待っているとき、妻がふと思い出したように言った。

「あなた、自信ある？」

「なにが？」

「自分の子育てとか、自分の考えとか、実際にやったこととか、そういうの全部正しか

った と思う？」

私は考えるふりをしながら、妻の言葉が先に進むのを待った。

「悪いけど、私は自信ないからね」と妻は言った。

「俺もそうだ」とうなずくと、「ずるいんだから」と背中を小突かれた。どこまでさかのぼって「ずるい」のかは、わからなかった。

「先生が辞めようが辞めまいが、どうってことないよね」

妻はそう言って、先にエレベータに乗り込んだ。「開」ボタンを押して私が入るのを待ち、ボタンから指を離すのとタイミングを合わせて、「私に口を出す権利なんてないんだし」とひとりごちるように言う。

「俺、思うんだけど……もし先生が仕事を辞めたら、結婚相手の人、いつか後悔しちゃうんじゃないかな」

「本人が納得してても？」

「辞めさせたほうが後悔するんだよ、たぶん」

少しだけ、正直になった。

だが、妻は意外そうな顔と声で訊《き》いてきた。

「私って、あなたに仕事を辞めさせられたの？　なんかそれ、すごく失礼な言い方じゃない？」

七階。エレベータが停まる。今度は私が先にたって廊下に出た。ドアが閉まる音に、ふと不安になって後ろを振り返ると、妻がいた。ちゃんと一緒に歩いていた。妻の言葉と、私の答えなかった言葉は、宙に浮いたままエレベータの箱に閉じ込められた。

奈帆と耕平は、二段ベッドの下段でくっついて眠っていた。部屋の明かりは点《つ》けっぱなしで、枕元《まくらもと》には雑誌の付録の『なぞなぞブック』が置いてある。奈帆はまだパジャマにも着替えていない。お姉ちゃんぶって耕平を寝かしつけているうちに、一緒になって眠ってしまったのだろう。

「ほら、奈帆ちゃん、自分の布団《ふとん》で寝なさい。明日学校よ」と妻が苦笑交じりに肩をつつく。

奈帆を起こすのは妻に任せて、子供部屋を出た。風呂《ふろ》に入る前にビールを、一口だけでいい、飲みたかった。

ダイニングからキッチンに入ろうとしたら、電話機のメッセージランプが点滅していることに気づいた。会社？　商談のトラブル？　違う、まず最初に考えたのは、水原先生のことだった。辞表は撤回する、仕事をつづける、明日からも結婚後も、おそらく子供を産んでからも、ずっと。そんなメッセージを想像して、そこまで現実は甘くないだろうな、首を傾《かし》げて頭を仕事に切り替え、電話台のメモスタンドからボールペンを取りあげて再生ボタンを押した。

テープが巻き戻される間に妻もダイニングに入ってきて、「先生からだったら笑っちゃうね」と言った。こういうときに考えが一致するのは、正面から愛や幸せを語り合うより、ずっと嬉しい。

——もしもし？　夜分すみません。

最初の声で、妻は舌を打って「柏原さんだ」と言った。ひょっとしたら、私が思う以上に妻は「笑っちゃう」ことを期待していたのかもしれない。

——じつはですね、急な話で申し訳ないんですけど、明日のことでちょっと教えてほしいんです。こういう場合、学校休むと、欠席扱いになるんですか？　欠席になるんなら、ウチはまずいんですよね。太郎に皆勤賞を狙《ねら》わせてるんですよ。受験のこともあるし。だから、主人とも相談したんですけど、太郎のこと考えると、やっぱりあういうのってやめたほうがいいかなって。どっちにしても、欠席になるのかどうか教えてください。今夜は十一時半まで起きてますから。

テープが停まる。妻は「はいはい、とーぜん欠席ですよ」とつぶやいてメッセージを消去した。十一時半までには少し時間があったけれど、妻に電話をかけるつもりはなさそうだった。もしも「どうする？」と訊かれれば、私も「ほっとけ」と答えただろう。

妻はリビングのソファーに腰をおろし、天井を見上げて言った。

「まあ、でも、柏原さんも間違ってないのよ。みんな、おんなじ。自分の子供のことだけ考えてればいいの。それが仕事なんだから、おかーさまの。偉いじゃない、感心しない？　勝てるわけないよ、教師なんて、ぜったいに」

言葉は強かったが、声の響きのほうは、それほど悪意はこもっていなかった。昔話に出てくる憎まれ役のおばあさんのことを話しているみたいだ。

「水原先生がもしほんとうに辞めちゃったら、私、代わりに担任できないかな。いーい先生になれると思うよお、教育の理想とさ、おかーさまの本音がちゃーんとわかる、涙が出るぐらい、いい先生になると思うんだけどねえ」

歌うような妻の言葉を最後に、ぽっかりと、私たちのまわりだけ空気が薄くなったような沈黙がつづいた。いつまでもつづいた。私たちはもうなにも話さなかった。先に私が、それから妻が風呂に入り、日付が変わり、雨が降りだしてからも、言葉は出てこなかった。

6

雨は朝になっても降りつづいていた。冷たい雨だった。傘を持つ手の甲がかじかみ、ズボンの裾《すそ》から這《は》い上がる冷気が背筋を縮める。明日から十一月だ。この週末に、コートを出しておいたほうがいい。

　重さを背負うことすらできない輪郭のあやふやな沈黙が、夜をまたいだ。私も妻も、昨夜のことはなにも口にせず、今日これからのことも話さずに朝食を終え、まだ大切なことが手付かずのまま残っている収まりの悪さを感じたまま「行ってきます」と「行ってらっしゃい」を交わした。

　駅までは交差点を三つ渡って、徒歩六分。最初の交差点を渡り、二つめの交差点の信号を待っているときもまだ、なにか家に忘れ物をしてしまった気分は消えなかった。

　信号が青に変わる。路面に溜まった水を撥《は》ね上げないように気をつけながら、ゆっくりと渡る。途中で黄色い傘を差す男の子に追い抜かれた。小学生の、まだ一年生か、せいぜい二年生だろう。私立の学校なのか、ブレザーの制服を着て、ランドセルの緑がかった色や横長の形もあまり見かけないものだった。

　三つめの交差点を左折すると、駅に着く。右に曲がれば奈帆の通っていた保育園だ。妻が仕事を辞めて以来、ここを右折したことは一度もない。これからも、ないだろう。

　私の少し前を歩いていたさっきの小学生は、交差点を左に曲がると同時に駆け出した。あの子は毎日どれくらい時間をかけて学校に通っているのだろう、電車の乗り継ぎはどうなのだろう、満員電車をうまく降りられるのかな、怖いだろうな、親も心配だろうな、でももう二学期だし、だいじょうぶなのかな……そんなことをぼんやり考えているうちに、男の子の黄色い傘は駅前の雑踏に紛れた。

ロータリーに停まったバスから降りた乗客が、ひとかたまりになって駅舎に向かう。この駅を通過する急行電車が轟音《ごうおん》とともにホームを駆け抜ける。あと三分足らずで、前の駅で急行に抜かれた各駅停車の電車が入ってくる。それに乗って、私は会社へ向かう。すし詰めの電車の中、つかんだ吊《つ》り革を離すまいと腕をいっぱいに伸ばし、目をつぶって今日の仕事の段取りを立てる。いつもの朝だ。いつもの私が、いつもの領分に、逃げ込む。

私は立ち止まり、傘のグリップを強く握り直した。

足を一歩踏み出して、そこを軸に踵《きびす》を返す。

忘れ物の正体は、まだわからない。

けれど、それを探しに戻ってみよう、と思った。


歩きながら、昔のことをいくつも切れ切れに思い出した。

最後の授業を終えて帰宅した妻が抱えていた腕いっぱいの花束も、下手くそな字のメッセージが並んだ生徒の色紙も、夜中に警察の少年課から呼び出されて生徒を引き取りに向かうときのため息も、試験前の八つ当たりも、理不尽で身勝手な「おかーさま」への悪口も、指に染《し》みついていたチョークのにおいも、生徒の就職や進学が決まったときの弾んだ声も、私は忘れていない。いまはもうめったに思い出すことはなくても、私たちはそんな日々をかつて過ごしてきた。

覚えていることはたくさんある。いまはまだ懐《なつ》かしさと呼ぶほどではないけれど、もう一度繰り返すことは叶《かな》わない、私たち家族の、それはたぶん歴史なのだと思う。

明かりの灯《とも》った保育園のホールで、遅番の保母さんと二人きりで遊びながら私を待つ奈帆の姿も、忘れていない。昔は雨が嫌いだった。奈帆を保育園に送るときに自転車が使えないので、私も妻も朝食をとる間もなく、寝起きの悪い奈帆をなだめすかしながら服を着替えさせていたものだった。妻だけが仕事に出る土曜日の昼食は、よく奈帆と一緒にお好み焼きをつくった。ヘラでひっくりかえすのが苦手だった奈帆は、私がお手本を見せると拍手してくれた。お母さんをびっくりさせようよ、と二人で風呂掃除をしたこともある。途中から水遊びに変更して、髪を濡《ぬ》らした奈帆が風邪をひいてしまい、結局二人して妻に叱《しか》られるはめになった。奈帆は覚えているだろうか。あの頃、私はオムツだってちゃんと取り替えていたのだ。便秘がちだった奈帆の、お団子のようにころころしたウンチの色や形、においまで、私は忘れていない。

マンションの前で、学校へ向かう奈帆と行き会った。

「どうしたの？　お父さん」

「うん、ちょっとな、忘れ物しちゃったんだ。お母さんは?」

「耕ちゃんに朝ごはん食べさせてる」

「そっか」

「助かったよね、お母さんと先生、仲直りしてくれて。柏原くんとか香織ちゃんとかも、みんな休まないことになったんだって」

水原先生は、今日学校に来るのだろうか。明日からはどうだろう。大人になった奈帆がゆうべの先生と妻のやり取りを知ったら、どう感じ、なにを思うだろう。

歩きかけた奈帆を呼び止めた。「なに?」と振り向く仕草と同時に、奈帆はくるっとピンクの傘を回す。

「うん……」鼻の奥が、ツンとした。「大きくなったな、って」

「なに、それ。チョー皮肉ってんじゃん」

奈帆は少しはすっぱな声で言った。違うよ、と私はかぶりを振る。クラスで一番背が低くても、大きくなったんだ、とにかく、チョー大きくなったんだよ、おまえは。

「宮ちゃんと待ち合わせしてるから、もういい?」

足踏みをして言った奈帆は、不意に「あ、そうだ」と傘を大きく振って「お父さんお父さん」と声を弾ませた。

「あのさ、もうね、日記だいじょうぶだから。先生に怒られたりしないから。今日から日記、ふつうに書けるから」

「なんで？」

「雨が降ったから。シロマジュツだから。ヤバかったんだよ、失敗したらクロマジュツになっちゃうし、今月ぜーんぜん雨降らないんだもん」

シロマジュツ。クロマジュツ。「白魔術」と「黒魔術」でいいのだろうか。

「あたし、背が十センチとか二十センチとか伸びるからね。ほんと、マジに伸びるから。一年で十五センチ伸びた子もいるんだって」

「……なんなんだ？　それ」

奈帆は笑うだけでなにも答えず、白い息を気持ち良さそうに吐き出して、傘を回した。

妻は耕平と一緒にリビングのソファーに座っていた。私が部屋に入ると驚いた顔になったが、すぐに「なんとなく、そんな気がしてた」と笑った。私も照れ笑いを返し、耕平を抱き取ってソファーに腰をおろす。

「今日は遅刻しちゃってもいいの？」

「十一時の会議に間に合えばいいから。いま、外で奈帆に会ったよ」

「あの子、ご機嫌だったでしょ」

「ああ……なんか、わけのわからないこと言ってたけど」

「シロマジュツ？」

「知ってるのか？」

「朝ごはんのときに教えてくれたの。これ、おもしろいよ」

妻はそう言って、書店のカバーのかかった本をマガジンラックから取って私に差し出した。

『恋のHAPPY白魔術♥黒魔術撃退法付き』

扉ページに記された書名を見て、思い出した。いつかの朝、「おはよう」の前に私と話してしまった奈帆があわてて繰っていた本だ。

「お小遣いで買ったんだって。もうちょっとましな本を読んでほしいんだけどね、だめなのかな、もう親の買った本じゃあ」

妻はくすぐったそうに言って、「水原先生が見たら、情けなくて泣いちゃうかもしれないね」と本に顎《あご》をしゃくった。

一ページに一項目、魔術と言っても、要するにおまじないやジンクスの類《たぐ》いだ。天使が司《つかさど》るのが白魔術で、悪魔が仕掛けてくるのが黒魔術。どれも、投稿という形をとっている。片思いを実らせたり、テストのヤマを当てたり、友達をつくったり、嫌いな友達を遠ざけたり、癖っ毛を直したり、地縛霊を追い払ったり、いじめっ子に復讐《ふくしゅう》したり……本のおしまいのほうに、背が伸びる白魔術も紹介されていた。

〈天使マルグリットさま❤が、おとめ座からてんびん座に移ったときが魔術をかけるチャンス！　てんびん座（9月24日〜10月23日）に入って最初の雨の日から、三度目の雨の日まで、自分の気持ちを字で書かないこと。もちろん、この魔術のことは誰にもナイショ。さそり座に入っても続くようなら、超ラッキー。私の友達はその後1年間で7センチも伸びました。15センチ伸びた人もいるというウワサです。ただし、途中で雷が鳴ると、成長を止める黒魔術がかけられます。その時には、3年前の自分の写真をハート形に切り抜いて、家から一番近い川に流せばOK。（福井県N・Sさん　11歳）〉

「あいつ、こんなの本気で信じてたのかよ……」あきれ返って、確かに少し情けなくもなって、声が揺れた。「なんなんだよ、それ」

「叱る？」

「いや、まあ、本人は真剣だったんだし、やっぱり、背が低いのを気にしてたんだろうし……」

思わず吹き出してしまった。

妻はキッチンに立ち、朝食の後片付けにとりかかった。食器を洗う水の音に乗せて「子供が、どんどん遠くなる、親の知らないことが、増える」と標語や格言を諳《そらん》じるように言う。私も、そのリズムをなぞって「親は、どんどん歳《とし》をとる、か」と本を閉じた。

水原先生が知ったら、どんな顔になるだろう。こんなものを信じてはいけません、と本を没収してしまうだろうか。背を伸ばすには牛乳や小魚を食べるのが一番だと教え諭すだろうか。それとも、この話もまた反面教師になって、子育てに専念する覚悟を固めさせるのだろうか。

私は耕平を膝《ひざ》から降ろし、妻を追いかけてキッチンに入った。いまなら言える。私はきっと、この言葉を言うために引き返してきたのだ。

「説得したほうがいい」

「なにが?」と妻は顔だけ振り向かせた。

「先生に辞めるなって言ったほうがいいんじゃないか。おまえしかいないだろう、先生にちゃんと話してやれるのって。教師の仕事ってすごく大変だけど、すごくやり甲斐《がい》があるんだ、一生つづけていけるし、つづけなくちゃ後悔する、忙しくてもなんとかなるんだからって、おまえなら言えるだろう」

妻はシンクに向き直り、食器をすすぐ。

「悪いけど……」皿と皿がぶつかる音とため息が重なる。「そういうのって、単なるおせっかいだと思う」

「でも、このまま辞めちゃうのって、嫌な気がするだろ」

「誰が? あなたでしょ? 自分のために、辞めてほしくないんでしょ?」

認める。いまなら何度でも言えるし、いましか言えない。

「俺は後悔してるんだ、すごく」

「私は違うよ」水が止まり、一瞬の静けさが声をくっきりと響かせた。「ちっとも後悔なんかしてない。なんで私が後悔しなきゃいけないわけ？　そんなふうに思わないでくれる？　私のこと。みっともないことやらせないでよ、私ができなかったぶんも先生はがんばってくださいなんて、やめてよ、人をバカにしないでよ」

「違うって、そういう意味じゃなくて……」

妻は布巾《ふきん》を手に、私を振り向いた。泣き笑いの顔だった。「まあ、気持ちはわかるけどね」と布巾の隅で目元を拭《ぬぐ》いながら、「やっぱり、むかつく」とスリッパで私の足を踏んだ。

「それより、ねえ、今夜の帰りは遅いの？」

「月末で、金曜日だから、がんばっても九時……八時半が、せいいっぱいだな」

「デパートに行きたいの、冬物買っとかないといけないから。奈帆が帰ったら耕平と二人で留守番させて出かけるんだけど、晩ごはんに間に合わないかもしれないのよ。なんとかならない？」

足をもう一度踏まれた。

「デパートだけ？」と私は訊《き》いた。

妻は拭《ふ》いた皿を一枚私に手渡して、「映画も観《み》る」と言った。

私はシンクと向かい合わせに置いた食器棚のガラス戸を開けて、皿をしまった。空いた掌《てのひら》に、また一枚、皿が載せられる。それをしまうと、さらにまた一枚。昔は毎晩のことで、それがあたりまえのことだった。

「外で晩ごはんも食べてくるし、お酒も飲んでくる。いいよね？　たまには」

「お好きなように」

「センギョーシュフの仕事のご褒美《ほうび》とかお詫《わ》びとか、言わないでよ」

「言わないって」

「先生のことはいいじゃない、あの人だって大人なんだし。自分の人生は自分で決めなくちゃ。そうでしょ？　私も自分で決めたんだからね、それ忘れないで」

妻は耕平のマグカップを私に手渡して、その隙《すき》をついて足をまた踏もうとした。私はとっさに足を引いたが、つま先が逃げそこねた。

私はマグカップを食器棚の真ん中、耕平の手の届く高さの棚に置いた。かつてこの棚を使っていた奈帆は、いまは上から二段目の棚に食器を並べている。お年玉で買ったグラスを私が使うと、本気で怒る。ウイスキーのオンザロックを飲むのにちょうどいいサイズなのだが。

妻は布巾をハンガーに戻し、「そんなこと言いに、わざわざ帰ってきたの？」とからかうように言った。

私は食器棚のガラス戸を閉じる。

「俺、七時半に帰ればいいよな」

「だいじょうぶ？」

「なんとかなる」

私もこんなふうに言っていたのだ、確か、昔は。

雨は宵のうちにあがった。午後十時を回った頃、両手にデパートの紙バッグを提げて帰宅した妻が、空には月も出ていたと教えてくれた。

紙バッグの中身は、すべて冬物の服だった。耕平のオーバーとカーディガン、奈帆のセーターとスパッツとブラウス、私にはアンゴラのセーター、自分のためにワンピースを二着。どれも冬のボーナス一括払いだという。「いいでしょ？」と訊かれ、「もちろん」と私は答えた。

妻は約束どおり映画も観た。買い物の後、最終上映の始まる寸前だった映画館に飛び込んだ。新聞の映画評で星が五つ付いていた恋愛映画だったが、妻の採点では大まけにまけて二つ星の出来だったらしい。ホテルのラウンジでサンドイッチを食べてカンパリを二杯お代わりして、隣のテーブルからちらちらと視線を送ってくるベルサーチを着た若い男にウインクを返して、引き揚げた。「鍋《なべ》やフライパンを売りつけられなくてよかったな」と私が言うと、妻はひさしぶりにパンプスを履いた足の裏を私のゴルフボールでマッサージしながら、「耕平のお弁当箱だったら買ってあげてもよかったけどね」と少し真顔で言った。

奈帆は寝る前に日記を書いた。

〈雨。金曜日。水原先生がお休みだったので、教頭先生が朝の会とおしまいの会に来ました。みっちゃんが「水原先生は学校をやめるんだよ」と言うので「ウソだよ」と私は言いました。みんなもウソだと言っていました。先生、どっちですか？　私はモチロン先生がやめないほうがいいと思います。家に帰ると、おかあさんが、「いまから用事でおでかけなので、こうちゃん（弟）と遊んでいなさい」と言いました。テレビを見ていたら、おとうさんが、6時半に帰ってきました。夕食は、おとうさんがお好みやきをつくってくれました。2まいおかわりすると、おとうさんに「ブタになるぞ」とわらわれました。でも、おとうさんのつくるお好みやきは、とてもおいしいので、またつくってほしいと思いました。早く雨がやんで、背がのびればいいと思います〉

昨日の日記のページは、欄外に〈たいへんよくできました〉のゴム印が、少し左に傾《かし》いで捺《お》してあるだけだった。

先に読んだ私が「水原先生に読ませてやりたかったな」と言うと、妻はファイルに目を落としたまま「ああ私の指導がやっと実ったんだわ、って感激したりして」と声色をつくって言った。

「もうだいじょうぶだよな」

「最初からだいじょうぶだったのよ」

「日記を黙って読むのって、やっぱりまずいかな。まずいよな、もうやめような」

妻はうなずいてファイルを私に返し、「まあ、あとは子供に見捨てられていくだけだもんね、父親なんて」と笑った。

私はファイルを最初のページからめくりながら言った。

「明日、晴れたら、昼からどこか遊びに行こうか。遠くなくていいから、四人で、公園でもいいや、行こう」

「どうしたの？　急に」

「耕平はまだいいけど、奈帆と一緒に遊びに行けるのって、あと五、六年ぐらいだもんな」

「二、三年よ」

聞こえないふりをして、息を鼻で大きく吸い込んだ。時間がたっているせいでだいぶ薄れていたが、お好み焼きのソースのにおいは、まだ残っていた。

7

翌日は、朝から快晴だった。昨日の雨が埃《ほこり》を洗い流してくれたのか、街ぜんたいの輪郭がくっきりとしている。新しい月の始まりを祝うような天気だ。

妻はサンドイッチの弁当をつくり、私はひさしぶりに八ミリビデオの電池を充電した。弁当のおかずは、砂糖と醬油《しょうゆ》で甘辛く煮付けたシラスだった。サンドイッチとは全然合わないおかずだが、カルシウムはたっぷり含まれている。

奈帆が昼過ぎに学校から帰ってくるとすぐ、先週も出かけた公園に、今度は一家四人で向かった。奈帆は友達と約束をしているらしく、耕平と手をつないだ私と妻の少し先を歩きながら「ごはん食べたら、すぐに行くからね？　いい？」としきりに念を押す。確かにあと二、三年……いや、一、二年と訂正したほうがいいかもしれない。

水原先生は、今日も学校に来なかったらしい。

「風邪ひいちゃったんだって。教頭先生が言ってた」と奈帆は私たちを振り向いて言った。

「危ないぞ、前見て歩かないと」

奈帆に前を向かせ、そっと妻に目をやった。妻は、私の視線に動じる様子もなく、横顔におだやかな笑みをたたえて「早く治るといいね」と言った。

「月曜日に来るかなあ、先生」

奈帆が、また振り向く。

「月曜って、あさってなんだよね？」と耕平が、話に置いてきぼりを食うまいとしたのか、私と妻の手を強く引いて言った。

「そうだよ、あさって」と私は耕平の手を握り直し、妻は「月曜日、文化の日でお休みだよ」と言った。

「あ、そっか」と奈帆が笑い、耕平が「ねえ、ブンカノヒってなーに？」と訊く。

「お母さん、あさってね、高山さんと中島さんと三人で遊ぶんだけど、いいでしょ？あと、明日、ひろちゃんのお誕生会のプレゼント、宮ちゃんと一緒に買いに行くから、お金ちょうだい、五百円」

「宿題、今日のうちにやっちゃいなさいよ」

「お父さんってば、ねえってば、ブンカノヒってなに？　幼稚園お休みなの？」

「買い物、渋谷とか行っちゃだめ？」

「だーめ。お父さんに連れてってもらうんだったらいいけど」

「ゲーッ」

「どっちにしてもお父さん、明日はだめだよ、ゴルフだから」

「うそ、そんなの聞いてないわよ、私」

「先週言っただろ。朝五時起きだからな、頼むぜ」

「自分で起きてってよ、たまには」

「ブンカノヒって、なんなのって！」

「ねえ、お母さん、サンドイッチにトマト入れてくれた？」

話がちっとも先に進んでいってくれない。言葉のキャッチボールではなくて、みんなで玉入れをしているみたいだ。

私は耕平を抱き上げた。先週の失敗は繰り返さない。両足を踏ん張って、腰に力をこめて、耕平の体の重みをしっかりと支える。

去年までの奈帆は、こういうときには必ず「いーなあ、耕ちゃんだけ」と唇を尖《とが》らせていたものだったが、いまはもうなにも言わない。自分一人で歩くことを誇るように、さっさと先に進んでいく。それでもときどき後ろを振り返り、距離が開きすぎていると立ち止まって私たちを待つ。

私は耕平を肩車して、「なあ」と妻に小声で言った。「奈帆、ちょっと背が伸びたんじゃないか？」

妻は黙って、発声練習のように口をゆっくり、大きく動かした。

お・や・ば・か。

先週と同じベンチに場所をとり、奈帆と耕平に売店まで飲み物とお菓子を買いに行かせた。

手をつないで駆け出す二人の背中を、私は八ミリビデオで撮影した。昨日の雨の名残の水たまりをよけてジャンプしたとき、奈帆のスカートの裾《すそ》がめくれ、白いパンツが見えた。

テープを止め、ビデオを膝《ひざ》に戻すと、隣に座った妻が「いい天気ね」と言った。空はよく晴れていて風もほとんどない。コートが欲しかった金曜日とはうって変わって、陽射《ひざ》しにうっすら汗ばむほどだ。時季が合っているのかどうかは知らないが、こういうのを小春日和《びより》と言うのだろう。

「水原先生、火曜日に来るかな。おまえはどう思う？」

「わかんない」

「俺は、なんとなく、来るんじゃないかなって気がするけど」

「また柏原さんたちと揉《も》めちゃうかもよ。いいじゃない、三月でどうせ辞めるんなら、五カ月長く働いたからって、退職金もたいして違わないし、べつにどうってことはないでしょ」

「冬のボーナスがある」

「セコいっ、最低、そういう考え」

妻は肩を揺すって笑い、私の膝からビデオカメラを取り上げた。

「いや、ほんとはさ……」

言いかけて途中でやめて、まあいいか、と思い直してつづけた。

「来年からもつづけるんじゃないかなって、そんな気も、しちゃったんだけど……甘いかな？」

甘い、とは言われなかったが、妻は代わりに「あの頃の私が、いまの私に説得されたら、ぜったいに辞めなかったけどね」とつぶやくように言った。

けれど、二十九歳の妻は三十四歳の妻に会うことはできず、三十四歳の妻は二十九歳には戻れない。

後悔はある。もう口には出さないけれど、ずっと認めていたい。間違ったことをやってしまって悔やむのとは違う、正しいことを二つ同時に選べなかった悔しさを背負って、私は、たぶん妻も、子供を育て、いつかまた夫婦二人の暮らしに戻り、やがて年老いていく。

ひとつだけ、決めた。いま、決めた。これから十何年かたって、奈帆が社会に出て結婚をして、夫になった男がもしも奈帆に仕事を辞めろと迫ったら、仕事をつづけたい奈帆を無理やり家庭に押し込もうとするなら、私はその男を張り倒してやる。耕平が、妻になった女性に同じことを求めるなら、いまの私の悔しさやもどかしさをすべて話してやる。奈帆の夫は一発ぐらい殴り返してくるだろうし、俺たちの決めた人生に口出しをするなと耕平は言い返すだろう。それでかまわない。そのくらいの報いは、私だって受けていい。

私は息をゆっくりと吸い込み、吐き出して、言った。

「耕平が小学校に入ったら、なにか仕事、見つからないかな。もし外に出たいんなら、俺は今度は反対しない」

「それはそれは、どうもありがとうございます、旦那《だんな》さま」

妻はおどけて言って、「耕平が小学校に入らなくても、あなたに反対されても、働きたくなったら働くから」と、これはそっけなく言った。私はまだ、根本的なところで妻の気持ちを理解していないのだろう。

「もし最初からやり直せたら、ずっと先生つづけてるかな」

妻はしばらく考えてから「生まれ変わったら、あなたとは結婚しないかもね」と言って、ビデオカメラをかまえて立ち上がった。

奈帆と耕平がこっちに向かって駆けてくる。奈帆が手を振った。耕平が蹴《け》つまずいて転びそうになる。

不意に、カメラのレンズが私に向けられた。

「反省中のお父さんでーす」と妻はナレーションを入れた。

奈帆は、『ロシアン・ルーレット』という名前のチョコレートを買ってきた。六粒入りの一見ごくふつうのチョコレートだが、中にひとつだけ「当たり」があるのだという。

「チョー苦いの。セイロガンみたいに、死ぬほど苦いんだから。で、それを食べちゃった人は我慢するの。知らん顔して、最後にみんなで誰が『当たり』だったか当てっこするの」

「そんなの流行《はや》ってるのか、いま」

「うん。学校の友達はあんまり知らないけど、塾だとみんな持ってきてるよ。ね、いまからやろうよ」

妻は「苦いんでしょ？　もし耕ちゃんに当たったらかわいそうじゃない」と顔をしかめたが、奈帆はすっかり乗り気で「だいじょうぶだって、ほんと、ちょっとしか苦くないんだから」といいかげんなことを言いながら、いかにも駄菓子めいた安っぽいパッケージを開けた。

「お父さんとお母さんが二回ずつで、あたしと耕ちゃんが一回ね。いい？　あたしからいくよ」

奈帆は卵形のチョコレートを一粒つまんで、目をつぶって口に放り込んだ。頬と顎《あご》をゆっくり動かし、味を確かめる。他愛《たわい》ない遊びだと頭ではわかっていても、つい、こっちまで引き込まれるように奈帆を見つめた。

やがて奈帆はチョコレートを嚙《か》み砕き、もったいぶった仕草で両手を横に広げた。

「セーフ」

ほっとしてしまうのが我ながら半分情けなく、半分くすぐったかった。

「あ、でも、アウトでもセーフって言うんだからね、いい？　耕ちゃん、わかるよね？　はい、次、耕ちゃん」

耕平がおそるおそるチョコレートに手を伸ばす。妻が心配そうに「苦かったら、すぐにペッぺしなさいよ」と声をかける。

耕平も、セーフ。

妻は「よかったあ、耕ちゃん、すごいじゃない」と耕平の頭を撫《な》でた。奈帆が少し不服そうに「そんなのまだわかんないじゃん、アウトなのにセーフって言ってるかもしれないんだから」と言うと、耕平は「違うもん、ほんとにセーフだったもん」と負けじと言い返す。

次は、妻。チョコレートを口に含むとすぐに、困ったような表情を浮かべる。そして、それをぎこちない笑顔に変えて、「セーフ」と言った。奈帆が、そうそう、というように大きくうなずく。「当たり」だったのかどうか、私には読み取れなかった。家族でも、夫婦でも、わからないことはたくさんある。

「じゃあ、最後はお父さん。ひとつ取って」

奈帆と妻、耕平、三人の視線を浴びて、残り三粒のうちから一粒つまみ上げた。

さっきの奈帆のように目をつぶって、口に放り込む。頬の内側に触れるとすぐにチョコレートの表面が溶け出していく。甘い。なめらかでやわらかい甘みが口の中を満たす。だいじょうぶだな、セーフだな。ほっとして目を開けた瞬間、チョコレートが崩れ、口の中に苦みが広がった。私はまた目をつぶり、ゆるみそうになる唇をあわてて結ぶ。

「あれえ？　なんかさあ……お父さんさあ……」と奈帆が言い、「我慢してるよね、これね、ぜったい」と妻が笑う。目を閉じたまま、耕平の声が聞こえないなと思っていたら、急に右腕を強く揺さぶられた。「お父さん、苦いの？　苦いの？　だいじょうぶ？」と耕平が半べその声で言う。私の息子は、なかなか優しい子供だ。

私は目を開けて、耕平の肩を抱いた。だいじょうぶ。こんなもの、どうってことはない。チョコレートの表面の甘みが、まだ口の中には残っている。苦みをそれで包み込めばいい。

私の正面に奈帆がいる。右側に耕平がいて、左側に妻がいる。

私の腕は三人をいっぺんに抱けるだろうか。包まれながら、包み返す、そんなふうに抱けるだろうか。

チョコレートを吞《の》み込み、耕平の肩から右腕をはずし、左腕と一緒に思いきり横に広げた。

「セーフ」と私は言った。

文庫版のためのあとがき

ひとりぼっちの主人公のお話ばかり書いてきた。物語はいつだって、誰かとの別れや死から語り起こされていた。本書に収録された「エビスくん」という作品を書き下ろす前のぼくは、どうしても仲間のいる主人公をつくれず、出会いの物語を、裏返せば正面からの別れの物語を書けずにいた。

今度こそ「相棒の物語」を書きたいと願っていた。出会いと別れのドラマを、今度こそきっちりと物語ってみたかった。現実の苦みは残したまま、死ではなく生を、否定よりも肯定を志向する話を、どうにかして書けないものだろうか——。

それは、あの頃のぼくにとってはひどく難しいことだった。

ぼくは現実の、ぼく自身の「相棒の物語」に挫折《ざせつ》した男だったのだから。

かつて「相棒」がいた。大学の同級生のSである。「親友」と呼ぶより、やはり「相棒」のほうがふさわしい間柄だった。二人でいろんなことをした。ろくなことはしなかったし、たいしたこともしなかった。だからこその「相棒」なのである。

一九八一年春にぼくたちは出会い、四年後にそれぞれ社会に出て、ぼくはサラリーマン生活にわずか十一ヵ月で見切りをつけた。すでに結婚をしていたので、なにはともあれ飯を食うために働かなければならない。てっとりばやくフリーライターの仕事を始めてはみたものの、二十二、三歳の駆け出しに仕事がどんどんまわってくるほど、この業界も人材が払底しているわけではない。半年もしないうちに「こりゃあヤバいなあ……」と就職雑誌に手を伸ばすはめになってしまった。

そんなぼくに「ウチで仕事するか」と声をかけてくれたのが、出版社に就職して某週刊誌の編集部にいたSだった。迷う余裕などなかった。感謝した。「ありがとう」と頭を深々と下げると、あいつ、なんともいえない困った顔をして「気にするなよ」と言ってくれた。

その困惑の意味を、ぼくはずっとあとになってから噛《か》みしめることになる。

学生時代の「相棒」に拾われて、救われた。最初のうちはそれをただ喜んでいるだけでよかった。だが、やがてぼくたちは——少なくともぼくは、もう以前のようにはSと話せなくなってしまった。

ぼくたちはもう「相棒」ではない。仕事をまわす側と受ける側、それも、ぼくはこの仕事を失ってしまうとたちまち飯が食えなくなり、Sの雑誌からすれば代わりのライターはいくらでもいるという、いびつなバランスでの受注関係だった。ぼくは会社ではS

を呼び捨てにできず、外でも遠慮がちにしか話せなくなり、いつしか二人きりで酒を飲むこともなくなってしまった。

一九八九年の年明け、ひさしぶりにSと会社の外で会ったときに「フリーの生活はどうだ？」と訊《き》かれた。その頃のぼくはフリーライターとしてじゅうぶんに生活は成り立っていたが、まだSの仕事をあてにしなければ多少不安な、そういう中途半端《はんぱ》な時期だった。いつもならためらうことなく自慢話を披露する傲慢《ごうまん》なぼくが、そのときはSに気を遣った。駆け出し時代の恩を忘れてはいないからと言いたくて、ことさらに苦労と感謝を強調した。「おまえがいなかったらアウトだったよ」と芝居がかったことを言い、「フリーになんかなるもんじゃないさ」と媚《こ》びたふうに笑った。

Sは黙ってうなずくだけだった。

そして、その二カ月後、黙って自ら命を絶った。

会社の仕事に行き詰まり、フリーになることも心の片隅で考えながら、いやそれでも俺は会社の中でしか生きられないんだと自分に言い聞かせたすえの決断だった——と通《つ》夜《や》の席で知った。

あの日「フリーってのは楽しいぜ」と答えていたら、「よかったらコンビを組んで仕事しないか」と冗談半分にでも誘っていたら、もしかしたらSは……と考えることは無意味だろう。

ただ、Sと「相棒」の関係に戻れないまま別れてしまったことの苦みは、その後何年も胸の奥にあった。

ぼくは極端に人付き合いが悪くなり、仕事相手の誰とも個人的なおしゃべりを交わさず、顔も合わさず、電話とファックスとバイク便だけを他人との接点にして、ひたすら仕事部屋で原稿を書きつづけた。

小説を書くようになってからも、それは変わらない。作家志望のSは太宰《だざい》治と村上春樹が大好きで、「相棒」だった頃はときどきぼくに書きかけの小説を読ませてくれた。小説はどれも、主人公が雑踏の中から一歩も歩きださないまま、最初の数枚だけで終わっていた。まるでそのつづきを引き継ぐように、ぼくはひとりぼっちの主人公の物語ばかり書いてきたのだった。

一九九六年秋。二人目の子供が生まれた。フリーライターの仕事の合間に一年に一冊のペースで書いてきた「別れから始まるひとりぼっちの物語」も、その年の夏に刊行された『幼な子われらに生まれ』で六冊になっていた。

そろそろ歩きだそう、と思った。次の小説こそは「相棒の物語」にしよう。「相棒」との出会いから始まる物語を、どうせぼくの書くお話だ、ひねくれながら、あいかわらず不機嫌に、けれど否定ではなく肯定を志向して書いてみよう。

「エビスくん」を書くのは、ほんとうにキツかった。すぐに立ち止まり、へたり込みそうになる主人公の背中をどやしつけながら、物語を紡《つむ》いでいった。それは、ぼくにとってのリハビリテーションだったのかもしれない。

「エビスくん」は、小説としての出来不出来はともかくとして、いまに至るまで、ぼくのいっとう好きな作品である。一編の末尾近くの言葉――「会いたいなあ」は、物語からはみ出した、ぼく自身の声だった。「どこにおんねや、きみはいま」は、Sに向けた言葉でもあった。

一九九七年春、『ナイフ』全五編の第一稿が揃《そろ》った頃、ぼくはSと再会した。担当編集者だった松村正樹さんが出版部から異動になり、後任の中島輝尚さんを紹介されたのだ。二言三言、言葉を交わしただけでわかった。中島さんはびっくりするほどSに似ていた。顔立ち云々《うんぬん》ではなく、世の中に対するたたずみ方といったものがそっくりだったのである。

顔合わせで酒を飲んだとき、だから、ぼくはひどく酔っぱらった。初対面の中島さんにめちゃくちゃなことを言いつのった。「あんたとは友だちでもなんでもないんだから」「顔を合わさずに仕事をしたい」「会社なんか早く辞めてフリーになっちまえ」……。

中島さんはぼくの非常識なわがままを苦笑交じりに聞き入れてくれた。『ナイフ』は担当編集者と書き手がその後一度も会うことなく、一冊の本になった。ご迷惑をおかけした。膝《ひざ》をつきあわせればニュアンスを簡単に伝えられる書き直しの提案を、中島さんは電話やファックスで懇切丁寧にぼくに語りかけてくれて、それに導かれて改稿するたびに作品一編一編に確かな手応《てごた》えが感じられるようになった。書き手の甘えだと叱《しか》られてもいい、中島さんは『ナイフ』をめぐる、かけがえのない「相棒」だった。

中島さんとはここ一、二年、よくお目にかかっている。いつもぼくから「会いませんか」とお誘いする。別の誰かと酒を飲んでいても深夜に人恋しくなると会社に電話をかけて、ご本人はもとより関係各位にもしょっちゅう顰蹙《ひんしゅく》を買っている。リハビリは、なんとか完了したのだろうと思う（イヤな「全快」である）。

中島輝尚さんにあらためて感謝する。松村正樹さんと、「小説新潮」掲載の二編を担当してくださった江木裕計さん、そして文庫版を編集していただいた青木大輔さんにも、同様の謝意を捧《ささ》げたい。

後日譚《ごじつたん》が、ある。

一九九九年一月、『ナイフ』は第十四回坪田譲治文学賞をいただいた。さっそく「小説新潮」のグラビアで受賞を紹介してもらうことになったのだが、撮影の手伝いのために我が家を訪れた中島さんは、仕事部屋に足を踏み入れると真っ先にCDラックを覗《のぞ》き込み、ぼくの音楽の趣味を品定めするようにCDのラインナップをチェックしはじめたのだ。

CDをレコードやカセットテープに置き換えれば、それはSが初めてぼくの下宿に遊びに来たときとまったく同じ光景だった。

だから、あの日のフィルム、最初の数カットのぼくの顔は、目をしょぼつかせ、鼻の頭をほんの少し赤くしているはずである。

二〇〇〇年四月

重　松　清

巷《ちまた》の勇者たちへ

如月小春

いつの頃からだろう。夕食時にテレビをつけると、洒落《しゃれ》た色合いのスーツを着た女性アナウンサーが、歯切れの良い口調で、「また、子どもの自殺です」と告げている。

自殺でなければ、親を刺した、友達を刺した、通りすがりの人を刺した、仲間を恐喝した、リンチにかけた、殴り殺した、そんなニュースが当たり前のように毎日の食卓に届けられるようになって久しい。

〈いじめ〉が大きな社会問題として、しばしばマスコミに取り上げられたのは、もう何年も前のことだ。最近では、よほどセンセーショナルな事例でないかぎり、話題にされることもない。

こうしていつの間にか〈いじめ〉は私たちの社会に於《お》いて、日常的な光景と化したのだ。子どもたちは教室の中で、塾の廊下で、駅前のロータリーで、今一番ハマっているゲームのように、〈いじめ〉に熱中して、飽くことを知らない。

だがどんなに〈いじめ〉が日常化しようと、その標的となった子どもの苦しみが軽減されることは絶対にないのだ。絶対に。ゲームの参加者たちは貪欲《どんよく》だ。おまけにその周囲にはもっともっとスリリングな展開が見たいとあおりたてる観客がいて、小さな闘牛士たちは、毎日のように新しい仕掛けを工夫しては、哀れな牛をもてあそぶ。

　そうなると標的となった子どもが、〈死〉より他に逃げる道も、復讐《ふくしゅう》する道もないと思い始めても不思議ではない。まさにこれは絶望のゲームとでも言うより他ないのである。

『ナイフ』は、そんな絶望のゲームを描いた短編小説集である。どの作品も、小学生や中学生の子どもを持つ家庭が舞台になっている。登場する親たちの多くは三十代後半から四十代。一九六〇年代に生まれ、高度経済成長と共に育ち、バブルの頃に社会人になり、結婚し、大都市の郊外にローンを組んで家を買って、子ども二人と共に生活している――といった人たち。暮らしはとび抜けて豊かというわけではないが、食うに困っているわけではないし、夫婦の関係もとりあえず安定していて、家庭内に問題らしい問題はない。ただし、子どもが〈いじめ〉の標的にされていることを除いては。

　穏やかで平凡な日常と、そこで突如はじまる絶望的なゲーム。それはまさに不条理としかいいようのない展開だ。表題作『ナイフ』で著者は、その日常を舞台にして巻き起こる不条理を、別な場所で起きている非日常的なシチュエーションと重ね合わせることで、鮮やかに浮かび上がらせる。

　ヨッちゃんは「私」（父）の中学時代の同級生である。かつて柔道部の主将だった大きくて強いヨッちゃんは、現在は自衛隊に入隊し、民族紛争が激化する地域に派遣される。その派遣部隊のニュースが刻々と伝えられている日々に、「私」の中学生の息子の真司がひどい

〈いじめ〉にあっていることが明らかになるのだ。

真司は彼の父親と同じく極端に小柄な少年で、そのことが〈いじめ〉の材料にもされている。けれど、真司は自分がいじめられていることを決して親に言おうとしない。一人で苦しんでいる。そしてそんな子どもの苦しむ様子を見続けるのに耐えられず、母親はとり乱して泣く。だが父親は母親の訴えにもかかわらず自分から行動することができない。

その父親自身も実は職場では部下たちからうっとうしいと思われている存在である。部下との宴席の帰り道、自ら状況を打開することの出来ない、臆病《おくびょう》な「私」は小さなナイフを買う。そしてそのナイフをいつも持ち歩き、ついには息子をいじめる少年たちに挑みかかろうとするのだが――。

この物語の中では、三人の男たちが、それぞれ別な場所で、別なやり方で闘っている。ヨッちゃんは自動小銃を提げて異国で厳しい環境と闘っている。真司は学校で〈いじめ〉る少年たちと闘っている。そして父親である「私」は、家族と、自分自身のプライドとを守る為《ため》に、ナイフを懐《ふところ》に忍ばせて、自分の弱さと闘っているのだ。

場所が違っても、相手が違っても、方法が違っても、それが自分の持てる力をすべて出し切らねばならないぎりぎりの闘いである点では、同じである。いや著者はむしろ、本当の戦場よりもこの穏やかで平凡な日常の中での闘いの方が孤独の深さに於いて、闘いの難しさに於いて、はるかに困難ではないかとすら考えているようだ。そして、だからこそ、横断歩道に並んだわずかの時間に、孤独な父親と息子がお互いを「勇者」であると認めあうラストシーンは、読んでいて思わず胸が熱くなる。

『キャッチボール日和《びより》』も同様の構造を持つ小説だ。読み進むのが辛《つら》くなるほどのひどい〈いじめ〉を受けている中学生のダイスケ。そのダイスケの父は、プロ野球の荒木大輔《だいすけ》投手のファンで、それで息子にも大輔と名付けたという。その父と同じ高校の野球部の友人で、結婚して偶然同じ公団住宅に住んだ小川もまた荒木のファン。ダイスケと同じ頃に生まれた娘には好美《よしみ》と名付けた。けれど小川は交通事故で亡《な》くなってしまう。そしてかつての野球少年たちの二人の子どもは同じ中学の同じクラスに進学することになる。そこでダイスケへの〈いじめ〉ははじまるのだ。

ダイスケはいじめられている。あまりにひどい〈いじめ〉が続いてついに不登校になってしまう。母親は心配して転校させようとするのだが、父親はそれを許さない。強くたくましい男になってほしいと願うあまりに、逃げるな、立ち向かえ、とダイスケを叱《しか》る。

一方、心の中ではダイスケに申しわけないと思いつつ、好美は学校では、〈いじめ〉を遠巻きに見て笑っている子たちのグループに入っている。彼女は止める勇気がないのだ。

学校でも家でも理解し味方になってくれる人間をみつけられないまま、ついにダイスケはストレスから胃潰瘍《いかいよう》になり、皆の前で倒れてしまう。だが事態がそこまで進んだことでようやく、父は自分の理想とは違う心と身体《からだ》を持った息子を受け入れようとしはじめるのだ。

その父と息子の物語に、荒木大輔という野球選手の物語がオーバーラップする。甲子園に高校野球の投手として彗星《すいせい》の如《ごと》くにあらわれ、またたく間にヒーローとなった荒木は、ヤクルトスワローズに入団するが、故障の連続で、大した活躍も出来ずに、引退の崖《がけ》っぷちに立たされている。

しかし荒木大輔の大ファンである父は、ヒーローの復活を信じて、彼の引退をどうしても認めようとしなかった。なのに大輔の引退とダイスケの転校と、どちらも認めようとしなかったその父が、ついに息子と一緒に荒木の引退試合を見る日がやって来る。好美が計画したのだ。その場面がいい。

『ナイフ』と同様に、この作品でも著者は、荒木大輔というヒーローの闘いと孤独な少年の闘いを重ねあわせて、巷で闘い続ける無名の勇者たちに熱いエールを送っているのだ。

だが、それにしても、どうしてこんなにも辛い小説が書けるのだろうかと思う。これでもか、これでもか、といわんばかりに登場人物たちは、精神的に肉体的にぎりぎりの闘いへと追いつめられていく。フィクションなんだからもう少しお手やわらかでもいいのではないかと、気弱な読者の私は思ってしまうほどだ。でも重松清さんは、絶対に手を抜かない。〈いじめ〉を隅々まできちんと描こうとしている。それはたぶん、適当にボカして書いたりしたら現実にいじめられているたくさんの少年や少女たちに、彼等《かれら》を救うことが出来ずにのたうちまわっている親たちに、失礼だと思っているからではないだろうか。

おそらく著者は、このどんよりとした日常の中で、孤独で絶望的な闘いを繰り広げている無名の人々を、心からいとおしんでいるのだと思う。尊敬しているのだと思う。だから、書かずにはおられないのだ。もっとも厳しい場所にいて、傷つき疲れている人が読んだとしても自分の闘いは間違ってなかったのだなと思えてくるような、そんな小説を。

それはまた、作家としての重松さん自身の、闘い方とも重なっているのだろう。読んでいて重松さんらしいと思うのは、子どもの〈いじめ〉をテーマにした小説を書きながら、そこに大人をしっかりと関わらせ、浮かびあがらせている点だ。そこに私は、著者の、このテーマに対する自分なりの責任のとり方のようなものを感じるのだ。子どもの苦しみと大人の苦しみを合わせ鏡のように置き、夫と妻の心の痛みをどちらに重心を置きすぎることなく書こうとする態度は、現実に対しても、作中の人物たちに対しても、とことんフェアであろうとする重松さんの作家としての姿勢そのものだと私は思っている。だからだろう、何を書こうともどんな人間を描こうとも、どこかにいつも澄んだ青空が広がっているかのように、読後が清々《すがすが》しい。そこが好きだ。

（二〇〇〇年四月、劇作家・演出家）

この作品は平成九年十一月新潮社より刊行された。

重松清著

舞姫通信

教えてほしいんです。私たちは、生きてなくちゃいけないんですか？　僕はその問いに答えられなかった——。教師と生徒と死の物語。

重松清著

見張り塔から　ずっと

3組の夫婦、3つの苦悩の果てに光は射すのか？　現代という街で、道に迷った私たち。新・山本周五郎賞受賞作家の家族小説集。

重松清著

日曜日の夕刊

日常のささやかな出来事を通して蘇る、忘れかけていた大切な感情。家族、恋人、友人——、ある町の12の風景を描いた、珠玉の短編集。

重松清著

ビタミンF

直木賞受賞

もう一度、がんばってみるか——。人生の"中途半端"な時期に差し掛かった人たちへ贈るエール。心に効くビタミンです。

重松清著

エイジ

山本周五郎賞受賞

14歳、中学生——ぼくは「少年A」とどこまで「同じ」で「違う」んだろう。揺れる思いを抱き成長する少年エイジのリアルな日常。

恩田陸著

球形の季節

奇妙な噂が広まり、金平糖のおまじないが流行り、女子高生が消えた。いま確かに何かが大きく変わろうとしていた。学園モダンホラー。

斎藤綾子著

愛より速く

肉体の快楽がすべてだった。売り、SM、乱交、同性愛……女子大生が極めたエロスの王道。時代を軽やかに突きぬけたラブ&ポップ。

斎藤綾子著

ヴァージン・ビューティ

あなたと触れ合っている部分から、溶けてあふれて流れ出す私の体。ストレートに快楽を求める女たちの、リアルなラブ・ストーリー。

椎名　誠著

哀愁の町に霧が降るのだ（上・下）

安アパートで共同生活をする4人の男たち。椎名誠とその仲間たちの悲しくもバカバカしく、けれどひたむきな青春の姿を描く長編。

島田雅彦著

僕は模造人間

人間ってのは、みんな未完成な模造品だね――夢想的な偽悪少年・亜久間一人の明るく捩れた自我の目覚めと初々しい愛と性の冒険。

真保裕一著

奇跡の人

交通事故から奇跡的生還を果した克己は、すべての記憶を失っていた。みずからの過去を探す旅に出た彼を待ち受けていたものは――。

真保裕一著

ホワイトアウト

吉川英治文学新人賞受賞

吹雪が荒れ狂う厳寒期の巨大ダムを、武装グループが占拠した。敢然と立ち向かう孤独なヒーロー！　冒険サスペンス小説の最高峰。

星野道夫著
ノーザンライツ

ノーザンライツとは、アラスカの空に輝くオーロラのことである。その光を愛し続けて逝った著者の渾身の遺作。カラー写真多数収録。

星野道夫著
イニュニック〔生命〕
―アラスカの原野を旅する―

壮大な自然と野生動物の姿、そこに暮らす人人との心の交流を、美しい文章と写真で綴る。アラスカのすべてを愛した著者の生命の記録。

宮部みゆき著
火車
山本周五郎賞受賞

休職中の刑事、本間は遠縁の男性に頼まれ、失踪した婚約者の行方を捜すことに。だが女性の意外な正体が次第に明らかとなり……。

宮部みゆき著
龍は眠る
日本推理作家協会賞受賞

雑誌記者の高坂は嵐の晩に、超常能力者と名乗る少年、慎司と出会った。それが全ての始まりだったのだ。やがて高坂の周囲に……。

村上春樹著
世界の終りとハードボイルド・ワンダーランド
谷崎潤一郎賞受賞（上・下）

老博士が〈私〉の意識の核に組み込んだ、ある思考回路。そこに隠された秘密を巡って同時進行する、幻想世界と冒険活劇の二つの物語。

群ようこ著
膝小僧の神様

恋あり、サスペンスありの過激な小学校時代には、一人一人が人生の主人公だった。全国一億の元・小学生と現・小学生に送る小説集。

山田太一著
異人たちとの夏
山本周五郎賞受賞

あの夏、たしかに私は出逢ったのだ。懐かしい父母との団欒、心安らぐ愛の暮らしに――。感動と戦慄の都会派ファンタジー長編。

山田詠美著
ぼくは勉強ができない

勉強よりも、もっと素敵で大切なことがあると思うんだ。退屈な大人になんてなりたくない。17歳の秀美くんが元気溌剌な高校生小説。

湯本香樹実著
夏の庭
―The Friends―

死への興味から、生ける屍のような老人を「観察」し始めた少年たち。いつしか双方の間に、深く不思議な交流が生まれるのだが……。

唯川恵著
あなたが欲しい

満ち足りていたはずの日々が、あの日からゆらぎ出した。気づいてはいけない恋。でも、忘れることもできない―静かで激しい恋愛小説。

吉本ばなな著
とかげ

私のプロポーズに対して、長い沈黙の後とかげは言った。「秘密があるの」。ゆるやかな癒しの時間が流れる6編のショート・ストーリー。

吉本ばなな他著
中吊り小説

JR東日本電車の中吊りに連載されて話題となった《中吊り小説》が遂に一冊に！　吉本ばななから伊集院静まで、楽しさ溢れる19編。

新潮文庫最新刊

内田康夫著
不知火海
失踪した男が残した古いドクロは、奥歯に石炭を噛んでいた——。九州・大牟田に長く封印されてきた恐るべき秘密に、光彦が迫る。

乃南アサ著
駆けこみ交番
閑静な住宅地の交番に赴任した新米巡査高木聖大は、着任早々、方面部長賞の大手柄。しかも運だけで。人気沸騰・聖大もの四編を収録。

阿刀田高著
こんな話を聞いた
さりげない日常の描写に始まり、ゾクリあるいはニヤリとさせる、思いもかけない結末が待つ18話。アトーダ・マジック全開の短編集。

志水辰夫著
ラストドリーム
仕事を捨て、妻を亡くし、自らをも失った男は、魂の漂流を始める。『行きずりの街』の著者が描く、大人のためのほろ苦い長篇小説。

内田幹樹著
機体消失
台風に姿を消したセスナ。ハイジャックされた訓練用ジャンボ機。沖縄の美しい自然を舞台に描く、航空ミステリー&サスペンス。

松尾由美著
雨恋
会いたい。でも彼女と会えるのは雨の日だけ。平凡なサラリーマンと普通のOL（ただし幽霊）が織りなす、奇跡のラブ・ストーリー。

ナイフ

新潮文庫　し－43－3

平成十二年七月一日発行
平成十九年九月十日三十二刷

著者　重《しげ》松《まつ》清《きよし》

発行者　佐藤隆信

発行所　株式会社 新潮社

郵便番号　一六二—八七一一
東京都新宿区矢来町七一
電話　編集部(〇三)三二六六—五四四〇
　　　読者係(〇三)三二六六—五一一一
http://www.shinchosha.co.jp

価格はカバーに表示してあります。

乱丁・落丁本は、ご面倒ですが小社読者係宛ご送付ください。送料小社負担にてお取替えいたします。

印刷・大日本印刷株式会社　製本・加藤製本株式会社

ISBN978-4-10-134913-8 C0193